간호조무사의 합격 파트너   PRACTICAL NURSES

PRACTICAL NURSES

파워 간호조무사
국가시험 핵심요약집

스마트에듀K 아카데미

☑ 단기간 전 과목 마스터!
☑ 최근 3개년 출제 유형 완벽 분석
☑ 차별화된 전문성으로 수험생의 눈높이에 맞춘 쉬운 설명

 1교시·4과목
기초간호학 개요 | 보건간호학 개요 | 공중보건학개론 | 실기

군자출판사

파워 간호조무사
국가시험 핵심요약집

제1판 1쇄 인쇄 | 2022년 01월 02일
제1판 1쇄 발행 | 2022년 01월 15일

지 은 이 스마트에듀K 아카데미
발 행 인 장주연
출 판 기 획 한인수
책 임 편 집 임유리
편집디자인 유현숙
표지디자인 양란희
발 행 처 군자출판사
등록 제 4-139호(1991. 6. 24)
(10881) **파주출판단지** 경기도 파주시 회동길 338(서패동 474-1)
전화 (031) 943-1888 팩스 (031) 955-9545
www.koonja.co.kr

ISBN 979-11-5955-818-4

정 가 25,000원

머리말

최근 고령으로 인하여 늘어나는 의료기관에서 간호조무사의 수준 높은 전문성을 요구하고 있습니다. 간호조무사 국가시험의 최근 출제경향을 살펴보면, 기존의 기출문제 풀이만 열심히 하면 시험에 합격할 수 있었던 예전과는 달리 기출문제와 동일한 문제는 출제되지 않고, 간호 관련 전문지식을 넓고 깊게 포괄적으로 평가하는 방향으로 출제경향이 변화되고 있습니다.

본서 [2022 파워 간호조무사 국가시험 핵심요약집]은 수험생 여러분이 그동안 이론교육과 현장실습을 통해서 배운 지식들을 다양한 유형의 실전 문제풀이를 통하여 체계적으로 정리하고 요약하여 학습할 수 있도록 하였으며, 저자가 오랜 기간 일선 간호교육 현장에서 소망하였던 실질적인 국가시험 지침서가 될 수 있도록 각고의 노력을 기울였습니다. 본 요약집의 특징은

첫째, 국가시험 전 과목의 최근 3개년간 기출문제 유형을 파악하고 자주 출제되는 문제 위주의 핵심 내용을 정리하여 짧은 시간에 최상의 학습 효과를 얻을 수 있도록 하였습니다.
둘째, 한국보건의료인국가시험원에서 공지한 출제범위 순서에 맞춰 중복된 부분을 삭제하고, 간호조무사의 실무 영역에 맞도록 체계적인 목차를 구성, 이해하기 쉽게 핵심요약을 정리하였습니다.
셋째, 기존 요약집의 내용과 차별화된 전문성을 가지고 수험생의 눈높이에 맞춰서 알기 쉽게 설명하였습니다.

모르는 길도 네비게이션의 도움을 받으면 쉽게 찾아 갈 수 있듯이, 본 파워 시리즈 요약집과 문제집이 수험생 여러분을 합격으로 인도하는 좋은 길라잡이가 될 수 있기를 희망합니다. 미흡하고 불충한 부분은 앞으로 독자들의 아낌없는 조언(助言)과 연구를 통하여 계속 보완할 것을 다짐합니다.

본서가 나오기까지 많은 배려와 도움을 주신 (주)군자출판사 장주연 대표님을 비롯한 임직원 여러분께 깊은 감사를 드립니다.

2022년 1월
대표저자 **곽이화** 드림

contents

PART 01 | 기초간호학

PART 02 | 보건간호학

PART 03 | 공중보건학

PART 04 | 기본간호 실기

PRACTICAL
NURSES

파워
간호조무사
국가시험 핵심요약집

시험 안내

1 시험일정

구분	응시원서 접수기간	응시수수료	시험일	합격자 발표 예정 일시	시험장소 공고일 (국시원 홈페이지 공고)
상반기	인터넷: 2022.1.4.(화)~1.11.(화) 방 문: 2022.1.12.(수)	37,000원	2022.3.19.(토)	2022.4.5.(화) 10:00	2022.2.16.(수)
하반기	인터넷: 2022.7.5.(화)~7.12.(화) 방 문: 2022.7.13.(수)	37,000원	2022.9.24.(토)	2022.10.11.(화) 10:00	2022.8.24.(수)

2 접수방법 및 제출서류 등

구분	인터넷 접수	방문 접수
응시원서 접수 및 응시수수료 결제시간	• 응시원서 접수 시작일 09:00부터 접수 마감일 18:00까지 • 접수 마감일 18:00까지 응시수수료를 결제해야 접수가 완료됨.	• 응시원서 접수 기간 중 09:30부터 18:00까지
접수장소	• www.kuksiwon.or.kr	• 서울 광진구 자양로 126 성지하이츠 2층 한국보건의료인국가시험원 별관
제출서류	• 사진파일 : 276 × 픽셀 이상 크기 ※ 3.5 × 4.5cm, 200dpi 이상 크기 ※ 증명사진을 스캔하실 때는 해상도 최소 200dpi설정(600dpi 이상 권장)	• 응시원서 : 1매 (사진 3.5 × 4.5 2매 부착) • 개인정보 수집·이용·제3자 제공 동의서 1매

3 시험시간표

교시	시험과목[문제수]	응시자 입실시간	시험시간	배점	시험방법
1교시	1. 기초간호학 개요 [35] (치의학기초개론 및 한의학기초개론을 포함한다.) 2. 보건간호학 개요 [15] 3. 공중보건학개론 [20] 4. 실기 [30]	09:30	10:00~11:40 (100분)	1점 /1문제	객관식 (5지 선다형)

4 합격자 결정방법

매 과목 만점의 40퍼센트 이상, 전 과목 총점의 60퍼센트 이상 득점한 자를 합격자로 합니다.

시험과목	분야	영역
1. 기초간호학 개요	1. 간호관리	1. 직업윤리 및 자기계발
		2. 병원환경관리
		3. 행정업무수행
	2. 기초해부생리	1. 인체의 개요
		2. 인체체계 분류
	3. 기초약리	1. 약물기전
		2. 약물의 관리
	4. 기초영양	1. 영양과 대사
		2. 식이
	5. 기초치과	1. 기본개념
		2. 치과 기본업무
	6. 기초한방	1. 기본개념
		2. 한방 기본업무
	7. 성인관련 간호의 기초	1. 계통별 간호보조
	8. 모성관련 간호의 기초	1. 임신
		2. 분만
		3. 산욕
	9. 아동관련 간호의 기초	1. 아동 발달단계별 간호보조
		2. 환아의 간호보조
	10. 노인관련 간호의 기초	1. 노인의 건강관리
	11. 응급관련 간호의 기초	1. 응급처치의 개요

시험과목	분야	영역
2. 보건간호학 개요	1. 보건교육	1. 보건교육의 이해
		2. 보건교육의 실시
	2. 보건행정	1. 보건조직
		2. 보건의료체계
		3. 의료보장의 이해
	3. 환경보건	1. 환경의 이해
		2. 환경의 요소
	4. 산업보건	1. 산업장 건강문제
3. 공중보건학 개론	1. 질병관리사업	1. 역학
		2. 감염성 질환
		3. 만성 질환
	2. 인구와 출산	1. 인구의 이해
		2. 인구정책
	3. 모자보건	1. 모자보건의 이해
		2. 모성보건
		3. 영유아 보건
	4. 지역사회보건	1. 정신보건
		2. 노인보건
		3. 방문보건
	5. 의료관계법규	1. 의료법
		2. 정신건강증진 및 정신질환자 복지서비스 지원에 관한 법률
		3. 결핵예방법
		4. 구강보건법
		5. 혈액관리법
		6. 감염병의 예방 및 관리에 관한 법률

시험과목	분야	영역
실기 (기본간호학)	1. 활력징후	1. 체온
		2. 맥박
		3. 호흡
		4. 혈압
	2. 영양과배설	1. 식사돕기
		2. 섭취량과 배설량 측정
		3. 배변돕기
		4. 배뇨돕기
	3. 감염과 상처	1. 소독과 멸균
		2. 감염관리
		3. 상처관리
	4. 개인위생	1. 목욕돕기
		2. 부위별 개인위생돕기
	5. 활동관리	1. 운동
		2. 이동과 보행
		3. 체위
		4. 안전
	6. 체온 유지	1. 냉·온요법
	7. 수술과 진단검사 돕기	1. 수술
		2. 진단검사
	8. 응급상황 대처	1. 심폐소생술
		2. 응급처치
		3. 산소요법
	9. 환자와 보호자 관리	1. 입원, 퇴원, 전동
		2. 의사소통

PART

01

기초간호학

파워 간호조무사 국가시험 핵심요약집

CHAPTER 01 간호관리

제1장 | 간호역사

1. 세계간호의 역사

① 원시간호 : 어머니 → 가정중심 간호(경험적 간호)

② 고대간호 : 여집사 → 초기 기독교(박애정신과 복음전파), 방문간호

③ 중세간호 : 수녀 → 카톨릭 발전, 전쟁과 전염병으로 간호의 전성기

④ 근대간호 : 종교개혁, 문예부흥, 간호암흑기

⑤ 현대간호 : 산업간호, 정신간호, 군대간호, 보건간호학 발전

자기간호(원시) → 가족간호(고대) → 종교간호(중세) → 직업간호(근대)

→ 전인간호(현대)

2. 나이팅게일

1) 나이팅게일 서약문 : 나는 인간의 생명에 해로운 일은 어떤 상황에서나 하지 않겠습니다.

2) 의의 : 오늘날 전인간호 이념제시

3) 나이팅게일 기장

① 평화시나 전시에 환자 간호사업에 특별한 공헌을 끼친 간호사에게 수여

② 1912년 국제적십자회에서 결정

③ 1920년부터 스위스 제네바에서 수여 시작

④ 2년에 1회 실시

⑤ 우리나라 최초 수여 : 1957년

3. 국제적십자사

1) 창시자 : 앙리 듀낭, 본부 : 제네바

2) 적십자사의 원칙

① 인도성 : 인간의 생명존중

② 공정성 : 국적, 인종, 계급, 정치적 견해에 차별 없이

③ 중립성 : 어느 편에 개입하지 않으며

④ 독립성 : 자주적으로 행동

⑤ 봉사성 : 자발적인 구호사업

⑥ 단일성 : 한나라에 오직 하나만 존재

⑦ 보편성 : 동등한 책임과 임무를 지님

4. 한국간호 연도별 발전

① 1885년 : 최초의 서양식 의료기관 – 광혜원 → 추후 제중원, 고종 때 선교사 알렌에 의해 설립

② 1895년 : 검역소·피병원(전염자 관리) 설치

③ 1903년 : 최초의 간호사 교육기관 설립 : 보구여관

④ 1905년 : 대한적십자 병원 창설

⑤ 1949년 : 국제간호협의회(1899년 창설) 가입

⑥ 1973년 : 국제간호윤리규약 탄생 → 간호사의 기본책임 : 고통경감, 건강회복, 질병 예방, 건강증진

⑦ 1973년 : 한국간호조무사협회 창립

⑧ 2010년 : 대한간호조무사협회 명칭 변경

5. 현대간호의 특징

1) 환자중심간호(개별적) → 전인간호(총체적) → 재활간호(추후간호)

2) 환자의 요구가 다르므로 개별적인 간호

3) 획일적, 일률적 간호 피함 : 개인의 요구가 다르므로 해결방법도 다름

4) 현대간호의 개념

① 전인간호 : 환자의 육체적, 정신적, 심리적, 사회경제적, 영적요구까지 간호＝추후간호＝개별적＝총체적간호

② 전인간호 시행 전 가장 먼저 할 일 : 환자 개개인을 깊이 이해(요구 발견 위함)

③ 전인간호 시행 절차 : 환자 요구발견 → 분석 → 간호계획 → 간호활동 → 평가

제2장 | 직업윤리와 자기계발

1. 간호윤리의 원칙, 규칙과 의무

1) 간호윤리의 원칙

① 자율성의 원칙

② 악행 금지의 원칙

③ 선행의 원칙

④ 정의의 원칙

2) 간호윤리의 규칙

① 정직의 규칙

② 신의의 규칙

③ 성실의 규칙

3) 의무의 종류

① 간호의무

② 주의의무

③ 설명의무

④ 확인의무

2. 간호윤리 실천 시 이점 (기출 20상)

① 간호윤리는 간호사의 도리와 규범이므로 → 간호의 지식과 기술을 습득할 수 없음

② 직무의 범위와 업무 한계를 알 수 있음 → 사고나 과실을 방지 기출

③ 보건의료인으로서의 보람을 얻을 수 있음

④ 양심적이고 지혜로운 판단 가능

3. 간호전달체계

	기능적 간호 방법	팀 간호 방법
정의	일정한 업무를 담당하여 그 업무만 효율적으로 수행	그룹 활동을 통하여 환자중심의 간호를 제공하는 방법(팀 : 책임간호사+몇 명의 일반 간호사+보조인력)
장점	① 단시간에 많은 업무 수행 가능 ② 인력을 조정하는데 요구되는 시간 최소화 ③ 비용절감	① 포괄적이고 전인적인 간호 제공 가능 ② 팀이 잘 운영되면 환자와 간호사 모두의 만족도를 높일 수 있음 ③ 팀 구성원간의 협력과 의사소통의 증가로 근로 의욕을 높이고 팀 전체의 기능을 향상
단점	① 환자는 혼동과 불안을 느끼며 만족도 저하됨 ② 간호제공이 단편화, 기계적, 비인간적이고 간호의 기술적인 면을 더 강조 ③ 간호사들 간의 의사소통이 최소화되어 환자에 대한 전체적인 상황 판단이 어려움	① 팀 리더가 모든 전문성을 갖추기 힘듦 ② 충분한 의사소통이 안 되면 단편적 간호가 될 수 있음

4. 간호 조직의 기본원리

① 계층제의 원리 : 역할의 체계, 권한과 책임의 정도에 따른 직무등급의 체계
② 통솔범위의 원리 : 한 사람의 관리자가 직접적, 효율적인 지도·감독할 수 있는 부하 직원의 수가 적절해야 한다는 원리
③ 명령통일의 원리 : 각 조직 구성원이 한 사람의 상사로부터 지시를 받아야 한다는 원리
④ 분업-전문화의 원리 : 조직 구성원이 한 가지 주된 업무를 맡도록 일을 분담함으로써 조직 관리상의 능률을 향상시키려는 원리
⑤ 조정의 원리 : 분업, 전문화가 심한 조직을 하나의 시스템으로 보고 통합 및 조정하는 과정이 필요하다는 원리

5. 간호조무사의 자격

① 자격 인증 : 보건복지부장관
② 실태 및 취업상황 보고 : 3년마다 보건복지부장관 신고
③ 보수교육 : 1년 8시간 / 3년 24시간 이수

6. 간호조무사의 업무와 한계

1) 업무

① 환경정비 : 환경 청결이 가장 중요한 업무, 침상 만들기
② 환자의 관찰 : 환자의 상태, 요구 사항 등 담당 간호사에게 보고
③ 검사물의 수거 및 확인 : 검체를 받은 즉시 지시에 따라 검사실로 운반
④ 식사 보조 : 환자 음식 섭취 상태 확인 및 보조
⑤ 개인위생 보조 : 목욕, 피부 청결 등
⑥ 진료 보조 : 기구 손질 및 소독, 물품 준비, 투약(간호사의 지시 하에는 가능) 등
⑦ 신체 보조 : 환자의 입·퇴원 도움, 신체적 간호

2) 업무한계

① 진료의 보조 : 의사 및 간호사의 지시 감독 하에 업무 수행
② 간호의 보조 : 간호사의 업무 보조

3) 간호조무사의 업무가 아닌 것

　　① 혈압 측정, 질병 진단 및 치료, 각종 주사약 투여

　　② 각종 검사물 채취(혈액 채취), 환부 드레싱, 투약 등

7. 간호조무사의 직업적 태도와 의무 <small>(기출 19하) (기출 20상) (기출 20하) (기출 21하)</small>

1) 직업적 태도

　　① 자기의 직무를 정확히 알고 이행 `기출`

　　② 타 부서직원들과 상호 협조

　　③ 환자의 이야기를 주의 깊게 들어줌(단, 인정 관계를 맺지 않도록 주의) `기출`

　　④ 맡은 업무에 대해 성실히 책임감을 다해야 함

　　⑤ 환자 앞에서 품위 있게 행동 `기출`

　　⑥ 업무에 지장이 없도록 근무시간을 잘 지켜야 함, 근무시간 변경 시 사전 보고 `기출`

2) 개인위생관리

　　① 목적 : 교차감염 예방

　　② 유니폼 : 항상 청결, 근무시간에만 착용, 깨끗한 색상

　　③ 손씻기, 두발, 손·발 청결 유지(손톱은 길지 않도록 관리) `기출`

3) 비밀유지의무

　　① 간호를 통해 알게 된 개인의 비밀은 제3자에게 누설금지

　　② 위반 시 3년 이하의 징역 또는 3,000만원 이하의 벌금.

4) 비밀유지의무 예외

　　① 환자의 허락을 받은 경우

　　② 공익상 필요한 사항으로 법원의 협조가 있을 경우

　　③ 정당한 업무행위(신체검사상 법정전염병 발견되었을 경우) 등

8. 업무수행 중 사고예방

1) 과실 및 사고예방 수칙
① 순서와 절차에 따라 업무를 수행
② 직무 한계를 정확히 숙지
③ 의문 시 질문
④ 구두처방 시 반드시 기록(서면) 처방 받음

2) 주의의무태만
① 업무능력이 있는 사람이 주의해야 할 의무를 다하지 않음으로써 남에게 손해를 입게 하는 행위(환자가 상해, 사망 또는 건강상의 변화 등 예기치 않은 부정적 결과가 발생하는 것)
② 부정행위 : 고도화된 전문직업인이 유해한 결과가 발생되도록 정신 집중을 태만히 하는 행위
③ 업무상 과실 : 특수한 업무를 수행하다가 저지른 과실로 합리적이고 철저한 행위의 실패로 인하여 초래되는 손해를 포함함.
④ 불법행위 : 고의 또는 과실에 의한 행위로 남에게 해를 끼치는 행위
⑤ 전단적 의료행위 : 의료인이 위험성 있는 의료행위를 시행하기 전에 환자로부터 동의를 얻지 않고 시행한 의료행위을 말함.

9. 사례별 대응방법 (기출 19상) (기출 21상)

① 입원한 환자가 자신의 검사결과에 대해 궁금해 할 때
  → 담당간호사에게 보고
  → 진단, 치료, 예후, 경과 : 담당의사(주치의)에게 문의하도록 함
② 말기 암 환자가 자신의 진단명을 모를 때
  → 평소보다 더욱 친절히 대하거나 의사소통을 줄이지 않음
  → 의사의 권리(월권행위)를 침해하여 진단명을 알려주면 안 됨
  → 간호사의 계획대로 업무을 충실히 이행함
③ 업무로 바쁜 가운데 환자가 침요를 갈아 달라고 요구할 때
  → 환자에게 상황을 설명하고 나중에 해준다고 말함

④ 간호조무사가 투약 시 약을 잘못 주었을 경우
　　→ 투약 실수 시 즉시 간호사에게 보고하여 적절한 조치를 취할 수 있도록 함
⑤ 환자가 자신을 정성껏 보살펴 준 감사의 의미로 간호조무사에게 금전적(선물, 음식)으로 보답 시 [기출]
　　→ 병원규칙상 안 된다고 잘 이해시키고 정중히 사양
⑥ 간호조무사가 병실에서 환자가 병원약이 아닌 약물을 복용한 것을 발견한 경우
　　→ 즉시 간호사에게 보고
⑦ 동료의 업무상 실수를 발견했을 때 [기출]
　　→ 즉시 환자의 위해를 확인
　　→ 간호사에게 보고
⑧ 의사 부재 시 응급환자가 왔을 때
　　→ 응급환자에 대하여 응급의료에 관한 법률이 정하는 바에 따라 최선의 처치를 행해야 함
　　→ 간호조무사는 의사나 간호사에게 연락하면서 할 수 있는 부분이 있음
　　　　🔵ex 출혈환자 : 직접압박법 시행

10. 화재발생 시 행동요령 (기출 20상) (기출 21상)

1) 주의사항

① 대피 순서 : 내원객 → 거동 가능한 환자 → 경증환자 → 중증환자 → 직원
② 손수건 등에 물을 적셔서 입과 코를 막은 뒤 자세를 최대한 낮춰서 이동 [기출]
③ 엘리베이터는 연기로 인한 질식의 우려가 있으므로 탑승을 금지
④ 피난층으로 이동이 불가능한 경우에는 비상구 및 옥상으로 피난

2) 움직일 수 있으나 보조기구를 하고 있는 환자

① 병원화재 시 행동지침에 따라 먼저 움직일 수 있는 대상자를 안전한 곳으로 대피 [기출]
② 휠체어, 들것, 침대, 이불이나 담요 등으로 대피해야 하는 대상자들을 위한 공간을 확보

제3장 | 병원환경관리

1. 적절한 병실환경

① 온도 : 20~22℃ (밤 18℃)

② 습도 : 40~60% (호흡기질환자는 다소 높게)

③ 환기 : 가장 중요한 요소(환자에게 직접 닿지 않도록 주의)

④ 소음 : 35~39 dB

⑤ 광선 : 자연조명 – 환자 기분 전환

⑥ 창문 : 바닥 면적의 1/5 정도

2. 병원환경관리 (기출 19상) (기출 19하) (기출 21상) (기출 21하)

① 바닥 청소 : 빗자루와 먼지털이는 사용 금지 → 젖은 걸레(물걸레) 사용

② 바닥 물기 제거 : 사고원인이 되기 때문(물리적 상해＝기계적 부상)

③ 소음 방지 : 정신적 피로를 돕기 위해

④ 야간 조명 : 야간에는 수면을 돕기 위해 병실 내 조명의 조도를 낮춤 → 바닥에 간접 조명 [기출]

⑤ 냄새 제거 : 자주 환기(환자에게 직접 바람이 닿지 않도록) [기출]

⑥ 햇빛, 바람 : 커튼이나 스크린 같은 것을 조절하여 환자의 얼굴이나 눈에 직사되지 않도록

⑦ 다인실 침상에 커튼 설치 : 안정된 환경과 사생활 보호 [기출]

3. 병원물품관리 (기출 19하) (기출 20하) (기출 21하)

1) 물품관리의 원칙

① 물품을 얼마만큼 효율적으로 관리여부는 진료활동의 효율성 여부를 좌우

② 물품배치 : 부서 사용자의 편의와 효율성을 고려하여 배치

③ 유효기간이 짧거나 빠른 순서대로 물품을 사용하도록 앞에서부터 배치 기출

④ 바닥에 떨어진 물품은 멸균 포장 상태라 할지라도 재멸균

⑤ 적정 재고 유지로 재고 관련 비용을 최소화 기출

2) 병실물품관리

① 주머니 종류 : 잘 말린 후 공기를 불어 넣어 보관

② 고무포 : 둥근 막대기에 걸어서 말림(접어서 보관하면 안 됨)

③ 기구에 피나 점액(단백질)이 묻은 경우: 먼저 찬물로 씻고 더운물로 헹굼 → 더운물 :
단백질을 응고시키기 때문 기출

④ 관(튜브) : 사용 후 물을 한번 통과시킴.

⑤ 주사기에 달라붙은 응혈 : 용혈제나 과산화수소수에 담근다.

⑥ 고무장갑 : 안팎을 잘 씻고 말린 후 분가루를 묻혀서 소독

⑦ 변기나 소변기 : 매일 소독수로 헹굼

⑧ 유효기간이 경과된 물품 : 재소독·멸균 기출

⑨ 도뇨관 : 씻으면서 뚫린 곳이 없는지 확인

⑩ 혈관섭자 : 겹쳐지는 부위에 오염된 물질을 확인 후 잘 씻음

⑪ 포장이 찢어진 물품 : 다시 포장하여 소독·멸균

⑫ 파손되거나 고장난 가구는 수간호사에게 보고 후 수선부에 알림 기출

⑬ 사용한 침구 : 오염 세탁물은 분리수거

⑭ 사용한 주삿바늘과 거즈, 소독물품 : 지정된 손상성 의료폐기물 전용용기에 폐기

4. 병원에서 환자에게 불안을 조성하는 요인

① 가족들과의 분리(가족과 격리, 사회적 격리)

② 병원의 낯선 기구와 소음

③ 병원용어(의학용어)의 어려움

④ 직원들(건강관리요원들)의 불친절한 태도(비인격적 대우)

⑤ 질병예후에 대한 불안 등

⑥ 사생활(프라이버시) 침해

5. 의료폐기물 _{(기출 20하) (기출 21상)}

1) 정의

보건·의료기관·동물병원·시험·검사기관 등에서 배출되는 폐기물 중 인체에 감염 등 위해를 줄 우려가 있는 폐기물과 인체조직 등 적출물, 실험동물의 사체 등 보건·환경보호상 특별한 관리가 필요하다고 인정되는 폐기물로「폐기물관리법」에 따라 처리하도록 의무화

2) 종류

폐기물 종류		전용용기 (도형색상)	보관기간
격리의료폐기물 _{기출}	감염병으로부터 타인을 보호하기 위해 격리된 사람에 대한 의료행위에서 발생한 일체의 폐기물	붉은색	7일
위해 의료 폐기물	조직물류 폐기물 — 인체 또는 동물의 조직, 장기, 기관, 신체의 일부, 동물의 사체, 혈액, 고름, 혈액성 생성물(혈청, 혈장, 혈액제제)	노란색	15일 (치아는 60일)
	손상성 폐기물 — 주사바늘, 봉합바늘, 수술용 칼날, 한방 침, 치과용 침, 파손된 유리재질의 시험기구		30일
	병리계 폐기물 — 시험·검사 등에서 사용한 배양액의 배양용기, 보관균주, 폐시험관, 슬라이드, 커버글라스, 폐배지, 폐장갑		15일
	생물화학 폐기물 — 백신, 항암제, 화학치료제		15일
	혈액오염 폐기물 — 사용한 혈액백, 혈액투석 시 사용된 폐기물, 그 밖에 혈액이 유출될 정도로 포함되어 있어 특별한 관리가 필요한 폐기물		15일
	재활용 하는 태반 — 전용보관시설(4℃ 이하)	녹색	15일
일반의료폐기물 _{기출}	혈액, 체액, 분비물, 배설물이 함유되어 있는 탈지면, 붕대, 거즈, 일회용 기저귀, 생리대, 일회용 주사기, 수액세트 등	검은색	15일

3) 의료폐기물의 처리

① 다른 폐기물과 분리하여 배출, 처리해야 함

② 전용 용기에 넣고 밀폐 → 전용보관시설 보관 → 소각(전용소각시설) 또는 멸균·분쇄 처리

제4장 | 간호행정 및 간호기록

1. 병원 간호행정의 중심

① 간호관리의 목표 : 간호대상자에게 양질의 간호서비스를 제공하기 위한 것

② 간호대상자의 요구에 따라 병원행정 업무가 이루어져야 함

2. 병원기록의 목적과 종류

1) 목적

① 의료팀 간의 의사소통을 위해

② 의사의 환자치료와 간호 계획 준비 위해

③ 환자의 관찰 사항을 기록으로 남기기 위해

④ 법적, 보험 관계상의 증거자료로 이용

2) 종류

간호일지, 임상관찰기록지, 간호력 조사지, 환자력 기록지, 의사처방, 투약기록지 등

① 간호일지 : 간호 상황 및 환자의 상대 등에 대해 기술

② 임상관찰기록지 : 환자의 성명, 주소, 연령, 과별, 의사의 성명 등

③ 간호력 조사지 : 입·퇴원의 방법과 시간, 일반상태, 관찰사항, 의사의 회진 등

3. 주요 서식의 기재사항

1) 진료기록부

환자의 주소, 성명, 주민번호, 병력, 가족력, 주된 증상, 진단결과 경과, 예후, 치료내용, 진료 일시, 주사, 투약, 처치 등

2) 간호기록부 내용

① 간호를 받는 사람의 성명
② 체온, 맥박, 호흡, 혈압에 관한 사항
③ 투약에 관한 사항
④ 섭취 및 배설물에 관한 사항
⑤ 처치와 간호에 관한 사항
⑥ 간호 일시

3) 처방전

① 처방전 작성 : 의사, 치과의사, 한의사(한의사는 처방전 발급 의무 없음)
② 기재 : 환자의 성명과 주민등록번호, 의료기관의 명칭과 전화번호, 의료인의 성명과 면허종류 및 번호, 처방 의약품의 명칭·분량·용법 및 용량, 처방전 발급 연월일 및 사용기간, 의약품 조제시 참고사항, 질병분류기호, 본인부담 구분기호

4. 간호기록의 원칙 (기출 19상)

① 서명란에는 성과 이름을 모두 기록 기출
② 처치나 간호 후에 기록(투약, 치료)
③ 공식적인 약어를 사용
④ 완전하고 간결하게 기록
⑤ 객관적인 관찰내용만을 기록
⑥ 기록을 잘못했을 경우 적색볼펜으로 왼쪽에서 오른쪽으로 한줄 또는 두 줄 긋고 error (실수)라고 쓴 다음 정확히 다시 기록함(절대로 지우개로 지우면 안 됨)

CHAPTER 02 기초해부생리

제1장 | 인체의 개요

1. 해부학의 기본 용어

1) 절단면

① 정중면 : 몸을 수직으로 좌·우로 나누는 절단면

② 시상면(정중시상면) : 정중면에 평행한 면

③ 관상면(전두면) : 몸을 전·후로 나누는 절단면

④ 횡단면(가로면, 수평면) : 몸을 상·하로 나누는 절단면

2) 부위

① 경부 : 복부 위

② 흉부 : 목과 복부 사이(가슴)

③ 요부 : 흉곽과 골반 사이의 뒷부분

④ 천골부 : 등의 아랫부분
　　(엉덩이 바로 위)

⑤ 액와 : 겨드랑이

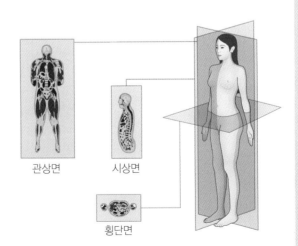

관상면　　시상면

횡단면

2. 인체의 구성

1) 개요

① 인체의 구조적 단계 : 세포 → 조직 → 기관 → 기관계

② 인체 구성의 4가지 기본 원소 : 산소(O), 탄소(C), 수소(H), 질소(N)

③ 인체 구성의 3가지 성분 : 세포, 세포간질(세포사이 물질), 체액

2) 세포(Cell)

① 가장 작은 구조적, 기능적 기본단위

② 상피세포, 혈액세포, 근육세포, 신경세포 등

3) 조직(Tissue)

① 구조와 기능이 비슷한 세포들의 집단

② 4조직 : 상피조직, 결합조직, 근육조직, 신경조직

4) 관(Organ)

① 4개의 조직이 모여 하나의 작용기능을 가지는 독립된 기관

② 위, 간, 장, 심장, 근육 등

5) 계(System)

① 독립된 기관(organ)들이 모여 시스템 형성

② 운동계, 골격계, 소화·호흡계, 비뇨생식계, 순환계, 신경계 등

3. 항상성 기전

① 다양한 자극에 반응하여 개체 혹은 세포의 상태를 일정하게 유지하려는 성질

② 항상성 기전의 특징 : 보상성, 자가 조절성, 제한성, 상호보완성, 피드백 체계

근·골격계

1. 뼈(골)

1) 뼈의 기능

① 지지 기능 : 신체 지지

② 보호 기능 : 내부 장기 보호

③ 조혈 기능 : 골수에서 혈구 생성

④ 저장 기능 : 무기질을 축적 공급

⑤ 운동 기능

2) 뼈의 구조

① 골수 : 조혈작용(적혈구, 백혈구, 혈소판)

② 골조직

- 치밀골 : 뼈의 실질적인 조직(골조직의 외면에 있는 치밀한 조직, 체중지탱)

- 해면골 : 골조직의 내면에 있는 엉성한 조직

③ 골막 : 뼈의 외면을 덮고 있는 얇은 막

- 뼈를 보호

- 혈관, 림프관, 신경 통과시키는 바탕 제공

- 골절 시 뼈를 재생, 근육이 붙는 자리 마련

3) 뼈의 성장 및 대사

① 부갑상선 호르몬 : 갑상선 뒤쪽 부갑상선에서 분비되며 혈중 칼슘농도를 올리는 작용

② 비타민 : 비타민 D는 소장에서 칼슘과 인의 흡수를 증가시킴

③ 칼슘 : 뼈는 체내의 칼슘 99%와 인 90%가 포함

④ 칼시토닌 : 갑상샘에서 생성되며 혈중 칼슘농도를 낮추는 작용

2. 얼굴 부위 주요 뼈

① 두개골 : 여러 개의 뼈가 복잡하게 합쳐진 것, 악관절만 제외하고는 모두 봉합으로 연결되어 움직임이 불가능함
② 전두골 : 전두부(앞이마)
③ 후두골 : 후두부(뒷쪽)
④ 두정골 : 두 개의 쌍벽을 이루고 있는 사각형(머리 위쪽)
⑤ 상악골 : 1쌍으로 상악부(윗턱)
⑥ 하악골 : 1개로 하악부(아래턱)
⑦ 측두골 : 외측면(옆면)
⑧ 구개골 : 상악골 후방의 L자 모양으로 생긴 뼈
⑨ 치조골 : 치아의 뿌리가 박혀있는 턱뼈
※ 측두하악관절(=악관절) : 귀부분의 측두골과 하악골이 연결되어 입을 열고 닫는 관절

3. 골격

1) 체간골격 : 두개골, 척추, 흉곽

① 두개골 : 머리와 얼굴을 구성하는 23개의 뼈, 뇌두개골, 안면골하악, 이소골, 설골 제외 부동관절
② 척추 : 중요한 신경과 혈관 보호, 경추 7개 / 요추 5개 / 흉추 12개 / 전골 1개 / 미골 1개(총26개로 구성)
③ 흉곽 : 흉추, 늑골, 흉골 및 늑연골이 연결, 심장, 폐, 식도 및 큰 혈관 보호

2) 사지골격 : 팔, 다리, 어깨, 골반

① 상지골 : 쇄골, 견갑골 → 상완골 → 요골, 척골 → 손
② 하지골 : 관골(장골, 좌골, 치골) → 대퇴골, 슬개골 → 경골, 비골 → 발

4. 근육

① 구성 : 근육조직, 혈관, 신경, 근막, 골외막
② 기능 : 운동기능, 신체의 자세유지, 열 에너지 생산
③ 종류

형태적 구분	위치	신경지배
횡문근 (가로무늬근)	골격근	수의근(의지대로 수축-움직임)
	심장근	불수의근
평활근(민무늬근)	내장근	불수의근

순환기계

5. 혈액 (기출 19상) (기출 20하) (기출 21하)

1) 혈액의 기능

① 운반 : 산소, 이산화탄소, 영양소, 노폐물, 호르몬(표적기관으로)

② 조절 : 체온조절, pH 유지, 체액량 유지(세포환경을 일정하게 유지)

③ 방어 : 지혈, 신체 방어

2) 백혈구

① 과립백혈구 : 호중구(가장 많음), 호산구, 호염구

② 무과립백혈구 : 임파구와 단핵구

③ 1 mm^3 내에 7,000개 정도

④ 식균 작용

3) 적혈구

① 산소(95% 헤모글로빈 + 5% 세포막으로 구성됨)와 이산화탄소 운반 [기출]

② 적혈구 : 헤모글로빈(=혈색소) 95%+세포막 5%

③ 제일 많은 성분(1 mm^3 내에 400~500만개) : 혈액의 점성에도 관여

4) 혈소판

1 mm^3 내에 15~40만개 지혈과 혈액응고 주된 역할 [기출]

5) 혈장

① 혈액은 혈구 45% + 혈장 55%로 구성

② 90% 이상의 수분 + 7% 단백질(알부민, 글로불린, 피브리노겐) + 3% 기타 등 [기출]

③ 혈장속의 혈액응고인자 : 섬유소원

④ 면역작용은 혈장 내 항체(글로블린)

6. 심장 (기출 19하)

1) 혈액순환

① 대순환(체순환) : 좌심실 → 대동맥 → 전신(모세혈관) → 대정맥 → 우심방

② 소순환(폐순환) : → 우심실 → 폐동맥 → 폐 → 폐정맥 → 좌심방

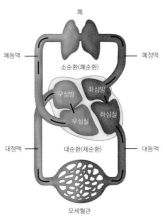

2) 동맥(혈압, 혈류속도 가장 높음)

① 대동맥 : 심장의 좌심실에서 온몸으로 혈액을 보내는 대순환의 본줄기를 이루는 혈관(산소 풍부)

② 폐동맥 : 온몸에서 심장으로 돌아온 정맥혈을 폐로 보내는 혈관(이산화탄소 풍부)

3) 정맥(혈압, 혈류속도 가장 낮음)

① 대정맥 : 전신에서 모인 혈액을 심장의 우심방에 전달하는 굵은 혈관(중심정맥, 이산화탄소 풍부)

　- 상대정맥 : 신체 상반부의 정맥의 혈액을 모아 우심방으로 들어오는 혈관

　- 하대정맥 : 신체 하반부의 정맥혈을 모아 우심방으로 들어오는 혈관 기출

② 폐정맥 : 폐에서 산소화된 혈액을 심장의 좌심방에 전달하는 혈관(산소 풍부)

4) 좌심실이 우심실보다 두꺼운 이유 : 산소를 함유한 혈액을 온몸으로 보내기 위해 우심실보다 3배 정도 두껍다.

5) 심장 판막의 역할 : 혈액의 역류를 방지

① 좌심방과 좌심실 사이 : 이첨판＝승모판

② 우심방과 우심실 사이 : 삼첨판

③ 대동맥 입구 : 대동맥판

④ 폐동맥 입구 : 폐동맥판

6) 관상동맥 : 심장에 산소 및 영양을 공급

① 맥박 측정할 수 없는 곳 : 관상동맥, 폐동맥

② 협심증 : 관상동맥의 부분적, 일시적인 차단

③ 심근경색증 : 관상동맥의 완전한 차단

7. 소화기계 (기출 21상)

1) **구성** : 구강 → 인두 → 식도 → 위 → 소장(십이지장. 공장, 회장) → 대장(맹장, 결장, 직장) → 항문

2) **구강** : 프티알린 소화효소 침샘(이하선, 악하선, 설하선)에서 분비

3) **인두** : 음식물(소화기)과 공기(호흡기)의 공통 통로

4) **식도** : 25 cm 가량으로 음식물을 위로 이동하게 함

5) **위**

   ① 입구에 분문괄약근, 출구에 유문괄약근, 음식물 저장
   ② 염산(살균 작용), 펩신(단백질 분해), 점액(위벽 보호) 기출

6) **소장**

   ① 본격적인 소화 흡수작용
   ② 융모가 있어 영양분이나 음식물 흡수
   ③ 흡수된 영양분은 문정맥을 통해 간으로 저장됨
   ④ 십이지장 : 총담관과 췌관이 공동으로 열린 곳, 소화성 궤양이 잘 생기는 부위

7) **대장**

   ① 수분 흡수하여 대변 만듦
   ② 맹장의 끝부분에 염증(충수돌기염)

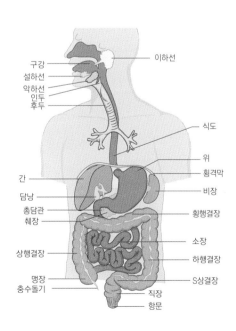

8. 간의 기능

① 대사 작용(영양에 관계하는 물질)

② 담즙 생성과 분비 : 지방소화효소

③ 해독작용

④ 태생기(뱃속)에 조혈작용

⑤ 순환조절작용

⑥ 혈장 단백질 형성(알부민, 피브리노겐, 글로블린)

⑦ 철분 저장 : 페리틴 형태

9. 소화효소 (기출 21상) (기출 21하)

나오는 곳	소화효소	소화작용
구강	아밀라아제(amylase) (프티알린)	전분(녹말) → 맥아당(maltose, 엿당)
위	펩신(pepsin)	단백질 → 펩톤(peptone) → 아미노산
췌장 (이자)	트립신(trypsin) 기출	단백질 → 펩톤(peptone) → 아미노산
	리파아제(lipase) 기출	지방 → 지방산, 글리세롤
	아밀라이제(amylase)	탄수화물(전분) → 맥아당(maltose, 엿당)
간	없음	답즙 : 지방의 소화를 돕는다
소장	말타아제(maltase)	말토스(maltose) → 포도당
	펩티다제(트립신)	펩톤 → 아미노산
	슈크라제(sucrase), 인베르타아제	설탕(sucrose) → 포도당(glucose), 과당(fructose)
	락타아제(lactase)	유당(lactose, 탄수화물) → 포토당, 갈락토스(galactose)

10. 호흡기계 (기출 20상) (기출 21상)

1) **구성** : 비강 → 인두 → 후두 → 기관 → 기관지 → 폐

2) **호흡의 종류**

 ① 폐호흡(외호흡) : 폐의 폐포와 순환 혈액 사이의 산소와 탄산가스의 교환 (기출)

 ② 조직호흡(내호흡) : 조직 속의 이산화탄소와 모세혈관 속의 산소의 교환을 말함

3) **호흡 시 주로 사용하는 근육**

 ① 가로막(횡격막) : 정상적인 호흡 시

 ② 갈비사이근(늑간근) : 갈비뼈 사이를 연결하고 있는 근육(호흡 시 작용) (기출)

 ③ 작은가슴근(소흉근) : 대흉근 밑에 있는 근육

 ④ 큰가슴근(대흉근) : 가슴에 있는 근육

 ⑤ 등세모근(승모근) : 호흡보조근육

 ⑥ 넓은등근(광배근) : 등 뒤쪽의 근육

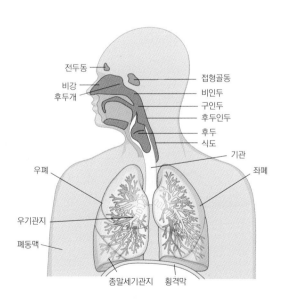

■ 내분비계

11. 내분비계(호르몬)

1) 정의 : 내분비 샘에서 합성되고 혈류를 통하여 표적기관으로 운반되어 그 기관에 영향을
미치는 화학 물질

2) 기능
① 음식물 대사와 에너지 생성
② 인체의 발육, 성장을 조절
③ 생체 내부 환경 조절하고 스트레스와 감염에 반응
④ 수분과 전해질 균형
⑤ 신체의 전반적인 기능을 통합하여 인체의 항상성 유지에 필수적

12. 내분비선과 호르몬 (기출 19하) (기출 20하)

내분비선	호르몬		특징
뇌하수체 전엽	성장호르몬		부족 : 왜소증 과잉 : 거인증 / (성인) 말단 비대증
	갑상선자극호르몬 (티록신, 칼시토닌)		티록신, 칼시토닌 분비
	부신피질자극 호르몬		성장 및 분비 기능 촉진
	성선자극 호르몬	난포자극호르몬 (에스트로겐)	여성 : 난포 성숙, 2차 성징 발현 남성 : 고환 자극 → 정자 생산
		황체호르몬 (프로게스테론)	여성 : 배란 촉진 → 임신 지속 남성 : 고환 자극 → 테스토스테론(남성 호르몬) 　　　　분비 촉진
	젖샘자극호르몬 (프로락틴)		유선 발달 도움
	멜라닌자극호르몬		피부색 결정 관여

뇌하수체 후엽	옥시토신	근육 수축, 자궁벽 수축, 유선 수축
	항이뇨호르몬	혈압 조절, 삼투압 조절(신장) 부족 시 : 요붕증
갑상선	티록신	신진대사 촉진 부족 : 갑상선기능저하증 → (성장기) 크레틴병 : 성장 정체 (성인) 점액수종 과잉 : 갑상선기능항진증(성인) 그레이브스병
	칼시토닌	혈중 칼슘 농도 조절, 성장 촉진 과잉 : 저칼슘혈증
부갑상선	부갑상선호르몬	갑상선과 길항작용, 칼슘 농도 상승 부족 : 부갑상선기능저하증 → 근육 강직, 심부전 과잉 : 부감상선기능항진증 → 골다공증
흉선	티모신	후천 면역에 관여, T 세포를 만들어 내고 백혈구의 기능에 영향
췌장	랑게르한스섬에서 분비	뇌하수체의 영향을 받지 않음
	– 인슈린(혈당 저하 작용)	부족 : 당뇨(고혈당증)
	– 글루카곤(혈당 상승 작용) 기출	부족 : 저혈당증
부신수질	에피네프린	교감신경 자극
	노르에피네프린	부교감신경 자극
부신피질		부족 : 부신피질기능저하증 → 에디슨 병 과잉 : 부신피질기능항진증 → 쿠씽증후군
	코르티졸(혈당 상승)	탄수화물, 지방, 단백질 대사
	알도스테론	물과 전해질의 균형조절
	안드로겐(남성 호르몬)	단백질 합성과 성장 촉진

※ 갑상샘 호르몬은 요오드, 단백질, 비타민 등이 필요한 물질인데, 특히 요오드는 갑상선 호르몬을 합성하는데 기본 물질. 미역, 다시마 등 해조류에 많다.

13. 비뇨기계

1) **계통 순서** : 신장 → 요관 → 방광 → 요도

2) **신장**

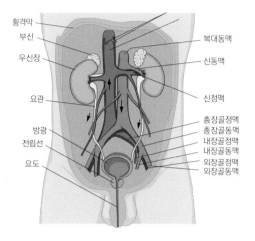

① 혈액을 여과하여 노폐물 배설
② 소변을 여과하는 사구체와 사구체낭
→ 소변재흡수와 분비하는 세뇨관 →
집합관 → 신우
③ 소변 형성

3) **요관** : 방광으로 소변 운반

4) **방광** : 소변 저장(최대용적 : 500 cc)

5) **요도** : 체외로 소변 배출(남 17~20 cm, 여 3~5 cm)

6) **성인 1일 소변배출량** : 1,000~2,000 cc (평균 1,500 cc, 시간당 50~60 cc)

① 즉시 보고를 요하는 1일 소변량 : 400~500 cc 이하 시(시간당 30 cc 이하)
② 핍뇨 : 1일 소변량이 400 cc 이하
③ 무뇨 : 1일 소변량이 100 cc 이하
④ 다뇨 : 1일 소변량이 2,500 cc 이상
⑤ 정상 소변 : 요산, 요소, 크레아틴, 수용성 노폐물이 배설

14. 신장

1) **기능**

① 적혈구 조혈 호르몬 분비
② 수분과 전해질 균형 유지 : 몸의 체액을 일정하게 유지(삼투압 조절)
③ 산-염기 균형 조절 : 대사성 산이 신장을 통해 배설되어 혈액 pH 7.35~7.45유지
④ 질소성 노폐물 제거 : 요소, 요산 등 질소성 노폐물 배설

⑤ 혈압조절호르몬 분비 : 적혈구 조혈촉진 호르몬, 혈압조절 호르몬 분비

⑥ 비타민 D 활성화

2) 신장기능 저하 시 : 산성, 대사산증

15. 삼투압

① 더 많은 물 → 물이 적은 곳으로 이동(나트륨이 삼투압 조절)

② 등장액 : 우리 몸의 삼투압과 농도가 같은 것(=0.9% 생리식염수)

③ 저장액 : 우리 몸의 삼투압보다 농도가 낮은 것

④ 고장액 : 우리 몸의 삼투압보다 농도가 높은 것

⑤ 비위관 세척, 방광세척, 상처세척 시 : 등장액 사용 → 수분의 이동을 막기 위해

▌ 생식기계

16. 생식기계 (기출 20하)

1) 남성 생식기관

① 전립선, 정낭 : 정자의 생존 및 운동에 영향을 주는 정액 생산, 정자 활성화

② 정관 : 정자가 나오는 길

③ 고환 : 정자 생성

④ 부고환 : 정자 성숙

2) 여성 생식기관

① 난소 : 난자, 성호르몬 분비

② 나팔관 : 난자 및 정자의 통로

③ 자궁 : 착상된 수정란을 보호, 발육

④ 질 : 접합기간, 산도, 월경배설 통로

⑤ 외부 생식기 : 치구, 대음순, 소음순, 전정샘, 음핵

⑥ 유방 : 유즙 생산과 분비

⑦ 난자의 배출 : 난소 → 난관(수정 : 팽대부) →자궁내막에 착상

3) 호르몬

① 테스토스테론 : 남성의 제2차 성징을 나타나게 하는 호르몬(고환에서 생성)

② 에스트로겐 : 여성의 제2차 성징 나타나는 호르몬

③ 프로게스테론 : 임신전 기간 동안 분비되는 모성호르몬(임신유지, 배란억제작용)

④ 프로락틴 : 뇌하수체 전엽에서 분비되는 유즙분비 호르몬

⑤ 안드로겐 : 부신피질에서 분비되는 성호르몬

⑥ 옥시토신 : 분만 시 자궁벽을 수축해서 분만을 쉽게 함 기출

신경계

17. 중추신경계 (기출 19상) (기출 20상) (기출 20하)

1) 뇌

① 대뇌(뇌의 7/8) : 인체의 행동과 감정을 통제하는 기능

② 시상하부(체온조절) : 신경 및 호르몬 기전 조절 기출

③ 소뇌(운동조절) : 무의식적인 운동, 대뇌가 실행 못한 정교한 운동조절, 평형유지

④ 연수(호흡조절) : 심박동조절, 위장관 조절(구토, 딸국질, 연하), 혈관운동중추 기출

⑤ 중뇌 : 안구운동, 동공반사등 시각과 관련

⑥ 뇌교 : 소뇌와 대뇌를 연결, 호흡수 조절

2) 척수(반사반응)

① 연수와 연결된 척추에 있는 신경줄기

② 통증, 갑작스러운 신전, 공포 등과 같은 유해자극시 반사반응이 일어남(불수의적인 반사반응)

③ 감각신경로 : 말초 → 척수 → 뇌

④ 운동신경로 : 뇌 → 척수 → 말초

⑤ 뇌척수액 기출

　　– 뇌실에서 생성하여 지주막하강에서 흐르며,

　　– 뇌와 척수를 보호하고 충격 흡수하며 신경세포에 영양을 공급하고 노폐물 제거

18. 교감신경

1) 교감신경 : 신체가 응급 상황 시 재빨리 반응할 수 있도록 돕는 신경

2) 교감신경 자극 시 신체 변화
   ① 동공확장
   ② 혈관 수축하여 혈압 높임
   ③ 소화기 운동 억제
   ④ 심장박동 빨라짐 등
   ⑤ 누선(눈물샘)분비 억제
   ⑥ 기관지 확장되고 호흡수 증가

3) 교감신경(비상 시) 부교감신경(안정 시)는 서로 길항적(반대) 기능 → 인체의 항상성 조절

피부계

19. 피부

1) 구조
   ① 표피 : 가장바깥층, 자체적인 혈액공급이 없으며 진피의 확산작용에 의해 영양공급
   ② 진피 : 혈관, 신경, 감각 수용기 있음, 모낭과 피지선, 한선이 위치 체온과 혈압조절에 도움
   ③ 피하조직 : 지방세포, 신체의 열 저장소, 충격흡수하며 기계적인 손상예방

2) 기능
   ① 인체보호 작용
   ② 체온조절, 감각기관
   ③ 배설 및 분비작용
   ④ 비타민 D 합성
   ⑤ 영양소저장작용 등

20. 눈

1) 구조

① 바깥 층 : 섬유막 – 공막(눈 흰자위 막), 각막(검은자위 막, 안구의 가장 바깥 막)

② 중간 층 : 혈관막 / 포도막 – 홍채(빛의 양을 조절), 섬모체(수정체 모양 조절), 맥락막

③ 내층 : 신경막 – 망막(시신경 세포를 통해 대뇌로 전달), 황반, 맹점

2) 주요 질병

① 백내장 : 수정체의 혼탁으로 인해 사물이 뿌옇게 보이게 되는 질환

② 녹내장 : 진행하는 시신경병증 및 이로 인한 시야 결손 및 시력 손상을 일으키는 질환

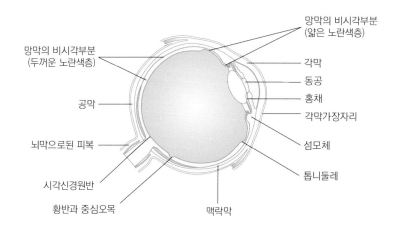

21. 귀

1) 이관

① 중이(=고실)와 인두를 연결, 고막내부와 외부 기압 조절해 고막파열 방지, 평소에는 닫혀 있다가 하품이나 연하 시 열림

② 기압을 조절

③ 고막파열방지

④ 아동은 성인보다 중이염에 걸릴 확률이 높다 : 그 이유는 이관이 성인보다 곧고 짧고 넓기 때문

2) 외이도 : 2.5 cm 고막까지의 통로

3) 이소골 : 중이에 있는 뼈(추골, 침골, 등골)

4) 이개 : 귓바퀴

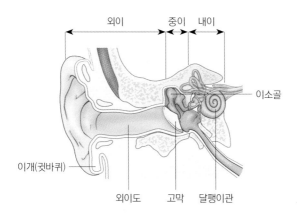

CHAPTER 03 기초약리

제1장 | 약물의 이해

1. 약물의 형태 (기출 20상) (기출 21하)

① 시럽 : 백당 또는 감미제를 함유하는 내복용 액체

② 물약 : 약을 물에 녹인 것

③ 팅크제 : 약물이나 생약을 에탄올에 용해시킨 제제(옥도정기, 포비돈)

④ 정제 : 의약품 또는 혼합물을 일정모양으로 압축한 것(기계적인 조작으로 납작하거나 둥글게 만드는 약물)

⑤ 교갑제 : 분말, 과립, 액체상태, 의약품을 캡슐에 충전 또는 캡슐제로 싼 것

⑥ 현탁제, 부유제 : 불용성인 약품을 수중에 미세분말로 균등히 분산시킨 것

⑦ 산제(가루약) : 약물을 균등하게 곱게 빻아 고르게 혼합함 기출

⑧ 환제 : 꿀이나 풀을 결합하여 환약으로 만든 것으로 만성 질환 시 사용

⑨ 함당정제 : 원형, 난원형, 장방형의 약제, 입안에서 녹여 약효를 내고 빨아먹도록 만들어진 약

⑩ 엑기스제 : 약물의 유효성분을 삼출한 약액을 농축시켜 만든 약물

⑪ 연고 : 한 가지 이상의 약물이 혼합된 반고형성 약제, 피부나 점막에 사용되는 외용약

⑫ 장용제 : 위에서 녹지 않고 장에서 녹을 수 있도록 만든 정제(소화효소제)

⑬ 고제 : 약에다 물을 가하고 달여서 찌꺼기를 제거하고 다시 진하게 달여 꿀이나 설탕 등으로 보조물을 넣고 농축시킨 반유동 상태 기출

2. 약물의 종류

① 주약 : 처방약이나 제제에서 주요 성분이 되는 약제

② 보조약 : 약의 효과를 높이기 위해 보조적으로 첨가하는 약. 예) 혈압조절을 위해 혈압약(암모디핀)에 이뇨제(다이크로짓＝보조약)를 함께 사용

③ 부형약 : 약을 먹기 쉽게 하기 위해 또는 어떤 필요한 형태를 만들기 위해 가하는 물질

④ 교정약 : 약의 쓴맛이나 불쾌한 냄새를 줄이거나 감추어 복용하기 쉽도록 섞어먹는 약물

⑤ 위약(플라시보) : 실제 약리 작용은 없으나 모양이나 색깔이 흡사한 약을 투여해 실제 약과 동일한 효과를 기대할 수 있는 약(심리적인 효과 기대)

3. 약물의 표시

① 일반약 : 백지 바탕에 검은 테두리를 한 표지 → 청색, 검은색으로 기록

② 극약 : 백지 바탕에 빨간 테두리를 한 표지 → 적색으로 기록

③ 독약 : 검은 바탕에 흰 테두리를 한 표지 → 흰색으로 기록

4. 약물 투여 (기출 19하)

1) 흡수속도 : (빠른 순서) 정맥주사 → 근육주사 → 피하주사 → 경구투여

2) 투여용량 : 한량 → 최소 유효량 → 상용량(치료량) → 최대 유효량(극량) → 중독량 → 내량 → 치사량

① 한량 : 아무 작용을 미치지 않는 양

② 최소유효량 : 약효를 내는 최소의 양

③ 상용량(치료량) : 최소 & 최대 유효량 사이의 사용 가능한 양

④ 최대유효량(극량) : 사용 가능한 최고의 양

⑤ 중독량 : 중독을 일으키는 양

⑥ 내량 : 죽음에 이르지 않는 중독량

⑦ 치사량 : 사망하는 양

3) 투여 방법

① 물약 : 흔들어줌

② Lugol 용액(쓴맛의 약) : 투여 직전 얼음을 머금고 있거나, 우유나 과일주스에 희석, 빨대 사용(물로 충분히 헹구어 냄)

③ 기름 약 : 먹인 후 뜨거운 차를 마시거나 약을 차게 해서 먹음

④ 설하 투여 약물 : 니트로글리세린(항협심증약) 기출
  - 속효성 약물로 투여 1분 만에 작용
  - 관상동맥을 이완시켜 심장으로 귀환하는 혈류량을 줄여 심장의 부담을 줄여 심장 의 활동을 억제함으로써 흉통을 조절하는 약물(삼키지 말 것)

5. 약물의 여러 가지 작용 (기출 19상) (기출 20상)

① 부작용 : 약물의 작용 중 질병 치료 시에 나타나는 원하지 않는 작용

② 독작용 : 부작용 중 생명에 위험을 주거나 건강을 해칠 우려가 있는 작용

③ 상가작용 : 두 가지 이상의 약물을 같이 사용했을 때 그 두 약물의 작용이 합에 해당 하는 것

④ 길항작용 : 두 가지 이상의 약물을 같이 사용했을 때 각 약물의 작용이 감소 또는 상쇄 기출

⑤ 금단작용 : 의존성 약물을 중단 시 나타나는 극도의 신체적 증상(오심, 구토, 불면, 전신경련, 혼수상태, 혼돈 등)

⑥ 내성 : 계속 사용 시 같은 효과 얻기 위해 사용량을 증가해야 하는 현상

⑦ 전신작용 : 경구투여나 비경구투여 약물이 흡수되어 순환계를 통하여 다른 작용부위 에서 나타내는 작용 기출

⑧ 국소작용 : 피부나 점막에 사용한 약물이 흡수되지 않고 그 작용부위에 국한되어 작 용하는 것

⑨ 축적작용 : 어떤 약물은 흡수에 비해 대사나 배설이 느려 몸 안에 축적되어 심한 중 독증상을 나타냄. 예) 수은, 납, 디곡신 등

6. 약물작용에 영향을 주는 요소

① 용량, 연령, 체중, 투약시기, 체질, 심리적 요인, 환경, 성별, 투여경로, 질병의 종류, 섭취음식

② 소아의 경우 체중보다 나이가 약의 종류나 용량 결정에 더 중요 요인

③ 소아에서는 체중과 체표면적 등을 고려하여 투여

④ 신생아, 영유아는 성인에 비해 약물에 대한 반응이 크므로 약 용량을 감하여 투여

⑤ 여성는 남성의 ⅔~¾ 정도가 적당한 용량

⑥ 투여방법에 따라 작용 발현시간, 작용지속시간, 최대효과 등이 달라짐

⑦ 특이 체질의 경우 보통사람에게서 일어나는 효과와 다른 반응이 나타남

　　※ 소아용량 계산하는 방법

$$\text{Young법} = \text{성인량} \times \frac{\text{연령}}{\text{연령} + 12}$$

7. 각종 약의 부작용 (기출 21상)

① 항히스타민제(드라마민, 페닐아민말레이트) : 졸음, 현기증

② 이소나이아지드(INA) : 말초신경염

③ 스트렙토마이신(SM)과 가나마이신(KM) : 제8뇌신경(청신경) 장애

④ 알루미늄 하이드로사이드 : 변비, 미란타Ⅱ : 설사

⑤ 리팜피신 : 자반증(소변의 적색변화는 정상)

⑥ 에탐부톨 : 적·녹 색맹

⑦ 아스피린(소염해열진통제) : 위장 출혈, 혈액응고시간 지연 등 기출

8. 등장성 생리식염수

① 혈액과 똑같은 삼투압

② 0.9% 식염수

　－ 우리 몸의 체액은 60~70%가 수분(수분의 이동을 위해 Na가 0.9% 녹아 있음)

　－ 체액의 염분과 같은 농도의 용액을 등장성 용액이라고 함

③ 등장성 용액 : 탈수 시, 위 세척, 방광 세척, 상처 세척 시 사용

④ 0.45% 식염수 : 저장성 용액, Nacl 결핍과 체액량 부족 시 사용

⑤ 염분이 높은 것 : 고장성 용액 / 낮은 것 : 저장성 용액

제2장 | 약물 기전

항감염 약물

1. 항생제 (기출 19하)

① 감염성 질환을 치료하기 위해 미생물(박테리아)의 발육을 억제하거나 사멸시키는 약물
② 페니실린, 세팔로스포린계, 클로람페니콜, 테트라사이클린계, 스트렙토마이신, 에리스로마이신, 설파제 기출
③ 항생제, 항결핵제, 인슐린, 이뇨제, 항고혈압제 등은 처방된 투약시간을 지켜 혈중농도를 일정하게 유지해야만 치료효과를 극대화시킬 수 있음

2. 항결핵제

1) 항결핵제의 병행요법 이유

① 결핵균은 병원균의 저항성(내성)이 강하므로 내성을 지연, 약의 효과 증진, 부작용 감소하기 위함
② 균의 혼합감염을 치료하기 위해
③ 한 번에 최대혈청 농도유지 : 1일 1회 복용

2) 1차약

① 결핵치료에 먼저 사용하는 약물
② 이소나이아지드(INAH), 리팜피신(RMP), 스트렙토마이신(SM), 에탐부톨(EMB), 피라진아마이드(PZA)

3) 2차약

① 부작용 때문에 임상에서 사용을 제한 받고 있는 약물
② 가나마이신(KM), 파라아미노살리실산(PAS), 프로디나마이드, 사이클로세린

4) 결핵치료 원칙

① 장기요법으로 9개월~1년간 투여해야 함

② 장기간 투여에서 오는 부작용과 내성이 없는 적절한 약물을 선택해야 함

③ 약물 투여횟수는 단순화하여 아침 식전에 한번 투여하거나 소아결핵의 경우 두 번 투여

④ 휴식과 안정, 고단백 식사가 요구됨

3. 항히스타민제

① 알러지의 증상을 제거

② 클로로페닐아민밀레이트 : 부작용 적은 항히스타민제

③ 드라마민 : 멀미, 구토, 현기증, 임신 초기 구토증 사용

④ 피리벤자민 : 진정작용

⑤ 염상디펜히드라민 : 진정작용, 혈관수축작용

⑥ 베나드릴 : 항경련, 진정작용

순환기계 약물

4. 빈혈치료제 (기출 19하)

1) 빈혈 : 적혈구의 수가 감소되거나 혈색소의 농도가 정상 이하로 낮아져서 산소운반능력이 감소된 상태(철제제, VitB12, 엽산, 조혈제 등)

2) 빈혈의 분류

① 철결핍성 빈혈 : 철 부족으로 적혈구 생성 감소

② 악성 빈혈 : 위장에서 내인성인자 부족으로 VitB12가 흡수되지 않으므로 옴

③ 재생불량성 빈혈 : 선천적이나 약물, 방사선, 간염 등 바이러스 감염에 의한 골수형성부전증

④ 용혈성 빈혈 : 적혈구 파괴가 이상적으로 증가되는 빈혈

3) 철분제 : 빈혈의 치료에 사용되는 철분제는 치아를 검게 착색하므로 빨대를 구강 깊이 삽입한 후 투여하고, 입안에 오래 머금고 있지 않도록 함(위·장관 자극감소 위하여 식후에 투여) `기출`

5. 항혈액응고제

① 헤파인(Heparin) : 주사부위의 출혈을 예방하기 위해 주사 부위를 바꾸고 주사 후 마사지를 피함

② 쿠마딘(Coumadin) : 경구용 항응고제의 일종으로 판막 수술 후나 혈전형성으로 인한 질환에 복용

6. 혈액대용액

① 용량 팽창제

② 수혈은 공급, 투여, 보존이 어렵기 때문에 많은 혈액 대용액을 사용함

③ Whole human blood 전인혈, Albumin, Dextran, D/W, D/S 등

7. 항고혈압제(혈압강하제) `기출 19상`

① 혈압을 떨어뜨릴 목적의 약물

② 혈관확장제, α, β-아드레날린차단제, 교감신경기능억제제, 안지오텐신전환효소억제제, 이뇨제, 칼슘길항제 등

③ 캡토프릴 : 안지오텐신 전환효소 억제제로 고혈압과 심부전에 효능 `기출`

④ 푸로세미드 : 고혈압과 부종치료에 사용되는 이뇨제

8. 강심제

① 디곡신(디기탈리스) : 심근수축력을 증가

② 이뇨효과가 있어 식간에 투여

③ 부작용 : 서맥(60회/분)

④ 투여 전 반드시 맥박수를 확인하고 60회/분 이하 시 투여 금지

9. 소화제

① 직접 소화효소를 사용하거나 간접적으로 소화액의 분비를 촉진시키고 소화관의 운동을 항진시키는 약물

② Diastase (디아스타아제), Pepsin (펩신)

10. 건위제

① 위의 운동을 항진시켜 위액분비를 촉진하는 약물로 식욕을 항진시키고 소화기능을 활발하게 하는 소화 촉진 효과가 있는 약물

② 고미 건위제 : 약간 쓴맛이 있는 생약성분들로 고미가 미각을 자극하여 식욕을 증진시키고 위액분비를 촉진. 예) 용담, 당약, 고삼, 인삼, 황백, 황련 등

③ 방향성 건위제 : 냄새(방향성)와 자극성이 있는 물질이 소화관을 적당히 자극하여 위운동을 촉진시키며 위장관내 gas 배출작용 함. 예) 계피, 박하, 생강, 고추 등

11. 제산제

① 분비된 위산을 중화하여 위나 십이지장의 점막을 보호해 치료 효과를 기대하는 약물

② 알루미늄 하이드로사이드, 미란타Ⅱ 등

12. 하제

① 장의 운동성을 증가시켜 변비를 치료하는 약물

② Dulcolax (둘코락스)

13. 지사약

① 설사를 억제하여 정상적인 배변을 하도록 하는 약물

② Loperin (로페린)

호흡기계 약물

14. 거담제

① 기도 내에 끈끈한 점액성의 분비물의 분비를 증대시켜 가래를 묽게 한 뒤 섬모의 운동을 증가시켜 기침이 일어날 때 가래의 배출을 촉진시키는 작용을 가진 약물
② Bisolvon (비졸본), 아트로핀(수술전 투약)

내분비계 약물

15. 당뇨병치료제 (기출 20하)

① Insulin (인슐린)
  – 췌장의 베타세포 랑게르한스섬의 세포에서 분비되는 호르몬
  – 글리코겐과 아미노산이 포도당으로 전환되는 것을 억제
  – 포도당을 세포 내로 이동시켜 혈당을 감소시키는 기능 기출
② 계속적인 피하주사로 지방조직의 위축과 비후가 일어나므로 손상된 부위를 피하고 팔, 대퇴부, 배꼽 주위 등 돌려가면서 주사함

비뇨·생식기계 약물

16. 이뇨제

① 신장에 작용하여 요량을 증가시키는 약물
② Lasix (라식스)

17. 분만촉진제 (기출 20하)

① 옥시토신(oxytocin) 기출
② 뇌하수체 후엽에서 분비되는 호르몬
③ 자궁을 수축시켜 분만과 진통을 유발하는 작용을 하며, 유도분만이나 분만 촉진 시에 모두 사용

18. 항불안약

　① 진정 및 수면제와 유사하나 내성과 신체적 의존성이 약함

　② Valium (바리움)

19. 진통제 (기출 21상)

1) 아스피린

　① 해열진통제, 혈전치료제, 소염작용

　② 두드러기, 이명, 두통, 어지러움, 오심, 구토, 용혈성 빈혈, 혈액응고시간 지연 등

　③ 혈소판 응집 억제의 부작용

　④ 위장출혈을 일으키므로 혈우병, 위궤양, 저프로트롬빈혈증 환자는 사용 금지 기출

2) 아세트아피노펜(타이레놀)

　① 타이레놀로 많이 알려져 있는 해열진통제 → 소염작용이 없음

　② 아스피린 과민환자에게 투여

20. 마약성 진통제 (기출 20상)

1) 모르핀

　① 가장 강력한 마약성 진통제, 호흡중추억제제(마비)의 부작용

　② 투여 전 반드시 호흡수를 확인하고 14회/분 이하 시 투여 금지 기출

2) 데메롤 : 급성통증, 수술 전·후 통증에 사용되는 마약성 진통제

3) 코데인

　① 진통 작용은 모르핀보다 작고, 진해 작용이 더 강한 마약성 진통제

　② 심한기침과 마른기침의 조절에 사용

　③ 마약성(코데인)과 비마약성(코푸시럽)

　　※ 노발긴 : 비스테로이드성 소염 진통제

21. 향정신성의약품

① 중추신경계에 작용하는 많은 약물은 오용, 남용될 경우 심한 육체적·정신적 의존성을 유발

② 아편, 마약류, 대마, 진정·수면약, 코카인, 헤로인 등

응급약

22. 응급약 (기출 21하)

1) 주요 응급약

① 아트로핀 : 부교감신경차단제, 기도분비물 억제 효과(수술 전 투여)

② 리도케인 : 부정맥 치료제, 국소마취제

③ 소디움 바이카보네이트 : 혈액의 산증 교정 시 사용

④ 에피네프린 : 아나필락시스 쇼크 시에 사용 기출

2) 페니실린 부작용 시 에피네프린 주사용량과 주사 방법

① 에피네프린(교감신경 흥분제)을 0.2~1 mL 피하 또는 근육 투여

② 효능 : 교감신경흥분제, 강심제, 혈관수축제, 기관지천식, 기관지 확장시 경련완화

③ 용량 : 심정지 등 응급 시 0.25 mL 이내 희석하여 서서히 정맥투여

④ 부작용 : 불안, 심계항진, 빈맥, 호흡곤란, 요정체

23. 소독제

① 과산화수소수(H_2O_2) : 3%, 상처 소독(살균 효과)

② 알코올 : 75% 소독효과 - 신생아 배꼽 소독, 주사 전 피부 소독 등

③ 젠션 바이올렛 : 1% G/V, 아구창(칸디다균) 연고

제3장 | 약물의 관리

1. 약물 보관 (기출 20상)

1) 약물 보관

① 보통약 : 30℃ 이하의 서늘하고 통풍이 잘되며 직사광선을 피해서 보관

② 기름종류 : 10℃ 전후 보관

③ 내·외용약을 구분해 칸막이가 되어 있는 곳에 약물을 각각 보관

④ 모든 약병은 언제나 뚜껑을 덮어 보관

⑤ 약물의 종류에 따라 보관법은 다르며, 약의 유효기간을 지켜서 사용함

2) 마약, 항정신성 의약품

① 약의 오용을 방지하기 위해 별도의 장소에 이중잠금장치 기출

② 투약하지 않았거나 남은 경우 버리지 않고 약국에 반납

3) 냉장보관 약물(2~5℃ 냉암소) : 혈청, 생균백신, 인슐린, 간장추출물, PPD, BCG, 헤파린, 알부민

4) 좌약

① 체온에서 용해·흡수되도록 만들어진 약

② 저온에서 쉽게 용해되지 않고, 효과도 떨어지므로 실온보관

③ 냉동, 냉장보관 시 투약 전 실온에 잠시 두었다가 투약할 것

2. 약품의 관리

① 라벨이 손상된 약은 투여해서는 안 됨

　: 판독할 수 없는 라벨 약은 약명의 정확한 확인을 할 수 없으므로

② 침전물이 있거나 변색된 약은 사용하지 않음

　: 침전물이나 혼탁으로 약효에 이상이 있을 수 있으므로 사용금지

③ 마약이나 향정신성의 약품은 별도 장소에 이중잠금장치에 보관

　　: 열쇠로 잠그고, 항상 수량을 확인하고, 책임 간호사 보관

④ 투여하지 않은 약은 다시 약병에 붓지 않음

　　: 한 번 공기 중에 노출된 약은 본래 약병에 다시 넣지 않고 버릴 것

3. 약품의 보관용기

1) 밀폐용기

① 약품을 저장하는 동안 약품의 손실, 파손, 이물의 혼합을 막기 위한 용기

② ⓔⓧ : 나무상자, 종이상자 등

2) 기밀용기

① 약물 내용이 액성 또는 고형인 것을 수분침입, 손실, 오염 등이 방지되도록 만든 용기, 개봉 후에는 다시 기밀로 할 수 있음

② ⓔⓧ : 기밀용기로 제조된 유리병, 과산화수소수 등

3) 밀봉용기

① 취급하거나 저장 중에 약물내용이 미생물 등의 침입으로 오염의 염려가 없도록 만든 용기

② ⓔⓧ : 앰플, 바이알 등

4) 차광용기

① 약물을 저장 또는 취급하는 동안에 광선이 투과되면 약물내용이 변질하기 쉬우므로 그 품질의 강도, 변질을 막기 위하여 만든 용기

② ⓔⓧ : 갈색, 청색 유리병, 기타 차광 유리병 등

CHAPTER 04 기초영양

제1장 | 영양과 대사

1. 기초대사량(BMR) (기출 19상)

1) 개념

① 생명유지에 필요한 최소한의 에너지로 무의식적으로 일어나는 여러 가지 대사작용, 심장박동, 호흡, 체온 조절을 위해 필요

② 갑상선 질환 진단의 필수 검사

2) 기초대사량에 영향을 주는 요인

① 체격 : 체표면적에 비례

② 근육이 많을수록 크다.

③ 남자가 여자보다 7% 높다.

④ 생후 1~2년경에 기초대사율이 가장 높다.

⑤ 체온 1℃ 상승하면 기초대사율은 13% 상승

⑥ 갑상선 호르몬 : 갑상선기능항진증인 경우 → 약 50~75% 증가

  갑상선기능저하증의 경우 → 약 30~50% 감소

⑦ 아드레날린, 남성호르몬, 성장호르몬도 기초대사율 상승시킴

⑧ 운동 시, 불안, 공포, 초조, 근육긴장 시, 맥박이 빨라질 때는 상승됨 기출

⑨ 영양부족상태, 기아상태, 수면 시 감소

2. 영양소

1) **3대 영양소** : 단백질, 탄수화물, 지방 + 무기질(4대 영양소) + 비타민(5대 영양소) +
   물(6대 영양소)

2) **신체의 조직구성** : 단백질 16%, 탄수화물 소량, 지방질 14%, 무기질 5%, 수분 65% 등

3) **신체의 열량공급** : 단백질 : 탄수화물 : 지방질 = 4 : 4 : 9 (각 영양소 1g당 열량 kcal)

4) **신체의 생리기능 조절**

   ① 물 : 영양소의 흡수, 운반과 배설, 체온조절, 체액의 삼투압 조절 등
   ② 물·무기질·비타민 : 식품의 산화작용, 신경운동, 심장운동, 각종 분비선의 기능조절
      작용

5) **비타민·무기질**

   ① 에너지 대사를 위한 산화작용, 심장운동 촉진
   ② 열량은 제공하지 않으나 신체구성 및 생리적 기능조절 영양소

6) **상처 치유에 필요한 영양소**

   ① 단백질 : 조직을 형성, 파괴된 조직을 수선
   ② 비타민 C : 모세 혈관 벽을 수축, 상처를 치유 촉진

3. 영양소의 종류와 기능 (기출 20하) (기출 21상) (기출 21하)

1) **단백질**

   ① 생체의 주성분, 질병과 감염에 저항, 조직 형성, 파괴된 조직 수선 기출
   ② 결핍 시 : 콰시오카(발육정지, 빈혈, 부종, 혈청 단백질의 감소 등), 창상 치유가 잘
      안 됨.
   ③ 분해 시 : 암모니아 배출 − 단백질 → 아미노산 → 소장 → 문맥 → 간 → 혈액 →
      각 조직 → 소변(배설)

2) 탄수화물

① 근육운동을 위한 열량원

② 소화된 탄수화물은 소장에서 포도당, 과당, 갈락토오스 등의 최종산물인 단당류가 되어 흡수

③ 글리코겐(포도당) : 가장 기본적인 에너지원, 체내 당대사의 중심물질, 뇌 기능 유지에 필수 기출

3) 지방

① 기능 : 외부와의 절연체 역학, 신체온도 유지, 충격 흡수 역할, 필수 지방산의 공급

② 흡수 : 췌장액과 담즙산을 이용하여 소장에서 흡수

4) 무기질

대량 무기질	기능	미량 무기질	기능
칼슘(Ca)	• 뼈와 치아의 성분 • 혈액 응고 • 부족 시 : 근육경련, 골다공증	철(Fe)	• 혈액의 구성성분 • 체내 저장이 안 됨 (보충 필요) • 결핍 시 : 빈혈, 감염 저항력 감소
나트륨(Na)	• 체내 수분 유지 • 삼투 조절(칼륨 ↔ 나트륨)	코발트(Co)	• 부족 시 : 빈혈
칼륨(K)	• 근육의 수축과 이완 • 혈압 유지 • 상승 시 : 심정지	아연(Zn)	• 소화작용 • 핵산 및 단백질 합성
마그네슘(Mg)	• 뼈의 성분 • 각종 효소의 재료	구리(Cu)	• 뼈와 적혈구 생성
염소(Cl)	• 혈액의 산성도 조절 • 소화, 면역작용	요오드(I)	• 갑상샘 호르몬의 구성물질 기출 • 결핍 시 : 갑상선 부종, 크레틴병 • 특히 임산부에게 필요
인(P)	• 뼈와 치아의 성분	불소(F)	• 치아 에나멜 코팅 • 부족 시 : 충치 발생

5) 비타민

지용성 비타민	지질과 함께 흡수되어 지방 조직에 저장
비타민 A	• 부족 시 야맹증과 각막 연화증 발생
비타민 D	• 자외선 노출 시 피부에서 생성, 부족 시 구루병, 골 연화증 발생 기출
비타민 E	• 부족 시 신생아에서 용혈성 빈혈 유발 가능
비타민 K	• 부족 시 혈액 응고에 필요한 단백질 합성 감소로 출혈과 멍이 쉽게 발생, 발육 정지, 피부 건조 등

수용성 비타민		섭취 후 소변으로 쉽게 배설되기 때문에 자주 섭취해야 함
		주요 물질대사에 관여. 부족 시 아래와 같은 현상이 나타남
비타민 B	B_1	각기병, 말초신경장애, 심장장애, 베르니케-코르사코프 증후군
	B_2	결막염, 백내장, 피부염, 홍색 혀, 구내염
	B_3 (나이아신)	펠라그라 유발 → 피부병, 설사, 치매
	B_5	식욕부진, 피부염, 소화관 궤양, 손발의 감각이상
	B_6	피부염(빈혈, 신경장애)
	B_7	원형탈모, 지루성 피부염, 설염, 습진
	B_9 (엽산)	거대적아구성 빈혈, 체중 감소, 우울증
	B_{12} 기출	악성빈혈, 말초신경장애
비타민 C		• 단백질 대사에 관여, 항산화 기능 • 철분제와 함께 복용하면 철분의 체내 흡수율 높인다. 기출 • 부족 시 거대적아구성 빈혈, 괴혈병 발생.

6) 수분

① 체액 조성, 삼투압 유지

② 노폐물 배성

③ 양양소의 흡수, 운반

④ 체온 조절

⑤ 수분 정체 시 : 부종, 체중 증가, 혈압 상승

⑥ 수분 부족 시 : 제중 감소, 피부 탄력성 감소, 혈압 저하, 미열, 홍조 등

제2장 | 식이

1. 식이요법 (기출 20하) (기출 21하)

부위	환자	제한	섭취
간	간 질환 **기출**	지방	단백질, 비타민 (복수 – 저염식이)
	회복기 간염		고열량, 단백질, 중등지방
	간성 혼수	단백질	
고혈압	고혈압	지방, 탄수화물, 나트륨	저염이식, 칼륨, 단백질
	임신성 고혈압	수분	단백질, 비타민, 무기질
신장	신장 질환	수분, 나트륨, 단백질	저염이식
심장	심장 질환	나트륨, 자극성 식이	칼륨
	울혈성 심부전	수분, 열량, 나트륨, 지방	단백질, 불포화지방산
위	위장 질환	자극성 식이, 섬유질	
	만성 설사	냉 음료, 섬유소가 많은 야채, 기름진 음식, 해조류, 발효성 식품	수분, 전해질
	급성 위염		저잔사식
기타	결핵		단백질
	부종 **기출**	수분, 나트륨	
	당뇨병	열량, 나트륨, 단순 당	
	복수	지방, 나트륨	단백질
	비만	지방, 탄수화물(당질), 나트륨(식염)	저염이식
	임신 수유		단백질
	편도선 절제	열감 음식(주스 등)	찬 유동식, 연식
	황달	지방, 나트륨	단백질
	회복기		단백질

2. 식이별 관련 질환자 (기출 19하) (기출 21상)

① 저단백식이 : 간성혼수, 급성장염, 급성췌장염, 급성신부전, 요독증신부전 등
　기출 **기출**
② 고단백식이 : 수유부, 결핵환자, 회복기 환자, 간세포의 재생과 지방간을 예방
③ 저지방식이 : 간 질환, 비만, 황달 등
④ 중등지방 식이 : 황달과 위장장애가 있는 급성 초기에만 제한하고, 회복됨에 따라 적
　　당량을 증가
⑤ 저염식이 : 신증후군, 급성 신부전, 고혈압, 임신성 고혈압 등
⑥ 염분 제한 : 복수, 부종, 심장질환, 고혈압, 만성 신부전증, 통풍 등
⑦ 저잔사식 : 잔사가 거의 없는 맑은 유동식을 공급, 차, 맑은 국, 과즙 등, 섬유소가
　　매우 적은식품, 무자극성 연식

3. 병원 식이 (기출 19하) (기출 20상)

① 유동식 : 수술 후 회복기 환자, 고형식품을 섭취할 수 없는 대상자
　– 맑은 유동식 : 수분공급 목적으로 끓인 액체, 보리차, 녹차 등
　– 전유동식 : 수분공급 위한 미음식, 푸딩, 아이스크림, 미음
② 연식(죽식) : 소화기 질환, 식욕 부진 환자, 고열 환자 **기출**
③ 경식(진밥) : 연식에서 일반식으로 전환하는 회복기 환자에게 공급
④ 일반식 : 특별한 식사 조절이나 소화기계 장애가 없는 환자 **기출**

4. 특별 성인식

① 열량 조절식 : 비만, 당뇨, 대사항진증일 때 제한하거나 더해줌으로써 체중 조절
② 단백질 조절식 : 단백질이나 아미노산을 가감하는 식이
　– 고단백 : 간 질환자, 신 질환자, 화상 등
　– 저단백 : 간성혼수, 급성장염, 급성췌장염 등
③ 당질 조절식 : 당뇨병, 덤핑증후군에 당의 섭취를 제한
④ 지방 조절식 : 비만, 고지혈증, 동맥경화증 등에 지방량과 콜레스테롤을 제한하는 식이
⑤ 염분 조절식 : 복수, 부종, 심장질환, 고혈압, 만성신부전증, 통풍 등에 염분을 제한
　　하는 식이

5. 신부전증 환자의 식이요법 (기출 19상)

① 신장 : 체내 대사의 최종 산물을 처리하는 기관
② 신장 기능 장애 → 체내의 대사 과정 어려움
③ 식사 조절이 중요
④ 저염이식 권장 : 신장의 부담 감소와 부종 감소 기출

6. 편도선 절제수술 환자의 식이요법

① 찬 유동식 또는 연식
② 수술 후 가장 중요한 합병증 : 출혈(목 뒤를 정기적으로 관찰)
③ 얼음주머니 대줌 : 출혈과 부종 감소
④ 열감 음식 피함 : 오렌지, 포도주스 등
⑤ 자극성 없는 부드러운 식이 제공

7. 유행성 이하선염 환자의 식이요법 (기출 19하)

① 원인 : 주로 타액선이 침범되어 이하선, 악하선, 설하선이 동반되어 침범
② 증상 : 타액석의 종창과 동통 → 연하곤란 증상
③ 식이 : 부드러운 유동식 섭취 기출

CHAPTER 05 기초치과

제1장 | 기본 개념

1. 치아의 종류와 기능 (기출 19하)

1) 종류와 역할

① 전치(앞니) : 음식이나 실을 끊는 역할, 중절치 + 측절치 포함 8개

② 견치(송곳니) : 음식이나 물건을 찢는 역할, 상하좌우 4개 기출

③ 소구치 : 소구치는 음식물을 찢거나 갈 수 있도록 뾰족한 교두를 지니고 있는 점에서 견치와 유사하게 생김(음식을 부수는 역할)

④ 대구치 : 음식을 가는 역할, 교합면이 넓음

2) 치아의 기능

① 저작과 발음기능 : 치아, 혀 등은 말을 할 때 발음을 형성해 주는 역할을 함

② 연하, 소화 작용

③ 아동의 두개안면 발육 촉진

④ 심미적 기능 : 웃거나 대화를 할 때 미용 기능

3) 치아면에 따른 분류

① 치면 : 안빈에 가장 가까운 면

② 순면 : 입술에 근접해 있는 부분

③ 협면 : 안쪽 뺨과 인접한 부분

④ 설면 : 혀와 가까운 부분

⑤ 저작면(교합면) : 음식을 씹는 면

2. 치아조직(구강해부) (기출 20하)

① 구성 : (바깥부터) 법랑질 → 상아질 → 치수 → 석회질

② 법랑질(에나멜층) : 치아의 외면, 음식물을 자르고, 으깨고, 갈고, 씹기 위한 단단한 면을 제공함 기출

③ 상아질 : 법랑질 안쪽, 경도가 약하므로 충치발생이 잘 확대됨

④ 치수 : 치아의 내부 잇속 조직

⑤ 백악질 : 치주인대가 부착되는 치근을 둘러싸는 석회화된 조직

⑥ 시멘트질 : 치아 뿌리가 묻혀 있는 뼈의 조직

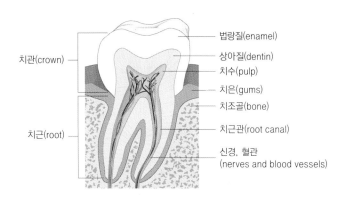

3. 유치·영구치의 성장 (기출 20하)

1) 유치열

① 20개의 치아로 구성

② 맹출을 시작하여 2세 반~3세에 발현됨.

③ 하악 유중절치 : 6~10개월에 맹출하여 6~7세에 탈락

2) **영구치열** : 마지막 남은 유치가 빠지는 시점인 12세 무렵부터 시작됨.

① 제1대구치 : 6세 구치 – 가장 먼저 맹출하는 영구치 기출 👈

② 제2대구치 : 12세 구치 – 혼합치열기

③ 제3대구치 (=지치, 사랑니) : 가장 마지막에 맹출하는 영구치(18세경)

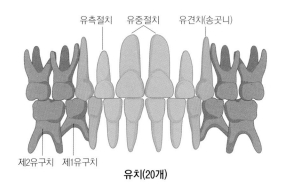

유치(20개)

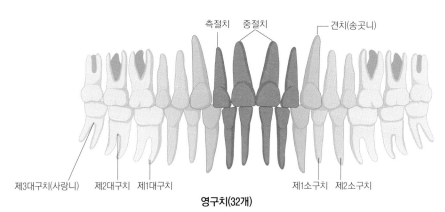

영구치(32개)

4. 치식

F.D.I (Federation Dentaire International system, 두 자리 숫자표기법)

• 영구치

18	17	16	15	14	13	12	11	21	22	23	24	25	26	27	27
48	47	46	45	44	43	42	41	31	32	33	34	35	36	37	38

• 유치

55	54	53	52	51	61	62	63	64	65
85	84	83	82	81	71	72	73	74	75

5. 유아의 구강관리

① 출생 6개월 이후 아기에게 불소시럽을 복용

② 6~8개월 이유식 후 미온수로 적신 거즈를 이용하여 치면을 닦아 줌

③ 유아기(1~3세)에 부모님의 도움을 받아 하루 2회 칫솔질과 치실 사용

④ 유치가 완성되는 2.5세~3세부터는 규칙적인 치아검사를 실시

⑤ 7~8세부터 혼자 칫솔질을 할 수 있음

⑥ 학령기(6~12세) 충치를 예방(불소복용법, 학교 불소용액 양치법)

6. 소아·청소년의 구강 발달과정

1) 출생~2세(영아)

① 유치열이 완성되는 시기

② 부모에 대한 교육과 식이조절이 중요

2) 3~5세(유아)

① 유아들은 간단한 지시에 따를 수 있고, 진료과정에도 적극적으로 참여할 수 있음

② 국가건강검진 시 유아 검진 대상의 연령이고 유치열기의 치과 진료 시에는 유아의
행동 특성을 잘 이해하면서 수행

3) 6~11세(아동)

① 사회성이 발달하는 시기

② 혼합치열기의 시기로 소아 치과진료의 주요 연령 대상

4) 12~18세(청소년)

① 영구치열기

② 향후 일생동안 성인의 구강건강을 올바르게 관리하는 기초가 되는 시기

제2장 | 치과 기본 업무

1. 치과진료 시 시설

① 간호조무사의 의자는 의사의 의자보다 높게 → 진공흡입기 사용 시 시야가 확보되기 때문
② 의사의 의자는 보조자의 의자보다 10~15 cm 정도 낮게 조절
③ 진료대에 부착된 기구나 기계들은 항상 점검하여 청결히 함
④ 세면대 설치는 필수
⑤ 시술시 조명은 눈에 직접 비치지 않게 함
⑥ 진료의자 위치 선정 : 환자의 구강과 의사의 팔꿈치의 높이가 같도록 함

2. 치과진료 시 사용하는 기구 (기출 21하)

① 탐침 : 접근하기 어려운 구강의 손상부위 감지기구
② 스푼 익스카베이터 : 우식병소, 치석제거 기구
③ 커튼 플레이어(핀셋) : 보존치료시 구강 내 소형재료의 삽입, 제거 기구
④ 치경 : 진료시 빛을 반사하여 구강을 직접 관찰하는 기구
⑤ 쓰리 웨이 실린지 : 물과 공기를 분사하는 기구
⑥ 진공흡입기 : 물이나 이물질을 흡입하는 기구
⑦ 라이트 : 빛을 비추는 기구
⑧ 스툴 : 의사나 간호조무사가 앉는 의자
⑨ 핸드피스 : 절삭 기구, 구강 내에서의 치질 삭제, 치아의 썩은 부위를 깍아내는 기구 기출

3. 치과진료 시 간호조무사의 업무 (기출 21상)

① 진공흡입기 사용(가장 기본적 업무) : 치과의사의 시야 방해하지 않도록 주의 기출
② 환자 안내와 준비
③ 혀와 구강조직 견인

④ 진료실 관리와 기구 소독 및 준비

⑤ X선 필름 현상과 보관

⑥ 환자 교육과 주의사항 전달

⑦ 진료 시 치과진료의자 옆에서 진료보조(기구와 재료 전달)

4. 치과진료 중 기구의 전달 방법

① 기구 교환 시 환자에게 불편감을 주지 않도록 주의

② 기구 교환을 위해 사용 순서에 따라 미리 기구를 준비(좌측에서 우측 순으로)

③ 이동 기구함은 기구교환을 위해 손이 닿는 거리 내에 둠

④ 기구전달 시에는 사용 부위가 구강 내를 향하도록 한다.

⑤ 진료의사가 오른손으로 진료 시에는 간호조무사는 진공흡입기를 오른손으로 잡고 조정함

⑥ 보조자는 기구전달 시 환자의 좌측 1~3시 방향으로 줌

⑦ 기구는 시술자가 받아서 위치를 바꿀 필요가 없도록 사용하는 부위에 맞게 전달

⑧ 의사와 보조자의 위치는 시술 부위에 따라 다르며, 간호조무사는 환자(대상자)의 머리를 중심으로 시계방향으로 위치함

5. 방습포 효과

① 타액배출로 인한 진료방해를 막기 위한 방법 : 무균적 시술이 필요

② 시술을 용이하게 하기 위함

③ 고형물이 잘 부착되기 하기 위함

6. 치과 기구처리 및 세척 (기출 20상)

① 사용한 기구를 소독실의 대기용액에 담금

② 대기용액 : 이오도폼(베타딘, 포타딘 등), 글루타르알데하이드 등을 사용

③ 기구 세척 시에는 다용도 장갑을 착용함

④ 치과기구를 세척할 때에는 혈액 및 오염물을 완전히 제거함

⑤ 멸균 후 사용하기 전까지 자외선 살균기에 보관 기출

7. 치과기구 소독에 이용되는 멸균법 (기출 19하)

① 고압증기멸균법 : 132℃ 3~10분 정도
　– 치과기구(치경)의 소독에 가장 많이 이용되는 멸균법 기출
　– 날이 없는 모든 금속성 기구류(플라스틱제품 제외)
　– 핀셋, 익스플로러, 미러, 잇몸치료기구, 발치기구, 석션팁, 기구를 놓아두는 기구 트레이 등
　– 침투력이 좋으나 멸균 후 증기가 남는다.
② 화학멸균법 : 화학용액 사용 → 버(bur), 다이아몬드 포인트 근관용 기구류 및 큐렛 등
③ 건열멸균법 : 160℃ → 교정용 기구류, 유리제품 등

8. 치주염 예방과 치주수술 후 환자 교육 (기출 19상)

1) 원인과 예방

① 원인 : 치주낭에 쌓인 치석 → 염증으로 진행
② 1차 예방 : 올바른 칫솔질, 불소용액 양치, 치면열구전색, 불소도포
③ 2차 예방 : 치아우식병소 충전, 치은염 치료
④ 3차 예방 : 치수병 치료, 치주병 치료, 발치, 의치보철

2) 치주수술 후 환자 교육

① 수술당일 단단한 음식, 자극적인 음식은 피한다.
② 수술 후 당일은 출혈위험이 있음으로 칫솔질을 피한다.
③ 2일 이상 지혈이 계속되거나 지속적 통증이 있으면 병원을 방문한다. 기출
④ 사우나, 찜질방 등을 일주일 동안 삼가고, 미지근한 물로 간단한 샤워만 한다.
⑤ 2~3일간은 냉찜질 : 부종과 출혈 예방

9. 치아우식증(충치) (기출 21상) (기출 21하)

1) 치아우식증(충치)

① 구강내 세균 → 음식물(당분), 타액 → 산 생성 → 치수 침범 → 치수 감염

② 매끄럽지 않은 표면에 호발

③ 상아질은 법랑질에 미해 무르고 경도가 약해서 일단 충치가 발생하면 급속도로 확산 기출

2) 예방 관리

① 올바른 칫솔질

② 저탄수화물, 저당분 식사 등 식이 조절

③ 6개월마다 정기적인 구강 검진

④ 불소도포, 불소 양치 사업, 치아 교합면에 바르는 방법

⑤ 불소이용법과 치아 홈메우기(치면열구·소와전색법) 기출

10. 효과적인 칫솔질 방법 (기출 19상)

① 하루에 3회(식후 3분 이내, 3분 이상), 잠자기 전 반드시 닦음

② 모든 치아의 모든 면 닦기

③ 바깥쪽 먼저 닦고 어금니의 안쪽을 닦는다.

④ 잇몸에서 치아방향으로 쓸어내리듯 닦는다. 기출

⑤ 앞니를 닦을 때 위아래로 부드럽게 닦는다.

⑥ 앞니의 안쪽을 닦을 때는 칫솔을 수직으로 세우나 잇몸을 닦을 때는 45도 각도로 쓸어내리듯 닦는다.

⑦ 치아 사이는 치실을 사용하도록 한다.

11. 의치관리방법 (기출 19하) (기출 21상)

① 파손, 분실주의(보호자가 책임) 기출
② 제거 : 경련환자, 수술실 갈 때, 무의식환자(기도 막아 질식할 우려 때문)
③ 전용세제 사용하여 닦은 후 찬물에 담긴 불투명한 뚜껑 있는 용기에 담근다. 기출
④ 변형우려 : 뜨거운 물이나 건조하게 보관 시
⑤ 파손우려 : 씻기 전에 세면대에 거즈나 수건을 깜
⑥ 불결한 의치 : 2~3% 중조수나 붕산수로 닦는다.

12. 부정교합의 예방과 치료 (기출 19상)

① 정의 : 위, 아래의 치열이 비정상적인 교합 → 충치 발생 증가
② 원인 : 발육 이상, 손가락 빨기, 악골 골절, 유치·영구치 조기상실 후 방치 기출
③ 치료 효과 : 바른 저작으로 소아장애 / 치아우식증 / 치주염 예방, 심미성 회복

13. 발치 후 주의사항 (기출 20상)

① 거즈는 약 2시간 정도 물고 침은 삼키도록 함(지혈을 위해)
② 48시간 동안 냉찜질 : 부종 감소
③ 무리한 운동이나 뜨거운 목욕 등은 피함
④ 빨대 사용, 침 뱉기, 흡연 금지
⑤ 최소 1주간 음주 피하게 함(2차 출혈 야기)
⑥ 첫날은 유동식과 부드러운 음식 섭취 기출
⑦ 발치 부위의 칫솔질은 피하고, 양치액으로 가볍게 헹구게 함

14. 상수도 불소이용 및 구강질병

1) **구강보건법상 불소 허용범위** : 최대(1.0 ppm), 최소(0.6 ppm) 정도의 불소를 넣으면
   충치를 예방

2) 상수의 불소량이 많을 경우 : 반상치

    ① 불소 이온이 2 ppm 이상 함유된 음료수의 과잉섭취

    ② 치아의 표면이 흰반점이나 연한 흑갈색으로 변색 되는 것(반점치)

3) 상수의 불소량이 적은 경우 : 우식증(충치)

4) 치주염 : 치은열구내의 치태가 주원인으로 발생되는 염증

5) 치석 : 광질이 침착된 치면 세균막이 딱딱하게 굳어진 덩어리로 칫솔질이나 다른 관리 방법으로 제거되지 않고 치주병의 발생 요인

6) 구순염 : 영양결핍, 비타민 부족, 만성적인 자극, 세균감염 등에 의한 입술에 염증반응

15. 치과진료실에서의 감염관리

1) 개념 : 치면세마 시 구강 내에는 혈액과 타액이 있기 때문에 미생물의 노출이 반복되므로 환자를 진료하는 동안 원내감염과 교차감염의 위험이 증가 함

2) 감염예방

    ① 기구 세척 시 앞치마, 두꺼운 고무장갑을 착용 : 손관리, 보호용 장갑, 마스크, 보안경, 안면보호대, 가운 착용

    ② 가능하면 B형간염, 인플루엔자 등의 예방접종을 실시

    ③ 전염성 질환 환자에게 사용한 기구는 세척, 멸균함 : 외과기구, 치주기구, 칼, 주사바늘, 봉합침 등을 멸균

    ④ 한 번 사용한 오염된 기구는 재사용하지 않음 : 컵, 보존기구, 발치겸자, 핀셋, 흡입기 팁 등은 1회용을 사용

    ⑤ 손을 씻을 때는 고형비누는 균이 비누에 묻으므로 감염예방을 위해 1회용 사용

x

CHAPTER 06 기초한방

제1장 | 기초 한방

1. 한의학의 주요특징

① 환자의 정신(마음가짐)적인 면을 가장 중요시(강조) 함

→ 정신 활동과 인체의 생리 병리 변화는 밀접한 관계가 있다고 봄

② 인간을 소우주로 간주

③ 인체의 생리, 병적변화 현상: 대자연의 운행과정에서 발생

④ 인체의 생리, 병변 현상 : 전체적, 종합적으로 관찰

⑤ 인체 : 모든 기관이 상호연관, 유기적인 기능을 가진 통일체로 봄

※ 한방간호에 대한 기록이 최초로 발견된 의학서(오래된 문헌): 소문의 「장기법시론」
※ 최초의 한의학서: 허준의 「동의보감」

2. 한방 간호의 역할

① 정신적인 면(정신적인 자극) : 내장활동영향(병의 원인이 됨) → 인간의 7가지 감정(칠정)을 잘 관리

② 음식의 면(음식섭취) : 음식은 병증에 따라 선택

③ 기거의 면(안정된 환경) : 설비간단, 광선충분, 공기유통, 청결

④ 기후의 면(병실온도) : 병증에 따라 조정

3. 사상체질 (기출 19상)

분류	외형	특징	병증
① 태양인	머리 발달, 허리 허약	폐대간소	위암, 식도 협착, 식도 경련
② 태음인	골격 발달, 가슴 허약, 복부 발달	간대폐소	고혈압, 중풍, 피부질환, 간질환, 호흡기와 순환 기계가 약함
③ 소양인 _{기출}	상체 발달, 하체 허약	비대신소	성기능 쇄약, 비뇨생식기 질환, 요통, 구토 등, 내분비선 기능 약함
④ 소음인	하체 발달, 상체 허약	신대비소	소화불량, 설사, 노이로제, 히스테리, 불변증 등, 소화기계와 정신계 질환

4. 사진법 (기출 19하)

① 망진(望診) : 인체의 신(神), 기, 색, 형태를 관찰하여 체내 각 부위의 변화를 보는 것 기출

② 문진(聞診) : 청각과 취각을 통한 냄새를 감별하여 판단하는 것(환자의 목소리, 숨소리, 기침소리를 듣는 것과 몸의 배설물의 냄새를 맡고 병을 판별하는 것)

③ 문진(問診) : 환자(자각증상) 또는 가족과 대화하여 질병을 파악하는 것

④ 절진(切診) : 손으로 병인의 체표 부위를 만져서 질병을 이해하는 진단법

- 맥진 : 손가락 끝으로 대상자의 동맥 부위를 눌러보고 맥상을 탐지하여 병세의 변화를 이해하는 진찰 방법으로 전승의학의 여러 진단법 중 가장 우위를 차지하고 경락의 허실을 파악하기 위한 결정적인 진단법
- 안진 : 환자의 배, 손발, 각부의 경혈 등을 촉진하는 진단법

5. 음양오행(陰陽五行)

1) 음양 : 대립적 사물, 측면, 성질 등을 가리킴

음(陰)	한(寒)	여	밤	달	물	오장
양(陽)	열(熱)	남	낮	해	불	육부

2) 오행 : 상생과 상극으로 사물의 상호관계를 설명

    ① 상생 : 목(木)→화(火)→토(土)→금(金)→수(水)

            목생(生)화 / 화생토 / 토생금 / 금생수 / 수생목

    ② 상극 : 목극(克)토 / 토극수 / 수극화 / 화극금 / 금극목

6. 장부경락론

1) 오장육부(五臟六腑)

    ① 오장 : 위장을 제외한 5가지 장기 − 간장(肝)·심장(心)·비장(脾)·폐장(肺)·신장(腎)

    ② 육부 : 여섯 가지 기관 − 담낭(膽囊)·소장(小腸)·위(胃)·대장(大腸)·방광(膀胱)·
        삼초(三焦)

2) 표리관계

각각의 장과 부는 서로 밀접한 관계가 있으며, 상호간에 영향을 주고 받으며, 같은 기운
을 갖는 것으로 안팎처럼 뗄 수 없는 관계

오장(五臟)	육부(六腑)	오미(五味) (해로운 맛)	오축(五畜) (이로운 가축)
간(肝)	담(膽)	신(辛) − 매운 맛	계(鷄) − 닭
심(心)	소장(小腸)	함(鹹) − 짠 맛 온(溫) − 따뜻함	양(羊)
비(脾)	위(胃)	산(酸) − 신 맛	우(牛) − 소
폐(肺)	대장(大腸)	고(苦) − 쓴 맛	마(馬) − 말
신(腎)	방광(膀胱) 삼초(三焦)	감(甘) − 단 맛	돈(豚) − 돼지

    ※ 삼초 : 상초(호흡), 중초(소화), 하초(배설)

3) 경혈(經穴)

  ① 피부나 근육에 나타나는 중요한 반응점

  ② 침과 뜸을 뜨는 자리

4) 경락(經絡)

  ① 오장육부를 세로로 지나는 에너지 순환계(기(氣)와 혈(血)이 흐르는 경로)

  ② 경혈의 반응점을 연결한 경로

7. 병인론

1) 내인 : 칠정(인간의 7가지 감정이 과도하면 질병의 원인됨)

  ① 희(喜, 기쁨) : 심장을 상하게 함

  ② 노(怒, 화남) : 간을 상하게 함

  ③ 사(思, 생각) : 비(장)을 상하게 함

  ④ 비(悲, 슬픔) : (왼)폐를 상하게 함

  ⑤ 공(恐, 공포) : (오른)신장을 상하게 함

  ⑥ 경(驚, 놀람) : (왼)신장을 상하게 함

  ⑦ 우(優, 근심) : (오른)폐를 상하게 함

2) 외인 : 육음, 육기(질병 발생)

  ① 풍 : 봄 → 현운, 진전, 경련, 혼절, 반신불수

  ② 한 : 겨울 → 심, 비, 신과 관련

  ③ 서 : 여름 → 땀, 오한, 두통, 발열

  ④ 습 : 늦여름~초가을 → 한습증, 습열증

  ⑤ 조 : 가을 → 내조증(진액이 결핍)

  ⑥ 화 : 열병 → 화병(장부기능실조)

8. 어혈(瘀血)

1) 어혈의 증상

① 정의 : 외상, 타박상, 체내 장부의 손상에 의해 혈이 체외로 배출되지 못하거나 혈액의 운행이 순조롭지 못했을 때 생기는 멍
② 외상 어혈은 상한 부위에 청자색 혈종이 보임
③ 한열이 치우쳐 왕성해도 어혈이 형성됨
④ 어혈은 발생 부위에 따라 각기 다른 증상이 나타남
⑤ 어혈이 경맥을 막아 통하지 못하면 통증이 생김
⑥ 전신의 혈액운행이 순조롭지 못한 것을 말함

2) 어혈의 특성

① 동통을 낳는다.
② 종괴를 만든다.
③ 출혈을 일으킨다.
④ 자색을 띠게 한다.
⑤ 어혈로 일어나는 증상은 다양하다.

9. 양생(섭생)술

1) 정의 : 건전한 심신의 단련(음식절제, 기거유상, 감정조절, 기공, 운동 단련 등 올바른 섭생)으로 질병을 예방하고 장수하기 위해 몸과 마음을 자연의 이치대로 살아나가는 방법이 다양하게 강구된 예방의학적 건강요법

2) 기본원칙

① 자연에 순응 : 사계절의 기후와 한열 변화 등 자연계의 변화에 상응해야 함
② 심신의 안정 : 갑작스런 분노나 기쁨은 음과 양이 상하므로 감정조절로 심신 안정
③ 음식의 절제 : 너무 차거나 더운 음식은 피하며, 과다한 음주도 피해야 함
④ 규칙적인 생활 : 일상생활에 규칙이 있어야 하고 거주, 휴식, 일, 장소의 절제가 있어야 함

1. 복약 (기출 20상) (기출 21하)

1) 탕제(달이는 약) : 급성질환, 병의 양상이 복잡하고 변화가 심한 경우

   (1) 장점

      ① 흡수가 잘되고 치료 효과가 빠르다.

      ② 병증 변화에 따라 처방 변경이 쉽다.

      ③ 많은 양을 한 번에 만들어 팩으로 포장, 임상에서 가장 널리 쓰인다.

   (2) 단점

      ① 약 맛이 다양하고 양이 많아 휴대와 복용이 불편함

      ② 약을 달이는 사람의 숙련도와 시간에 따라 효과가 달라질 수 있음

      ③ 보관하는 방법에 따라 보관기간에 영향을 받음

2) 환제(동그랗게 만든 약) : 가루약에 꿀 등을 넣어 일정한 크기로 뭉쳐 둥글게 만든 알약

    ① 약효가 지속적이므로 만성질환, 허약성 질환에 사용

    ② 대체로 환제의 복용은 온수로 넘긴다.

3) 산제(분말약) : 마른 약재를 균등한 세말로 하여 체로 쳐서 고르게 혼합한 형태

    ① 물과 함께 복용

    ② 흡수가 탕제보다는 느리나 환제보다는 약효가 빨리 나타남

4) 고제 : 약에다 물을 가하고 달여서 찌꺼기를 제거하고 다시 진하게 달여 꿀이나 설탕 등으로 보조물을 넣고 농축시킨 반유동 상태

5) 주제 : 알코올 용액이나 양조주 등에 담그고 유효 성분을 삼출시켜 복용하는 것

2. 복약의 일반적 간호

① 약을 먹는 횟수는 보통 1일 3회

② 대체로 식전이나 식원복이나 위장에 자극을 주는 약, 소화제는 식사 직후에, 안신약 (정신을 안정시키는 약, 진정약)은 취침 전에, 진한 보약은 공복에 복용함

③ 한증에는 열약을 온복(따뜻하게)하고 열증에는 냉복(차게)한다.

④ 찬 음식, 기름진 음식, 생 음식, 자극성 음식과 같이 소화 흡수에 지장을 주는 것들은 삼가야 함

※ 식원복 : 음식을 먹은 뒤 얼마 동안 있다가 약을 먹는 것

※ 명현 : 한의학상의 현상, 복약 후 일시적으로 나타나는 예기치 못한 여러 가지 반응

3. 침 간호 (기출 20상) (기출 20하) (기출 21상)

1) 정의 : 바늘처럼 생긴 가늘고 긴 금속 재료로 국소의 혈위를 자극함으로써 경락을 소통시켜 기혈의 순환을 돕는 한방 물리요법

2) 침의 종류

① 호침 : 가장 많이 사용(가는 침), 아프고 저릴 때

② 피내침 : 작은침, 신경성 두통, 편두통

③ 삼릉침 : 사혈(배농), 편도선염, 피부염, 염좌

④ 피부침 : 여러 개 침을 한꺼번에 찌름, 두통, 고혈압(노인, 허약자, 초진)

⑤ 지침 : 수지침(안마 효과)

3) 침의 작용

① 반사작용 : 내장, 혈관에 반사되는 영향줌

② 유도작용 : 통증을 다른 부위로 전이(완화)

③ 억제작용 : 장기 기능 항진 억제(회복)

④ 진정작용 : 조직수축, 긴장완화(통증 제거)

⑤ 흥분작용 : 기혈 운행조정(저림, 마비치료)

4) 침 시술을 받는 환자 일반적인 간호

① 유침하는 동인 환자상태를 관찰하여 현훈(현기증)시 의사에게 보고

② 정확한 취혈을 위해 편안한 자세로 환사롤 준비

③ 유침 시간 동안 편안한 자세를 일정하게 유지(누운 자세)

④ 침을 맞고 있는 상태에서 20~30분 정도 안정, 함부로 움직이지 않게 함

⑤ 발침 후 모세혈관 출혈, 혈종, 멍이 있으면 지혈, 소독함

⑥ 발침 후 알코올 솜으로 침공부위를 닦고 출혈 시 멈출 때까지 누름 기출👆

⑦ 혈종은 지혈된 후에는 가벼운 마사지나 온찜질을 해서 흡수되도록 함

⑧ 실내온도나 환자의 상태에 따라 침을 맞는 시간을 조절함

5) 훈침 후 현훈감(침 부작용) 호소 시 간호

① 훈침(침훈, 운침, 침운) : 초진환자에서 자침 도중 또는 자침 후에 발생할 수 있는 응급 상황, 일시적인 뇌빈혈 증상(현기증, 오심, 구토, 식은땀, 안면 창백 등)이 나타남 기출👆

② 침 놓는 것을 즉시 중단하고 이미 꽂은 것은 발침함

③ 베개 없이 반듯이 눕히고 조이는 옷은 느슨히 풀어줌

④ 증상이 가벼운 경우에는 따뜻한 물을 먹이면 곧 회복이 되고 심한 경우는 구급혈에 자침하거나 따주도록 함

⑤ 응급처치 후에도 30분~1시간 정도는 휴식을 취하게 함

6) 침요법의 적응증

① 요통, 감기, 협심증, 편두통 기출👆

② 이명, 녹내장, 편도선염

③ 일사병, 천식

④ 발기부전 및 건선 등

7) 침요법의 금기증

① 출혈성(급성출혈 시) 질환

② 항응고제 사용자

③ 피부감염증, 피부의 반흔(흉터)부위나 종양부위

④ 극심한 분노, 흥분, 놀람 등의 감정상태

⑤ 임산부의 금기혈과 임신 중의 복부와 요선부의 침자극 등

⑥ 극심한 피로, 기아 상태, 극심한 부종, 음주 상태, 식사 직후

8) 침치료의 부작용 : 혈종, 부종

4. 뜸(구법) 간호 (기출 19하) (기출 21상) (기출 21하)

1) 뜸 요법

① 약쑥잎이나 마른 약초를 써서 혈 위나 압통점에 일정한 크기의 뜸봉을 태워 열을 가함으로써 기혈순환을 돕는 방법

② 온열성 자극으로 허증, 서증, 한증, 및 만성질환에 주로 사용 기출

2) 구법(뜸)의 작용

① 면역작용 : 항체 생성(저항력 상승) 기출

② 반사작용 : 내장, 혈관에 반사되는 영향줌

③ 유도작용 : 혈관 확충(순환, 배설촉진)

④ 억제작용 : 강한 자극(진통·진정)

⑤ 흥분작용 : 경한 자극(지각, 운동신경기능 상승)

3) 뜸 시술 시 주의사항

① 의식불명 환자나 마비 환자는 뜨거운 감각에 둔하므로 뜸을 많이 뜨지 않음 기출

② 뜸 치료 중 화상이나 의복을 태우지 않도록 주의

③ 뜸 뜬 후 수포는 저절로 마르나 큰 수포는 소독된 침으로 세포액을 빼내고 드레싱하고 발적에는 바셀린을 발라줌

4) 구법(뜸)의 금기증

① 발열환자, 특이 체질 피부(켈로이드 피부), 얼굴, 목, 관절내측이나 서혜부 등

② 피부가 접히는 부위, 대혈관과 점막부근, 임산부의 흉복부와 요선부 등

5. 부항 간호 (기출 19상) (기출 20하)

1) 부항요법이란?

① 관속의 공기를 빼내어 음압 펌프질로 경혈상 피부표면에 부착시켜 치료하는 방법 기출

② 겁처럼 생긴 기구를 이용해 모세혈관을 팽창시키면서 혈액순환을 촉진하고 어혈(瘀血)을 제거하여 체액을 정화하는 역할을 함

2) 부항요법의 작용

① 혈액의 정화작용

② 노폐물과 독소배출

③ 신경 안정

④ 통증완화 작용 등

3) 부항요법의 적용 대상자

① 근골격계 질환 : 타박상으로 인한 어혈제거, 근육통, 요통

② 소화기 질환 : 변비, 장무력증, 하복부 냉감, 충수염

③ 부인과 질환 : 월경통, 대하증, 근종, 불임증

④ 신경계 질환 : 류마티즘, 좌골신경통, 디스크

⑤ 순환기 질환 : 고혈압, 동맥경화증, 중풍 등

4) 부항요법 시 주의사항

① 첫 시술자는 흡착시간을 1~2분 정도로 시작, 적응되면 상태에 따라 적절히 늘림

② 건부항 후 부항자리가 가렵고 불편한 부위에 바셀린을 발라줌

③ 육식, 산성식품 섭취를 피함 → 과산성은 자가면역질병이나 암과 같은 건강문제 일으킴

④ 시술 후의 피로감이 심하면 2~3일 이상 휴식기를 가지도록 함 [기출]

⑤ 만성병 치료 과정 중 명현이 심하면 압력과 횟수를 줄임

⑥ 건부항 후 생긴 수포는 터트리고 수액으로 닦아낸 후 소독하여 청결을 유지함

⑦ 식사 전후, 운동 전후, 목욕 전후로는 시술을 하지 않음

⑧ 출혈증상이 심한 사람에게는 부항 치료를 삼가함

⑨ 대상자의 건강 상태에 맞게 점차적으로 부항요법을 적용시킴

⑩ 화관입구에 약간의 바셀린을 발라 피부의 손상을 예방함

5) 부항요법을 금지해야 할 대상자

① 정맥류

② 출혈성 질환(혈액응고장애 등의 병증)에 금함

③ 몸이 수척하고 피부가 탄력이 없으며 빈혈증

④ 임신부의 복부, 천골부, 요부 등에 금함

⑤ 혈관이 많은 곳이나 눈, 코, 입, 귀 등은 피함

⑥ 고열, 경련, 인사불성, 정맥류, 심장부와 유두, 종양, 피부의 과민

6. 수욕요법(수치료, 냉온요법)

1) 정의 : 냉탕과 온탕에 번갈아 들어가는 치료법

2) 수욕요법의 작용

① 혈액 정화작용 : 체액을 중성이나 약알칼리성으로 개선
② 순환촉진작용 : 혈액순환과 신진대사를 촉진하여 피로회복
③ 해독작용 : 과잉된 당분이나 노폐물을 제거
④ 자극과 진정작용 : 피부에 수분과 영양을 공급하여 피부가 매끄럽게 됨

3) 수치료 방법

① 냉탕 16℃ 전후, 온탕 42℃ 전후가 이상적임
② 순환기 질환자, 노인환자 : 냉탕 30℃, 온탕 40℃ 로 온도차를 10℃ 내로 함
③ 식전, 식후 30분, 술을 마신 직후에는 반드시 목욕을 피함
④ 전신욕은 식후 2시간 이후에 하고 목욕 전·후 수분 보충을 충분히 함
⑤ 체질에 따라 전신욕과 반신욕을 할 수 있음

4) 적용 : 관절염, 요통, 신경통, 류머티즘 환자에게 효과적

5) 금기 : 중증 심장질환자(물의 수압은 심장과 폐를 압박하여 심박동수와 호흡수을 증가시키므로)

7. 한증요법(발한요법)

① 원적외선의 원리를 이용
② 60~80℃ 되는 습열 한증탕에서 10~15분씩 2일 1회
③ 효과 : 피하심층의 온도상승, 미세혈관의 확장, 혈액순환 촉진, 신진대사의 강화, 조직 재생 능력의 증가 등으로 각종 질병치료 및 건강증진에 이용됨

8. 물리요법

① 기공요법 : 인간 생명을 유지하는 기본요소(정, 기, 신)를 조화롭게 함으로써 경락
  소통, 저항력 강화, 체질을 증강하는 정신수양요법
② 수기요법 : 손으로 대상자의 신체 표면을 자극하여 질병을 예방, 치료
③ 지압요법 : 손으로 국소 혈위를 누름으로써 치료 효과를 거두는 방법

9. 수기요법(추나요법)

1) 개념

① 안마, 안교, 지압, 수기
② 손으로 대상자의 신체 표면을 자극하여 질병을 예방, 치료하는 방법
③ 추나와 지압이라는 용어로 보편화되어 있음

2) 효과

① 음양의 평형, 혈액순환 활발, 저항력 증진, 신진대사 촉진, 진통효과, 관절운동범위
  의 개선 등
② 혈액순환을 촉진하여 근육을 이완시켜 통증을 경감시킴
③ 근육의 균형을 회복함으로써 근경련 상태를 개선
④ 관절기능 이상 시 관절의 운동 범위를 개선

3) 주의 사항

① 시술 후 5~10분간 안정과 휴식을 취함
② 현기증, 오심, 식은땀 등의 증상이 보이면 즉시 시술을 중지하고 안정시킴
③ 시술부위가 붓거나 시린 통증은 정상반응이고 일시적이므로 2~3일 정도 휴식 후
  재시행 함

CHAPTER 07 성인간호

제1장 | 성인간호 총론

1. 비특이적 방어기능(염증 반응)

1) **국소염증** : 어떤 유해한 자극에 대한 생체의 방어기전

　① 4대 증상 : 발적(빨갛고) → 열감(화끈거리고) → 부종=종창(부어오르고) → 동통(아픔)

　② 5대 증상 : 기능상실이나 수의적 운동제한

2) **전신증상** : 식욕결핍, 체중감소, 전신쇠약, 무기력, 우울증, 의욕상실, 발열(전신), 맥박, 호흡수, 백혈구 증가, 오한, 발한

3) **염증환자 간호** : 염증부위를 안정 → 올려준다(상승), 냉찜질

2. 특이적 방어기능(면역 반응)

1) **선천적 면역**

2) **후천적 면역**

(1) 능동면역

① 자연능동면역 : 질병을 앓고 난 후 자연적으로 얻는 면역(ex : 홍역)

② 인공능동면역 : 예방접종(백신), 톡소이드 – 디프테리아, 파상풍 등

(2) 수동면역

① 자연수동면역 : 모체로부터 태반이나 모유를 통해 얻어지는 면역

② 인공수동면역 : 4~6개월 소멸(치료 항체 주입), 항독소, 감마글로블린, 회복기 혈청

3. 재활 간호

① 개인의 능력 범위 내에서 가장 높은 신체적, 정신적, 사회적 기능을 수행을 할 수 있도록 돕는 것

② 의사에게 진단을 받을 때부터 재활계획을 세우므로 입원과 동시에 이루어져 기형발생을 미리 예방

4. 대증치료

질병의 증상을 제거하거나 어느 정도 조절하여 삶의 질을 높여주는 치료방법

제2장 | 개별적 간호 보조

1. 발열환자의 간호

① 열을 내리기 위해 서늘한 환경

② 냉요법을 적용하고 휴식을 취함

③ 발열로 인한 수분손실 때문에 수분섭취를 권장하여 탈수예방

④ 환자를 건조하게 유지하기 위해 젖은 옷을 갈아입힌다.

⑤ 구강 간호

⑥ 고단백, 고비타민

⑦ 정서적 지지

2. 동통환자의 간호 (기출 21상)

1) 특징
① 육체적 피로, 정신적 불안 시 동통의 감수성이 높아짐
② 주의집중하면 동통이 더 심함
③ 이차수술 시(과거경험) 일차수술의 경험으로 동통이 더 심해짐
④ 수술 후 수술했다는 암시로 동통이 더 심해짐
⑤ 심한 부상을 입은 병사는 전사한 동료를 보면서 안심함으로 통증을 덜 느낌
⑥ 통증은 성별(여성), 성격(외향적), 종교, 경제적 상태(가난, 육체노동), 연령(어린이)에 따라 통증을 더욱 호소함

2) 종류 및 증상
① 급성통증(6개월 미만) : 교감신경 자극 / 혈압, 맥박, 호흡 증가 / 동공확대 / 발한
기출
② 만성통증(6개월 이상) : 부교감신경 자극 / 혈압, 맥박, 호흡 정산 / 동공정상 / 피부건조 / 우울 등 심리적 증상

3) 간호
① 심리적 지지
② 신체적 원인 파악하여 제거
③ 자극 감소, 냉온요법, 약물요법

3. 탈수환자의 간호
① 우리 몸의 수분상실 시 나타남
② 심한 구토 시 금식하고 정맥 내 수액을 투여하여 탈수 예방
③ 영유아는 체중에 비해 체 표면이 넓어 성인보다 쉽게 탈수가 옴
④ 증상 : 체온상승, 적은 소변량, 갈증, 피부긴장도 감소, 건조한 피부, 홍조 띤 얼굴, 구강건조 등

4. 손목터널 증후군(수근관 증후군) (기출 21하)

① 상지에서 가장 흔히 발생하는 압박성 신경병증

② 발생 : 정중신경 압박 또는 손목 관절에서 발생한 정중신경 포착

③ 자가진단법(양성 반응 확인) 기출👆

    – 팔렌 검사 : 손목 관절을 일정시간(60초) 굽히고 있음 → 뻐근함, 무감각

    – 타이넬 검사 : 정중신경을 두드리거나 손목 관절의 정중신경을 30초 정도 압박 →
      통증, 저림

④ 수술 후 간호 : 손가락 운동, 손과 팔 올림(부종 예방), 냉찜질(통증 예방), 6주까지
    손목사용 제한

5. 골관절염(퇴행성 관절염) (기출 20상) (기출 21하)

① 관절의 연골이 손상되면서 국소적으로 퇴행성 변화가 나타나는 질환(퇴행성 관절염)

② 증상 : 뼈와 인대 등 손상, 염증, 통증 → 관절의 기형, 신체 장애 유발

③ 진단 : 방사선 검사(주사기로 관절액 채취)

④ 치료 : 골절제술, 인공관절치환술, 연골이식수술

⑤ 간호 : 온냉요법, 마사지, 물리치료, 규칙적인 관절운동, 근육강화운동, 걷기, 수영
    등 필요, 관절에 부담을 주는 동작 금지 기출👆 기출👆

6. 골다공증 (기출 19상) (기출 20상) (기출 20하)

① 정의 : 노화에 따라 척추, 대퇴 부위 뼈 조직에서 뼈세포가 상실되어 골밀도가 낮아
    지고 골절을 일으키기 쉬운 상태가 되는 대사성 질환

② 원인 : 중년기 이후 여성이나 폐경 또는 여성호르몬(에스트로겐)의 결핍, 흡연·음
    주·카페인의 다량 섭취, 유전적 요소 기출👆

③ 치료 : 충분한 칼슘을 섭취 : 칼슘이 몸에 흡수되는 것을 돕는 비타민D를 섭취, 호르
    몬요법 (에스트로겐 투여), 칼시토닌 복용 기출👆

④ 간호 : 적당한 체중 유지 → 체중부하 운동(걷기), 등척성 운동 권장 기출👆

7. 빈혈 (기출 20하)

1) 일반적인 원인

① 급성, 만성 출혈 : 혈액 손실

② 엽산 결핍성, 철분 결핍성, 악성 빈혈(비타민B12 부족) : 조혈 불능 기출

③ 용혈성 빈혈 : 혈구 파괴

④ 재생 불량성 빈혈 : 골수기능장애

2) 빈혈의 증상

① 창백, 저혈압, 호흡곤란, 두통, 이명과 현기증, 냉감에 민감, 무기력, 권태감 등

② 적혈구의 산소운반 부족으로 인한 청색증, 호흡곤란, 두통, 심계항진 등

3) 빈혈의 간호중재 목적

① 순환 산소량을 증가시키기 위함

② 산소 운반하는 헤모글로빈이 부족함으로 산소량 증가시켜 산소포화도를 유지하여 호흡곤란을 감소시킴

8. 협심증 (기출 19상)

1) 관상동맥의 일시적인 혈액공급 부족

2) **치료** : 흉통 시 니트로글리세린(혈관 이완제)을 설하투여할 것 기출

3) 심장질환이 있는 환자가 부종이 있을 때 식이에서 염분을 제한하는 이유

① 염분(나트륨)은 조직 속에 수분을 축적하는 성질이 있기 때문

② 심장질환 시 심박출량이 감소하면 혈액이 정체되어 부종이 생김

9. 심근경색증

1) 정의 : 관상동맥의 완전차단으로 심근의 국소적 괴저

2) 급성기 치료

① 손상된 심장의 부담을 줄이기 위해 절대안정

② 흉통 완화 위해 모르핀 정맥주사(근육주사는 진단에 혼돈 오게 함)

③ 몰핀의 부작용은 호흡감소 관찰

④ 폐포 환기 증진하고 호흡 편하게 반 좌위

⑤ 섭취량과 배설량 측정함(유치 도뇨관, 변기사용)

⑥ 산소공급(2~4 ℓ/분)

⑦ 변비예방 위해 변 완화제(소화 - 심장부담)

⑧ 활력증후 체크, 부정맥 측정하기위해 EKG 모니터 → 주사망원인은 부정맥

3) 심부전 환자에게 안정이 중요한 이유

① 심부전은 심근에 산소공급이 원활하지 못할 경우 심근의 수축력이 감소함

② 안정으로 심박동수가 감소되면 심장의 부담이 감소되고 조직의 산소 소모율이 높아짐

10. 고혈압 (기출 21하)

① 고혈압은 비약물적 요법 후 효과 없으면 약물요법 사용

② 비약물적 요법 : 체중감소, 음주제한, 금연, 규칙적인 운동 기출

③ 식이 : 나트륨 섭취 감소(저염식이), 저지방식사, 단백질과 칼슘이 풍부한 식이

11. 동정맥루 (기출 20하)

1) 동정맥루

① 만성신부전환자 등에서 혈액투석을 하는 경우에는 인공적으로 루(瘻)를 만드는 것

② 수술을 통해서 동맥과 정맥 사이에 인조 혈관을 삽입하여 혈관통로 연결하기도 함

2) 간호

① 혈관통로가 있는 팔에 압박을 가하지 않도록 간호

② 팔을 장시간 굽히지 않으며, 팔베개 금지 `기출`

③ 혈압 측정 금지

④ 꽉 조이는 옷을 피하고, 상처가 나지 않도록 주의

소화기계 질환

12. 역류성 식도염 (기출 20하)

1) 역류성 식도염

① 정의 : 위의 내용물이 식도로 역류해 식도에 염증을 일으키는 질환

② 발생 : 식도로 역류한 위의 내용물이 식도 점막과 접촉하여 생기며, 식후 약 30분 이내 발생

③ 증상 : 가슴의 흉골 뒤쪽이 뜨겁거나 쓰라린 가슴쓰림, 연하곤란, 연하통 등

④ 진행 : 미란, 궤양 등이 생겨 식도가 좁아지는 식도협착, 식도 조직이 변해 바렛 (barretts)식도 → 식도암으로 진행

2) 간호

① 식후에 바로 눕거나 쪼그려 앉는 습관 주의 `기출`

② 규칙적인 식사로 소량씩 자주 섭취(식사 중 물 섭취 제한), 섬유질 식이

③ 제한 : 탄산음료, 기름진 음식, 커피, 초콜릿, 술, 담배 등

13. 구토환자의 간호

① 기도유지 : 구토 시 옆으로 눕히거나 상체 올려 토물이 기도로 흡인 예방

② 두드리지 말 것

③ 구토 시 금식할 것

14. 위 절제술 (기출 20상) (기출 21하)

1) 급속이동증후군(덤핑신드롬, dumping syndromes)

① 음식물이 위액과 잘 섞이지 않은 채 고농도의 당과 전해질 음식이 소장으로 들어가면서 발생

② 초기 20~30분 이내에는 삼투압 차이로 세포 외액이 공장으로 들어오면서 음식물이 빨리 이동하는 증상과 이후에는 고혈당으로 인한 인슐린이 분비되면서 나타나는 저혈당이 생기는 것

③ 위절제술이나 미주신경차단술 환자의 10~50%에서 일어나는 소화기 증상으로 식후 10~90분후 발생

④ 증상 : 어지러움, 실신, 심계항진, 발한, 복통

2) 급속 이동증후군 예방 방법

① 음식물을 될 수 있으면 천천히 내려가게 해야 된다.

② 횡와위로 누워서 식사하고 식후에도 20~30분 누워 있을 것

③ 식후 수분섭취하지 말 것(음식물이 더 빨리 내려감)

④ 위 배출속도를 늦추는 약(소화제 복용시 음식물이 더 빨리 내려감)

⑤ 음식물을 소량씩 자주 섭취(고기, 달걀 제공) 기출

⑥ 고단백, 고지방, 저탄수화물, 저수분식이 기출

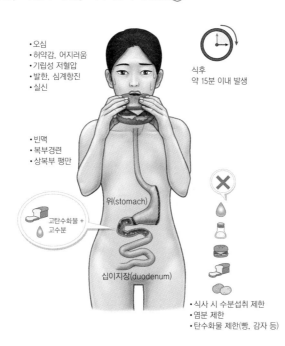

• 오심
• 허약감, 어지러움
• 기립성 저혈압
• 발한, 심계항진
• 실신

식후
약 15분 이내 발생

• 빈맥
• 복부경련
• 상복부 팽만

위(stomach)

고탄수화물 +
고수분

십이지장(duodenum)

• 식사 시 수분섭취 제한
• 염분 제한
• 탄수화물 제한(빵, 감자 등)

15. 소화성 궤양 (기출 19상)

① 안정과 충분한 수면, 스트레스 경감, 금연, 생활양식 변화, 헬리코박터균 박멸 기출

② 식이 : 고단백, 고비타민, 소량씩 자주, 규칙적인 식사(저섬유 식이)

③ 제한 : 자극적 음식, 탄산음료, 커피, 술, 초코렛, 우유 등

④ 합병증 : 출혈, 폐색, 천공(갑자기 일어나는 상복부 통증 : 즉시 수술)

⑤ 위 천공 증상

    – 갑작스럽고 심한 상복부 통증의 강도가 강하고 지속적임

    – 심한 통증과 함께 널빤지처럼 단단한 복부(복부강직)

16. 간염 (기출 19상) (기출 21하)

1) A형간염(유행성 간염)

① 손씻기, 상수도 공급, 음식물취급자 관리, 개별 식기 사용 기출

② 면역글로블린을 예방 혹은 잠복기 초에 치료목적으로 투여

2) B형간염(혈청성 간염)

① 개인위생 철저히(칫솔, 면도기, 목욕수건 등 개인사용할 것)

② 성교 시 콘돔 사용

③ 주사기 분리해서 버릴 것

④ 면역을 위해 예방접종 실시

3) B형감염의 전염경로

① 오염된 혈액, 혈장, 혈청주사, 수혈, 혈액제제

② 오염된 주사기, 바늘, 의료기구

③ 정액을 통해서

④ 수직감염(엄마가 뱃속에 아기에게)

4) 급성간염환자 식이 : 고단백, 고탄수화물, 고비타민, 저지방식 기출

17. 간경변(간경화)

① 간의 만성질환으로 간이 점차 굳어지고 간에 다양한 크기의 재생 결절들이 생기는 상태
② 원인 : 만성 B형 간염이 약 70% 정도로 가장 많고 알코올성 간염, 만성 C형 간염 등
③ 증상 : 전신 쇠약, 만성 피로, 식욕부진, 소화불량, 복부 불쾌감, 복부 팽만감, 하지 부종, 정맥류, 출혈, 간성뇌증(혼수)
④ 복수 : 이뇨제 복용 → 싱겁게 먹고 안정을 취함
⑤ 정맥류(출혈) : 간이 딱딱하게 굳어져 간 내에서 혈액순환이 잘되지 않아 피가 역류 하면서 측부혈관이 형성되고 확장되는 현상 → 과격한 운동, 등산, 힘든 일들은 자제하고 충분한 수면과 안정
⑥ 간성뇌증(간성혼수) : 위장관 출혈, 과도한 이뇨제, 변비, 과량의 단백질 섭취, 감염, 탈수 등 → 단백질 섭취 제한, 이뇨제 섭취 중단 → 약물(락툴로스) 투여하여 관장
⑦ 식이 : 고칼로리, 고단백, 고 비타민 및 저지방식이 / 염분 제한, 간성뇌증(단백질 제한)

18. 충수돌기염

1) 정의 : 맹장 아래로 늘어진 긴 돌기에 생긴 염증

2) 증상 : 미열, 오심구토, 식욕부진, 맥버니 부위 반동성 압통(우측하복부), 백혈구 증가

3) 간호
  ① 수술할 때까지 얼음주머니 대주고 관찰(염증 확산 방지)
  ② 충수돌기염이 터지면 복막염으로 진행

4) 충수돌기염의 합병증 : 복막염

5) 충수돌기염 환자의 간호
  ① 장의 휴식을 위해 금식(충수돌기염 환자의 치료는 수술이므로 금식)
  ② 정맥 내 수액공급

19. 황달 (기출 21상)

① 혈액의 담즙색소(빌리루빈)가 과다하게 쌓여 피부, 점막 등에 노랗게 착색되는 것

② 원인 : 독성 간염, 자가면역성 간염, 강경변증, 윌슨병, 만성 췌장염, 취장암, 용혈성 빈혈, 패혈증

③ 증상 : 진한 갈색 소변, 피부 색소침착, 점토색 대변, 피부가려움증 동반

④ 황달 소양증 간호 : 전분 목욕, 미온수 목욕, 서늘한 환경, 항히스타민제 투여 [기출]

호흡기계 질환

20. 기관지경 검사 직후의 간호

① 호흡곤란과 금식상태 확인

② 검사 전 금식, 검사 후 구토반사가 돌아올 때까지 금식

③ 흡입요법을 실시하고 목의 통증에 관한 간호도 필요

④ 객담에 피가 많이 섞여 나오는지 관찰

21. 천식 환자의 간호 (기출 21하)

① 알레르기를 유발시키는 음식과 환경을 피할 것

② 호흡하기 힘들기 때문에 휴식(안정)

③ 불안하고 두려워하지 않도록 정서적 지지

④ 호흡횟수와 특성을 자주 사정

⑤ 호흡 곤란 시에는 상체를 45도 올린 체위(반좌위=파울러식위)가 편함 [기출]

파울러씨 체위

⑥ 충분한 습도 제공, 적절한 수분 섭취

22. 흡인성 폐렴 (기출 19상)

① 기도 내 물이나 수분 등 이물질이 들어가 발생한 폐렴 [기출]

② 노인 수술 후 호흡기 합병증 : 무기폐와 폐렴

③ 무기폐 등 폐질환 예방하기 위해 심호흡과 기침 권유할 것

　　※ 청색증 : 혈액 내 부적당한 가스교환으로 인해 생김(산소부족 시)

　　※ 호흡곤란 : 기도폐쇄 시 충분한 가스교환유지 위해 과도하게 호흡하는 것

23. 만성 폐쇄성 폐질환(COPD) (기출 19상)

① 정의 : 만성 기관지염이나 폐기종 등으로 인해 초래되는 환기 장애

② 폐렴 예방접종과 인플루엔자 백신 접종 필요 **기출**

③ 코로 흡기하고 입으로 호기하도록 복식호흡 교육

④ 저농도 산소 공급

⑤ 호흡곤란 완화 위해 반좌위 자세

24. 농흉 (기출 20상)

① 흉막강의 감염으로 인해 고름이 차는 질환

② 원인 : 농흉의 약 50%는 폐의 일차적인 병변으로 인해 흉막강이 오염되면서 발생, 폐렴, 폐결핵, 늑막염, 패혈증 등이 원인

③ 증상 : 흉통 호소, 기침을 동반한 무력감, 발열, 빈맥, 기침시 화농성 객담 동반

④ 진단 : 흉부 X-ray 소견, 초음파, CT 등으로 확인

⑤ 치료 : 초기 배농이 중요, 흉막 박피술 시행

⑥ 체위 : 삼출물이 배출되어야 하는 이환된 쪽이 아래로 가게 눕도록 한다. **기출**

25. 객혈 환자의 간호 (기출 20상)

① 객혈(호흡기 출혈) : 기침하면서 혈액에 거품, 선홍색, 알카리성

② 기도폐쇄로 인한 질식 관찰(가장 주의) **기출**

③ 기침이 나올 때는 잔기침 유도

④ 흉부에 얼음주머니를 대주면 기침 감소 효과

　　※ 토혈(소화기의 출혈) : 토하면서 혈액에 음식물, 암적색, 산성

26. 객담분비가 많은 환자의 간호 (기출 20하)

① 기침, 심호흡 등 객담배출훈련 교육
② 손은 컵처럼 쥐고 흉부를 가볍게 두들겨서 진동을 주어 객담 배출을 쉽게 함 기출
③ 목 뒤에 베개를 넣어 상체를 올린 체위를 함
④ 불안감, 두려움을 감소시키기 위해 대화를 함
⑤ 실내온도를 시원하고 차지 않게 함
⑥ 수분 섭취를 증가
⑦ 체온 측정 시 고막체온계를 사용

■ 내분비계 질환

27. 인슐린 투여 환자의 간호

1) 정의 및 투약

① 정의 : 혈당을 조절하는 물질(혈당 감소)
② 인슐린은 장내용액에 의해 파괴되므로 피하주사
③ 여러 곳에 돌아가며 주사하는 이유는 피하조직이 섬유조직으로 변하므로
④ 약병에서 인슐린 뽑을 시 정확한 양을 위하여 약병을 손바닥 사이에 놓고 가볍게
   굴려줌

2) 인슐린 투여 후 나타날 수 있는 저혈당 증상

① 당분감소로 인한 신경계증상과 자율신경계증상
② 저혈당 시 발한(식은땀)이 나고 허기(공복감)가 있다.
③ 뇌의 포도당 부족으로 과민, 정서불안, 혼돈, 행동의 변화
④ 뇌의 저혈당으로 기억력 저하, 의식상실
⑤ 자율신경계증상으로 빈맥, 심계항진

3) 주의사항 : 인슐린 자가주사 후 문지르지 않음 → 문지르면 너무 빨리 흡수되는 원인이
   되고 피부를 자극하기 때문

28. 당뇨병 (기출 21상)

① 당뇨병 : 인슐린 부족으로 인한 고혈당이 지속되는 대사장애

② 3대 증상 : 다음, 다식, 다뇨

③ 저혈당 : 식사시간이 늦어진다던가, 과도한 운동시, 영양섭취 불량시, 인슐린 과다 투여시

④ 저혈당 시 증상 : 두통, 허약감, 흥분, 불안, 발한. 심하면 혼수 기출

⑤ 초기치료 : 오렌지 쥬스, 설탕물, 사탕을 먹을 수 있도록 항상 준비

⑥ 심한 저혈당으로 의식 없을 시(인슐린 쇼크) : 포도당 정맥주사를 투여

⑦ 당뇨환자는 항상 주머니에 환자증명카드와 사탕 준비해야 함

⑧ 식이 : 혈당조절에 대한 부담을 적게 하기 위해 당질 섭취 줄임

⑨ 환자의 활동, 체중, 운동을 고려하여 열량 결정하고 규칙적으로 균형 잡힌 식사할 것

29. 당뇨병 환자의 발 간호 (기출 19하) (기출 21하)

1) 개념

① 당뇨병은 혈액 속에 인슐린의 부족으로 고혈당이 특징

② 고혈당으로 인한 미세혈관계의 변화는 당뇨병환자에게만 있음

③ 심장과 제일 멀리 떨어지고 미세하고 말초혈관인 발에 상처가 생기거나 혈액순환의 압박이 발생하면 염증이 생기고 치료가 잘 안되어 괴사가 되므로 발 간호가 중요 기출

2) 간호

① 발톱은 너무 짧지 않게 일자로 자른다.

② 잘 맞는 편하고 꼭 끼지 않는 신발이 좋다.

③ 따뜻한 물과 비누로 매일 닦는다.

④ 발가락 사이를 습기 없이 잘 말린다. 기출

⑤ 절대로 맨발로 다니지 않는다. → 온도나 압력에 대한 감각 둔화로 혈액순환장애 시 발에 심각한 문제가 생김

⑥ 양말(면이나 모)은 매일 갈아 신는다

30. 갑상선절제술 환자의 간호

① 환자에게 말을 시켜보는 이유 : 후두신경 손상 여부 확인
② 손을 목뒤로 넣어 출혈 확인
③ 호흡기도 폐쇄 여부

31. 유방절제술 후 간호

1) 재활운동 : 수술 후 사지운동과 더불어 손가락운동을 해야 함

① 운동 안 할 경우 환측 팔이 몸에 붙고 머리가 기울어지는 기형적 체위 유발
② 운동 : 혈액순환증진, 근육강화, 관절강직 예방하기 위함

2) 운동방법

① 손운동, 머리빗기, 세수하기, 어깨운동, 벽오르기
② 줄돌리기, 도르래끌기, 막대올리고 내리기 등
③ 무거운 물건 드는 것은 금지(모래주머니 들기 등)

3) 유방절제술 후 환측 팔의 부종이 잘 생기는 이유

① 임파성 종창(액와 림프절과 림프관의 제거로 림프 부종이 발생
② 부종은 감염으로 이어질 수 있으므로 발적, 발열, 부종, 심한 불편감, 악취를 관찰
③ 환측 팔에 정맥주사, 무거운 물건을 들지 않도록 하며 힘이 가해지는 활동도 피함

4) 흉곽수술 후 환측 팔 운동

① 되도록 빠른 시일내(재활은 빠르면 빠를수록 좋음)
② 가능한 수술 후 조기에 팔 운동하게 하여 관절의 기능과 순환을 유지하게 함

32. 방광염

1) 원인과 증상

① 원인 : 대장균 90%

② 여성이 높은데 그 이유 : 요도가 짧고, 질과 항문이 가깝기 때문

③ 증상 : 방광자극증상(빈뇨, 긴박뇨 등), 식욕부진, 발열, 배뇨시동통

④ 간호 : 안정과 보온, 충분한 수분섭취로 병원균을 희석하고 소변을 자주 배뇨하여
배출을 유도, 좌욕, 자극성 없는 식이 할 것

2) 요로감염 환자에게 다량의 수분 섭취와 소변을 자주 보도록 권장하는 이유

① 방광에 있는 소변을 외부로 배설시킴

② 방광의 압력을 낮추어 소변의 역류 방지

③ 방광의 과도 신장으로 인한 조직의 국소빈혈 예방

④ 소변정체로 인한 세균증식을 예방하기 위함

33. 전립선절제술 (기출 21상)

① 전립선의 일부 또는 전체와 그 주위 조직의 일부를 제거하는 수술

② 전립성 종양, 전립성 낭포, 결석 및 전립선부 뇨도의 폐색증의 치료법

③ 24시간 침상안정 후 조기이상 실시

④ 충분한 수분섭취를 격려, 소변배출 도움 : 요도 손상으로 인한 혈액응고 관찰 기출

⑤ 방광 세척액은 전해질 결핍이나 수분 중독증이 유발되지 않도록 멸균 생리식염수를
사용

34. 뇌 손상 환자의 간호

① 머리를 움직이지 않는다.

② 동공의 크기를 자주 관찰

③ 활력징후를 자주 측정

④ 머리를 올려준다. → 뇌압상승 예방 : 수술 후 일시적인 두개내압의 상승을 예방하기 위해 침상머리를 올려 정맥 배액이 원활히 이루어지도록

35. 뇌수종 (기출 19상)

1) 원인

① 척수액의 흐름에 장애가 있을 때 뇌실의 압력으로 인해 생기는 증상

② 뇌 척수액이 두개강이나 척수강에 축적되어 뇌압 상승이 되며 뇌 발달의 장애를 일으킴

2) 뇌압 상승 시 간호

① 절대 안정

② 의식과 활력 징후 체크

③ 동공 크기와 대광반사 수시 확인

④ 상체를 15~30° 정도 머리 상승 기출

36. 뇌졸중(중풍) (기출 19하) (기출 20하)

1) 증상

① 뇌에 혈액을 공급하는 혈관이 막히거나 터져서 뇌 손상이 오고 그에 따른 신체장애가 나타나는 뇌혈관질환

② 팔, 다리를 움직이게 하는 운동신경은 대뇌에서 내려오다가 뇌간의 아래 부분에서 교차하여, 한쪽 뇌에 이상이 생기면 대개는 그 반대쪽에 마비가 옴 기출

③ 시야, 시력 장애로 갑자기 한쪽 눈이 안 보이거나 시야의 한 귀퉁이가 어둡게 보임

2) 종류

① 허혈성 뇌졸중 : 혈전, 색전으로 인한 뇌동맥 폐색 → 3시간 이내 혈전 용해제 투여

② 출혈성 뇌졸중 : 고혈압, 동맥류, 동맥기형에 의한 혈관 파열 → 뇌압 낮추기 위해 머리 상승

3) 간호

① 편마비 환자의 식사 시 : 건강한 쪽을 밑으로 하여 옆으로 누운 자세로 식사

② 욕창 예방을 위한 2시간마다 체위 변경

③ 다리나 고관절의 외회전 방지 : 대전자 두루마리 사용

④ 마비된 쪽의 온찜질은 화상의 위험이 있음을 주의하여 사용

⑤ 시야장애 : 보이는 쪽 위주로 일상생활과 안전 주의 기출

감각계 질환

37. 눈 관련 질환 (기출 19상)

1) 녹내장

① 원인 : 안구의 안압이 병적으로 상승하는 질환 기출

② 증상 : 사물이 뿌옇게 보이며, 시력감퇴, 무지개 잔상, 두통, 안구 통증 발생

2) 백내장

① 원인 : 노화, 선천성 백내장, 무수정체증, 과로 등

② 증상 : 시력 감소, 눈부심, 동공에 흐린 백색 혼탁

③ 치료 : 낭외적출술 → 인공수정체 삽입

38. 안과수술 후의 간호 (기출 19하) (기출 21상)

① 수술 직후에는 절대 안정

② 수술 부위에 통증이나 감염 관찰

③ 안압 상승(기침, 재채기, 오심, 구토, 변비) 예방하는 것이 제일 중요(백내장 수술 후 배변 시 힘주지 않고 변비 예방할 것) 기출 기출

④ 환측이 위로 가게 누워(수술부위에 대한 압박을 금지)

⑤ 수술한 눈에 보호용 안대를 사용(안구운동을 감소하기 위해)

⑥ 무거운 물건을 잡을 때는 허리는 펴고, 무릎을 구부림

⑦ 머리를 숙이지 않음

39. 귀 수술 후 간호 (기출 21상) (기출 21하)

① 보행 시 동반하는 사람 있어야 한다(평형장애)

② 현훈감 증가시키는 행동 피함(TV 시청 등)

③ 외이도 약물 점적 시 차거나 더운 온도는 오심구토 현훈감 증가

④ 귀 세척 약물은 체온과 같게 함

⑤ 침상난간을 올려 사고 대비

⑥ 심한 코풀기 금지, 재채기, 기침 시 입을 벌리고, 고개를 숙이지 않도록 주의 : 이압 상승 방지 기출 👆

⑦ 감기로 인한 감염 악화 예방 기출 👆

▌ 암 질환 ▶

40. 암 환자의 간호

1) 감염예방(화학요법과 방사선 치료는 면역기능저하로 감염 저항력↓)

① 치료방법 : 수술요법, 화학적 약물요법, 방사선요법 등

② 암치료목적 : 암세포를 파과하거나 제거하기 위함

③ 암 확진 : 세포(조직)검사(생검)

2) 악성종양세포의 특징

① 성장속도가 빠름

② 피막 없음

③ 재발. 전이가 잘됨

④ 주위조직 침범해 자람

3) 암의 예방과 조기발견을 위한 간호중재

   ① 암 예방 위해 표준체중 유지하며 과식하지 않고 저지방식이 권장

   ② 생리시작 5일~7일이거나 월경이 끝난 후 유방크기가 가장 작을 때 자가검진을 실시

   ③ 곡물 등 섬유소가 많은 음식을 섭취

   ④ 편식하지 않고 골고루 균형 있게 섭취하며 과일과 녹황색 야채가 풍부한 식이

   ⑤ 태양광선 특히 자외선에 과다 노출되지 않음

CHAPTER
08 모성간호

제1장 | 임신

1. 내생식기관 (기출 21하)

① 질 : 7~8 cm, 분만 시 산도, 월경배출, 성교시 음경을 받아들이는 통로
② 자궁 : 태아의 발육장소(수정란 착상)
③ 난소 : 호르몬 분비 기능(에스트로겐, 프로게스테론), 난자성숙(배란기능)
④ 난관(나팔관) : 8~10 cm 가는 관, 난자와 정자의 통로(수정란 운반) 기출

2. 외(바깥)생식기관

① 불두덩(치구), 대음순, 소음순, 음핵, 전정망울
② 처녀막, 큰 전정샘, 작은 전정샘, 바톨린선, 회음 등

3. 자궁경부암 진단을 위한 여성생식기 검진

1) 대상자 준비

① 질경 삽입 시 이완하도록 도움
② 쇄석위를 취하도록 도움

③ 질경, 면봉, 압설자, 슬라이드, 윤활제 장갑을 준비

④ 검사 전에 방광을 비우도록 함

⑤ 질 세척을 하지 말 것

2) 파파니콜라우스 도말검사

① 목적 : 자궁경부암 진단

② 검사받기 전 적어도 12시간 동안은 질 세척 금지

③ 질에 투약이나 세척을 하지 않도록 하고 월경시기를 피해 오도록 함

4. 임신의 요소

① 정자 : 남성의 고환에서 생성

② 난자 : 난소에서 생성

③ 배란 : 배란일 - 다음 월경 전 12~16일 사이

   임신가능기간 : 정자생존기간 3일 더해서 다음 월경전 12~19일 사이

④ 월경 : 자궁내막의 주기적 변화

⑤ 수정 : 난관의 팽대부에서 이루어짐

⑥ 착상 : 수정 후 약 7일, 자궁내막에 착상

5. 임신의 진단과 분만 예정일

1) 임신의 확정적 징후

① 태아 심음 청취 : 18~20주

② 검사자가 태아 움직임 확인 : 20주

③ 초음파(6주), 방사선 촬영(12주) 확인

2) 분만 예정일 계산

① 최종 월경 시작일이 2000년 5월 20일 경우

② 최종 월경 시작 월+9(12개월이 넘으면 -3), 일+7

③ ②에 5+9=14(14월은 없으므로 5-3 하면 2월)

④ 월 : 5월+9=14(5-3=2월), 일 : 20일+7=27일 → 분만 예정일은 2001년 2월 27일

6. 임부의 변화

1) 생리적 변화

① 심박출량 : 32주에 30~50% 증가 → 증가된 혈량 운반으로 심장 부담 증가

② 맥박 : 약간 빨라짐

③ 체온 : 0.2~0.3℃ 상승

④ 혈색소 감소 : 임신성 생리적 빈혈 발생

⑤ 잇몸출혈 : 에스트로겐 상승으로 쉽게 출혈 발생

⑥ 과호흡 : 호흡을 짧게 함

⑦ 빈뇨 증가 : 방광이 눌리고 요량이 증가

⑧ 변비 발생 : 프로게스테론의 증가로 장운동이 저하

　　－ 이완요법과 심호흡

　　－ 섬유소가 많은 음식을 섭취

　　－ 하루 6잔 이상의 수분섭취

　　－ 변 연화제나 미네랄 오일의 섭취는 금지

⑨ 백혈구 증가 : 임신 중 증가, 임신말기 최고로 증가

⑩ 질 분비량 증가 : 혈액순환 왕성하여 백색의 질 배설을 증가

2) 신체적 변화

① 체중 증가 : 임신초기는 1~2 kg 증가, 중기와 말기는 주당 0.4 kg 정도가 적절(정상적인 임부의 총 체중증가는 11.5~16 kg 임)

② 피부 : 두꺼워지고, 기미, 흑선

③ 근 골격계 : 임신선(하복부, 유방, 대퇴, 둔부) 암갈색으로 착색

④ 요통 : 자궁이 커지면서 골반신경이 눌려 요통과 다리 뒷쪽에 통증

⑤ 혈류 감소로 인한 하지부종, 정맥류, 치질이 생길 수 있음

⑥ 입덧 발생 : 완화 방법 － 아침 식전에 마른 탄수화물(비스켓, 크래커) 섭취

7. 태아 부속물 (기출 20상)

1) 양수

① 무색투명한 액체로 태아를 보호

② 자유로운 움직임을 가능하게 하여 태아운동 가능

③ 분만 시 산도를 윤활

④ 체온을 일정하게 유지

⑤ 태아와 난막의 유착방지

2) 태반

① 내분비기능(호르몬), 신진대사(호흡, 영양, 노폐물 배설), 면역, 보호

② 태반호르몬 : 융모성선자극 호르몬(HCG) (임신반응검사 시 이용) 기출

3) 제대

① 태아와 태반을 연결해주는 생명선

② 동맥 2개(정맥혈) – 노폐물을 모체로 옮김

정맥 1개(동맥혈) – 태아에게 혈액 및 영양을 운반

4) 난막 : 착상 시 태아와 양수를 들러싸고 있는 막(내측 : 양막, 외측 : 융모막, 자궁의 탈락막)

8. 태아의 발달

	발생시기	태아기관 및 체위
배아기	3주	사지 발육 시작
	4주	중추신경, 기도 및 식도
	5주	심장
	6주	사지 분화 / 직장
	2개월(8주)	장
태아기	3개월(9~12주)	태반구조 완료 / 손과 발 완성
	4개월	성별 구분
	5개월	태동 감지 / 청진기로 태아 심음 확인 가능
	6개월	태지 생성
	8개월	근육, 신경계 / 피하지방
	10개월	정상 태위 – 두정위(머리를 아래로 한 위치) 정상 심박동 : 120~160회/분

9. 산전관리 (기출 19상) (기출 19하) (기출 20하) (기출 21상) (기출 21하)

1) **정의** : 건강한 임신과 분만이 되도록 돕기 위해 임부를 관찰, 교육하고 필요한 의학적 조치를 하는 것 (기출)

① 임산부의 3대 사망원인 : 임신성 고혈압, 산후출혈, 감염

② 세계보건기구의 사산 : 일반적으로 임신 28주후의 사산아 출산을 의미

2) **목적**

① 임산부 : 안전한 분만 및 산후건강, 신체적·정신적 건강유지증진, 임신 중 합병증 최소화하여 모성사망을 저하시키기 위해 (기출)

② 태아 : 저체중아·사산·유산 등 신생아 사망률을 저하시키고, 신생아의 건강을 유지시키기 위해

3) **시기** : 임신 20주 이내 관리 받도록 함 : 선천성 매독의 위험 때문에

4) **방문(WHO 권장)**

① 임신 7개월(28주)까지 : 월 1회(1회/4주) (기출)

② 임신 8~9개월(29~36주) : 월2회(1회/2주) (기출)

③ 임신 10개월(37주~분만) : 월4회(1회/1주)

5) **검사**

① 기본 혈액 검사 + 매독 + 풍진 검사

② 정기검사 : 혈압, 체중, 소변 검사 – 임신중독증 조기 발견 (기출)

③ 약물복용 및 임신 3개월 이내 X-ray 검사 촬영금지 → 기형아 유발

10. 임신중독증(임신성 고혈압) (기출 19상) (기출 20상)

1) 3대 검사 기출 기출

   ① 혈압 검사 : 고혈압

   ② 소변 검사 : 단백뇨

   ③ 체중 검사 : 부종

2) 자간전증 : 임신성 고혈압 + 단백뇨 + 부종

3) 자간증 : 자간전증 + 경련

4) 임신성 고혈압 환자의 간호

   ① 임신 20주 이후나 산욕 초기에 발생하는 것

   ② 부종 예방 : 수분 섭취 → 수분 섭취량과 배설량 기록

   ③ 식이 : 저염식이, 수분제한, 고단백, 저지방, 풍부한 섬유소식이 기출

   ④ 활동 제한, 침상 안정

   ⑤ 방안을 어둡게 함

11. 임신 중 감염성 질환 검사 (기출 19상)

1) 매독

   ① 태아에게 기형, 유산, 조산 등 무서운 결과를 가져옴

   ② 조기치료 중요 : 태반을 통해(16~20주 이후에) 감염되므로 빨리 치료할 것

   ③ 선천성 매독 예방을 위한 임부의 산전 검사 : 혈청검사(왓셀만 테스트, VDRL 검사)
   기출

2) 풍진

   ① 임신초반기(임신 후 90일 이내) 감염 시 신생아에게 문제

   ② 선천성기형초래(청각상실, 백내장, 심장질환, 뇌의 기형)

12. 임부 주의사항 및 영양 섭취

1) 임부 주의사항

① 적절한 운동을 해야 하며, 하지 부종 시 다리를 올려준다.

② 유방보호는 임신후반기, 초임부는 5개월부터 관리

③ 유두는 비누사용 금지

④ 수분섭취는 3,000 cc/일 권장

⑤ 변비

⑥ 임신말기와 산욕초기 동안에는 성생활 금함

⑦ 통목욕 제한(분만 후 4~6주 후 가능)

⑧ 장거리 여행은 피함

⑨ 밤에 충분한 수면, 오전 오후 약 30분간의 휴식과 낮잠

2) 임신(말)기 필요 영양소

① 증가된 적혈구에 헤모글로빈 공급위해 말기 철분요구량 증가함

② 칼슘, 철분, 단백질을 충분히 섭취 함

③ 임신기의 칼슘은 주로 태아의 골격형성을 위해 이용됨

13. 임부의 정맥류 방지

1) 간호

① 골반고위(골반을 심장보다 높여 줌) : 2~5분씩 유지

② 취침 시 다리를 올린다.

③ 낮에 일할 때는 신축성 있는 탄력양발이나 붕대를 사용

2) 정맥류로 인한 불편감 호소 임부 교육내용

① 다리를 규칙적으로 상승시킴

② 신축성 있는 탄력양말이나 붕대를 사용

③ 조이는 스타킹, 옷을 피하고, 다리를 꼬지 않음

④ 복대를 사용하여 배를 지지

⑤ 굽이 낮은 편하고 넉넉한 신발을 착용

⑥ 장시간 오래 서 있지 않게 함

14. 산전 유방 관리

1) 유방의 변화

① 유선 조직의 증가

② 유두, 유륜의 착색

③ 유방의 정맥성 충혈성 증가

④ 몽고메리 결절

⑤ 임신 16주에 유두 짜면 전초유 분비

2) 유방관리

① 초임부 : 5개월부터 실시(임신 초기 유방 마사지는 자궁수축을 초래하여 유산을 일으 키므로)

② 경산부 : 임신 후반기 실시

③ 1일 2회 중성비누와 물로 닦고 유두는 비누사용 금할 것

④ 마른 수건으로 유두 단련 → 거친 수건은 상처를 입힐 수 있으므로

⑤ 유두에 콜드크림을 바르고 마사지

⑥ 알맞은 산모용 브래지어로 지지

⑦ 함몰유두 교정

⑧ 모유수유 교육 시 초유를 먹이도록 한다.

15. 임신 전반기 출혈성 합병증 (기출 19상)

1) 유산

① 자연유산 : 임신기간 20주 이전 500 g 이하 생존력이 없는 상태로 자궁내 사망 또는 만출

절박유산	– 휴식과 안정 – 프로게스테론 필요	치료하면 임신 가능
불가피유산	– 절박유산 진행 후 발생 – 중증 출혈, 경부 개대)	소파수술 등 임신종결방법 시행
완전유산	수태산물 완전 배출	출산한 것처럼 유산
불완전유산	수태산물이 일부 남아 있는 상태	자궁내 조직 방치시 패혈로 발전 → 유도유산(소파술 시행)
계류유산	태아 사망 후 4~8주 이상 자궁내 조직 잔류	주기적 검진 필요
패혈유산	원인 : 자궁내 염증	임신 종결 필요(광범위 항생제 치료)
습관성유산	– 자연유산 3회 이상 반복 – 원인 : 경부개대	경부봉합술 시행

② 치료적 유산
– 임신 지속이 모체 건강과 생명에 위협이 있을 때
– 적응증 : 태아 기형, 유전질환, 심질환 임부, 다운증후군, 신경관 결손, 강간 등
③ 유도유산(인공유산)
– 부작용 : 출혈, 자궁천공, 자연유산, 감염 등
– 간호 : 정서적지지, 침상 안정, 수혈 등

2) 자궁외 임신 : 수정란이 자궁외 다른 부위에 착상
– 주로 난관 파열 후 다량 출혈, 복통, 쿨렌징후(배꼽 주변 푸르스름), 쇼크

3) **포상기태** : 융모막이 수포(종양)로 변성

    – 흉부 X–ray 검사를 실시 **기출**

    – HCG 호르몬 주기적 확인

    – 임신은 1년 후 권장

4) **자궁경관무력증** : 경관 약화로 태아 만출 가능성 높은 상태

    – 자궁경관봉합술 등 시행, 절대 안정

16. 임신 후반기 출혈성 합병증 (기출 19상)

1) **전치태반** **기출**

    ① 임신 7개월 이후 발생

    ② 태반이 자궁경부의 일부 또는 전체를 덮고 있는 상태

    ③ 무통성 질출혈, 쇼크 등

    ④ 내진 금지

    ⑤ 제왕절개술

2) **태반조기박리**

    ① 정상태반의 박리

    ② 자궁 수축, 복통, 출혈

    ③ 태아의 저산소증 유발 : 수혈 및 수액 공급 → 제왕절개술

제2장 | 분만

1. 분만의 3요소(3P)

① 만출물질 : 태아와 태반, 양수

② 산도 : 골반강, 자궁, 질강

③ 만출력 : 복압 + 항문거근의 수축력

2. 분만의 전구증상과 준비 (기출 21상)

① 이슬 : 분만 전에 분비되는 것으로 자궁경부를 막고 있던 점액마개가 혈액과 섞여서 나오는 물질 기출

② 태아 하강감

③ 태동감 감소, 가진통

④ 빈뇨, 체중 감소

3. 조기파수

① 정의 : 난막이 분만개시 전에 파열되는 것

② 들것으로 눕혀 옮겨야 함.

③ 양수가 밖으로 흘러나오면 태아의 머리 주위의 양수가 빠져 위험

④ 태아 심음 관찰

⑤ 분만 1기말, 2기초에 양수가 파열(=파수)되면서 아기가 잘 나올 수 있게 함

4. 양막파열(조기파막) (기출 19하)

1) 증상

① 분만이 임박했음을 알려주는 징후

② 파막 후 24시간 이상 분만 지연되면 자궁내 감염 위험성 증가 기출

2) 양막 파열 시 간호중재

태아의 심음 청취	파막 후 태아 움직임 감소 → 가장 우선적으로 시행
제대탈출 여부 확인	파막 후 선진부 하강 없으면 제대탈출 및 제대압박 가능성 증가
감염 징후 사정	체온 측정, 양수의 특성(색깔, 냄새 등) 확인

5. 분만 1기(개구기) (기출 19하) (기출 20하) (기출 21상)

1) 분만 진통이 시작되는 시기

① 진진통(자궁수축) 시작 ~ 자궁경관 완전개대(10 cm)까지 : 분만 진통 시작(허리에서 복부로 진행) 기출

② 적절한 운동과 휴식, 편안한 자세 유지 : 실내 걷기로 진통 촉진

③ 유동식 : 소화 잘 되고 빨리 흡수되고 구토를 예방하는 유동식 섭취

④ 활력증상을 측정, 필요하면 구강 간호 실시

⑤ 2시간 간격 배뇨 실시 : 방광 팽만 시 아두의 하강을 방해, 자궁수축에 영향주므로

⑥ 배변 및 관장 : 산도오염방지와 자궁수축작용을 촉진 기출

⑦ 회음부 삭모 : 산도오염방지

2) 자궁경관이 2 cm 개대되고 자궁수축이 5분 간격으로 30초 정도 진통을 한 임산부에 대한 간호

① 산모의 체위를 측위로 해줌(자궁태반의 관류 촉진을 위해) 기출

② 활동기에 사용될 호흡법을 가르쳐줌 : 라마즈 호흡(태아순환과 태아곤란증 예방)

③ 산모에게 태아심음을 들도록 함

④ 자궁 수축 시 산모에게 용기를 줌

⑤ 자궁 수축과 수축 사이에 태아심음을 측정 : 심박동 120~160회/분

3) 분만실로 옮기는 시간

① 초산부 : 경관 완전 개대 시(10 cm)

② 경산부 : 경관이 7~8 cm 개대 시

6. 분만 2기(태아 만출기) (기출 20상)

1) 아기가 나오는 시기

① 복압 제공과 휴식

② 파수양상 관찰과 감염예방

③ 배림(아기가 나왔다 들어갔다 하는 것)

④ 발로(아기가 계속 나와 있는 상태)

⑤ 회음절개술 실시(정중 회음 절개 시 치유 쉽고 통증 적음) 기출

2) 회음절개술(질과 항문 사이를 회음부)

① 회음부가 불규칙적으로 찢어지는 것(열상)을 방지(회음열상 방지)

② 분만 2기가 단축

③ 신생아 뇌손상을 방지(아두 손상 방지)

④ 회음부 치유를 촉진

⑤ 회음부 절개부위의 감염예방 기출

3) 아두나 제대의 압박으로 나타나는 태아의 위험증상

① 자궁수축의 회복기가 30초 이상 지연

② 태아심음이 불규칙

③ 양수에 태변이 섞여 있음

7. 분만 3기(태반 만출기) (기출 21하)

1) 아기가 나온 후 태반이 나오는 시기 기출

① 태반 검사하여 잔여물이 자궁 속에 남아 있는지 검사

② 산도열상

③ 출혈 유무 관찰

④ 활력증후 사정하고 자궁수축상태

⑤ 방광팽창 여부 사정하여 회복 촉진

2) 분만 3기에 주의 깊게 관찰해야 하는 것

    ① 자궁출혈 : 자궁강 내에 남아 있는 태반조직은 산후 출혈을 유발할 수 있음

    ② 태반 결손 여부 확인 : 잔류 시 감염 위험

8. 분만 4기 : 회복기

1) 태반 만출 이후~분만 후 1~2시간

2) 분만 직후 산모 간호를 위해 우선 관찰할 사항 : 출혈

    ① 출혈은 자궁수축력에 따라 결정이 되고

    ② 출혈 시 맥박은 빨라지고 혈압은 낮아짐

    ③ 자궁저부 사정하여 부드러운 마사지 실시

9. 분만직후 산모 사정

    ① 맥박, 혈압 측정 : 수축기압이 100 mmHg 이하, 맥박 100/분 이상 시 출혈과 쇼크를 의심

    ② 자궁의 수축 : 자궁 수축 되지 않으면 자연적인 혈관결찰이 안되어 출혈의 원인이 되므로 자궁저부 수축 여부 확인

    ③ 회음 절개부위 관찰 : 회음절개부위의 출혈도 산후출혈의 원인이 될 수 있으므로 관찰

    ④ 오로의 양 파악 : 분만직후~3일까지는 적색오로이므로 양과 색깔을 관찰할 것

10. 분만 후 자연배뇨

    ① 분만 후 6시간이 지나도 자연배뇨를 하지 못하면 인공도뇨 실시

    ② 산후 출혈 예방

    ③ 방광기능 확인

    ④ 자궁압박 완화

    ⑤ 산후 감염 예방 : 소변정체는 감염발생의 좋은 기회

11. 정상 분만 후의 회음절개부위의 간호(좌욕)

1) 좌욕의 목적 : 혈액순환촉진, 상처치유, 염증감소

2) 좌욕 간호

① 산후 1일째부터 회음청결 후에 끓여서 식힌 따뜻한 물(약 38℃)을 사용하여 15~20분
정도

② 수유 후나 용변 후에 하면 더욱 효과적

③ 하루에 2회 이상 실시

④ 좌욕 후에는 소독패드를 대거나 회음열을 쪼임

⑤ 회음절개부위의 상처치유와 오로배출에 효과적

⑥ 회음부 운동(케겔 운동)을 실시 : 오로배출과 자궁수축을 위하여

→ 케겔 운동 : 질 근육을 조였다 풀기를 반복하는 운동

⑦ 소독된 대야를 사용

※ 열 램프 : 혈액순환 증진시켜 환부회복촉진 동통완화

제3장 | 산욕

1. 산욕기 간호

※ 산욕 : 임신·분만으로 인하여 변화를 가져왔던 생식기관이 비 임신 상태로 복구되는 기간(6~8주)

1) 산욕기 특징

① 수유부에게는 짧고(자궁촉진을 도움) 비수유부에게는 길다.

② 산후통은 경산부가 초산부보다 심하고 오래감

③ 탈수로 인해 첫 24시간은 38℃ 정도 상승, 이후의 상승은 감염의심

④ 산모가 오한을 느낄 때 담요를 덮어 준다.

⑤ 분만 후 3주까지는 백색오로가 배출됨

⑥ 분만 후 호르몬의 급격한 변화와 스트레스로 인해 산후 우울감이 올 수 있다.

2) 산욕기 산모에 대한 주의 사항

① 성교는 6주까지는 금하도록 함

② 기름지지 않고 잘 조화된 식사를 제공함

③ 다량의 출혈 시 즉시 간호사에게 보고

④ 산욕기 감염 위험 있으므로 질세척은 하지 말 것

⑤ 활동량을 서서히 증가 시켜 피로하지 않도록

⑤ 정상 분만 후 퇴원한 산모는 분만 6~8주 후 검진받을 것

2. 산욕기 오로

① 자궁내막이 치유되며 나오는 알카리성 질 분비물

② 불쾌한 냄새가 나는 것은 자궁내 감염을 의미

③ 냄새는 생리 혈과 같다.

④ 독특한 냄새 6주 이상 지속 시 검사 받을 것

분만 후 1 ~ 3일	적색 오로
분만 후 4 ~ 10일	갈색 오로
분만 후 10일 ~ 3주	백색 오로

3. 산모의 체위

① 절석위(부인과 진찰 시) : 배횡와위 자세에서 다리를 발걸이에 올려 고정시키는 자세

② 측위 : 옆으로 누워 있는 자세

③ 슬흉위(산후 자궁후굴 예방, 생리통 완화) : 무릎을 꿇은 자세에서 대퇴와 다리는 직각이고 머리와 가슴은 바닥에 닿은 자세

④ 앙와위(유방과 복부 평가) : 누워 있는 자세

⑤ 배횡와위(복부 진찰 시) : 누운 자세에서 다리를 세운 자세

절석위   슬흉위   배횡와위

4. 산후 유방관리 (기출 19상) (기출 21하)

1) 유즙분비 촉진방법

① 수유 시 1일 400 Kcal를 증가

② 규칙적인 수유(3시간마다)

③ 유방을 마사지

④ 심신의 안정 도모

⑤ 고단백, 고열량식이 섭취(충분한 영양섭취)

⑥ 수유한 쪽의 유방을 완전히 비움

⑦ 충분한 수분 섭취

2) 산모의 유방울혈(= 유방종창) 완화 방법

① 자주 모유수유를 하도록 격려

② 유방 마사지를 실시 기출

③ 2~4시간마다 유륜을 짜주고, 아기에게 빨린다. 기출

④ 3~4분씩 유방에 찬물 찜질 후 더운물 찜질하면 유즙분비가 잘됨

⑤ 산모용 브래지어로 적절히 지지해줌

⑥ 비수유부 유방울혈시 탄력붕대로 유방을 묶어준다.

⑦ 산모용 브래지어로 적절히 지지해줌

3) 유두균열

① 유두주위가 갈라져 심한 동통이 일어나며 분만 후 첫 주 동안에 많이 발생

② 상처가 나을 때까지 3시간마다 규칙적으로 젖을 짜내 분비가 중단되지 않게 함

③ 24~48시간 동안 수유를 금할 것

④ 가끔 유두를 공기 중에 노출시킨다.

⑤ 유두에 비누 또는 크림사용 제한

⑥ 바셀린이 섞인 비타민 A 연고를 발라줌

⑦ 예방법 : 1회 수유 시 양쪽 유방을 교대로 수유하되 각각 20분 이내로 수유함

5. 산후출혈 (기출 20상)

1) 산후출혈 분류

① 조기 산후출혈 : 자궁무력증, 산도의 열상

② 후기 산후출혈 : 태반부위의 퇴축부전, 태반 조직 잔류, 감염이 주요원인

2) 산후출혈 간호

① 500 cc 이상 출혈 시(정상 200~300 cc) → 의사 보고

② 골반을 심장보다 높여줌(골반고위＝트렌델렌버그 체위)

③ 출혈량 기록

④ 활력징후 측정(V/S check)

⑤ 자궁저부 마사지 → 얼음주머니(지혈)

⑥ 지시에 따라 자궁 수축제 → 골반을 심장보다 높여 줌(골반고위)

⑦ 오로, 양, 냄새 관찰

⑧ 절대안정

골반고위(트렌델렌버그 체위)

6. 산후 후유증 (기출 19하)

1) 산욕열

① 산도 내 모든 세균성감염

② 원인균 : 연쇄상구균

③ 분만 후 첫 24시간을 제외한 후 산후 10일 이내 2일간 계속하여 38℃ 이상의 체온상
승이 있을 때 감염을 의미

④ 자궁의 오로와 질 분비물 배출 필요 시 : 파울러씨 체위(반좌위)

⑤ 간호사에게 보고

파울러씨 체위(반좌위)

2) 자궁내막염

① 산후감염의 가장 흔한 원인

② 자궁 벽의 세균 감염으로 보통 분만 후 48~72시간 증상 발현

③ 증상 : 고열, 자궁퇴축, 냄새 및 적색 오로, 맥박 상승 등

④ 간호 : 항생제 처방, 수분공급, 안정

3) 유방염

① 유두균열 후 발생

② 증상 : 발열, 유방 팽만감, 유방통, 오한, 발적

③ 간호 : 항생제, 진통제, 3시간 간격으로 젖을 비움, 가슴마사지 등

7. 임신, 분만으로 인한 모성사망의 원인

① 산후출혈, 감염에 의한 산욕열, 자궁 외 임신

② 3대 사망 원인 : 임신중독증, 산후출혈, 산후감염

③ 자궁외 임신 : 자궁밖에 착상한 수정난이 파열시 출혈로 인해 사망할 수 있으므로 모성사망의 원인이 될 수 있음

8. 제왕절개 수술후 산모의 소변량 측정시 저혈량이나 신장합병증을 의심되는 경우

① 제왕절개 : 산모의 복벽과 자궁벽을 절개하여 태아를 분만하는 외과적 수술방법

② 1일 400~500 mL 이하, 시간당 30 mL 이하 시 즉시 보고

CHAPTER 09 아동간호

제1장 | 아동 발달단계별 간호

1. 성장과 발달 (기출 19상) (기출 20상)

1) 영아기의 성장

① 두부(머리쪽) → 미부(아래쪽)

② 계속적, 순서적, 진행적으로 일정한 방향성을 갖고 일어남

③ 일반적(단순함) → 구체적(복잡함), 중심부(근위, 몸통, 팔 등) → 말초(원위, 손가락 등)

④ 일반적 운동 → 특수운동(손 전체 → 손가락)

⑤ 정확한 순서가 있지만 같은 비율이나 속도로 진행되지 않고 개별적, 결정적 시기 있음

2) 영아기의 발달

① 신뢰감이 발달하지 못하면 불신감이 형성됨(에릭슨의 성격발달의 단계)

② 체중 : 영아의 건강상태 및 신체발달 상태의 지표

　　3개월−출생 시 2배

　　12개월−출생 시 3배

③ 일광욕은 오전 11시 이전과 오후 3시 이후가 좋다.

④ 8~9개월에는 숟가락을 정확히 잡고 가지고 놀 수 있음

⑤ 흉위 : 전후 지름보다 좌우 지름이 커짐(생후 1년이면 두위와 흉위가 비슷)

⑥ 말 : 2~3개월 – 옹알이

7~9개월 – 다른 사람에게 애기한다.

10~12개월 – 다른 사람 말을 따라 한다.

⑦ 수면 : 생후 3개월 – 16시간, 6개월 – 12시간

3) 신체 운동 발달 기출

① 목가누기 : 생후 약 2~3개월(12주)

② 뒤집기 : 생후 약 4개월 정도

③ 앉기 : 생후 6개월 정도

④ 기기 : 7~9개월 정도

⑤ 잡기 : 8~9개월 정도

⑥ 걷기 : 10개월 정도

4) 대소변 가리기

① 대변훈련은 18개월 / 소변훈련은 24개월까지 완성시키는 것이 효과적

② 일정한 시간에 배변을 보도록 기출

③ 밤에 소변가리기는 4~5세가 되어야 가능

④ 항문과 괄약근은 18~24개월에 수의적으로 조절, 대변가리기 훈련 먼저 시작

⑤ 벌이나 강압을 하는 경우 유아에게 수치심과 열등감을 줄 수 있으므로 배설을 조절할 수 있고, 유아가 앉고 걸을 수 있을 때 훈련을 시작

⑥ 대소변 가리기 훈련은 신체적·정서적 준비가 되었을 때 시작함

2. 발달단계에서 놀이의 특성 (기출 19하) (기출 21상)

시기	발달	특징
영아(0~1세)	감각 운동기 발달	방관자 행동, 단독놀이→관심 기출
유아(2~3세)	다양한 활동, 언어 사용	평행놀이
학령전기 아동(4~6세)	창조, 만지고 탐구	상징놀이, 가상놀이, 연합놀이 기출
학령기 아동(7~12세)	연습놀이, 규칙 있는 게임	협종, 조직적 보충놀이
청소년기(13~19세)	규칙 있는 게임	

3. 에릭슨의 심리사회적 발달 (기출 20상) (기출 20하) (기출 21하)

단계	시기	발달
1단계	영아기(0~1세)	신뢰감 / 불신감
2단계	유아기(2~3세)	자율감 / 수치심 기출
3단계	학령전기(3~6세)	솔선감 / 죄책감
4단계	학령기(6~12세)	근면감 / 열등감
5단계	청소년기(12~18세)	자아정체감 / 정체 혼돈 기출
6단계	성인 초기	친밀감 / 고립감
7단계	중년기	생산성 / 침체성
8단계	노년기	자아통합감 / 절망감 기출

4. 신생아 특징 (기출 20상) (기출 21상)

1) 신생아 활력징후

① 체온 : 36.5~37℃
② 맥박 : 불규칙 빠름(120~140회/분)
③ 호흡 : 불규칙, 복식호흡, 35~50회/분
④ 혈압 : 70/40 mmHg (최고혈압 : 80~90 mmHg)

2) 생리적 체중 감소

① 생후 3~4일 출생 시 몸무게보다 10% 줄어드는 현상
② 생후 8~9일에 회복 기출
③ 원인 : 모체로부터 공급 받던 호르몬이 사라짐, 수분공급 억제, 대·소변으로 배출되는 양에 비해 먹는 양이 적기 때문

3) 신생아 반사운동

① 모로반사 : 갑자기 큰 소리가 나거나 손에 자극을 받으면 양팔을 좌우로 벌리고 손가락을 쫙 펴며 허우적거리는 행동(생후 3~4개월이 되면 자연스럽게 사라짐)

② 흡철반사(빨기반사) : 손가락으로 뺨이나 입술에 부드러운 자극을 주면 빨려고 하는 행동(엄마의 젖을 빨기 위한 본능적인 행동)

③ 바빈스키반사 : 발바닥을 자극하면 발가락을 쫙 폈다가 오므리는 행동(중추신경계의 발달이 이루어지면 자연스럽게 사라짐)

④ 파악반사(움켜잡기반사) : 아이의 손바닥에 손가락이나 다른 물건을 갖다 대면 주먹을 꽉 쥐면서 움켜잡는 행동(생후 2~3개월 무렵 사라지고, 발바닥의 파악반사는 생후 8~9개월 무렵 사라짐)

⑤ 긴장목반사 : 아기를 반듯이 눕히고 머리를 한쪽으로 돌리면, 돌리는 쪽의 팔과 다리는 펴고 반대쪽 팔과 다리는 구부리는 행동(4~5개월 후 사라짐) 기출

5. 아프가(Apgar) 점수(5가지)

① 5가지 평가항목 : 심박동, 호흡, 근긴장도, 피부색깔, 반사상태

② 신생아의 자궁외 생활에 대한 최초의 적응을 사정하기 위해 출생 1분, 5분 두 차례 심박동수, 호　흡노력, 자극에 대한 반응, 근력, 피부색을 평가하여 점수를 내는 방법(체온, 맥박, 호흡은 가장 먼저 사정)

③ 0~3점 : 심한 곤란

④ 4~6점 : 중등도의 곤란

⑤ 7~10점 : 양호함을 의미

6. 신생아 간호 (기출 21하)

1) 출생 후 24시간 이내

① 기도 유지 : 먼저 머리 낮추고 고개를 옆으로 하여 분비물 배액 촉진(기도 이물질 제거)

② 호흡곤란이 있을 수 있으므로 침대발치를 15~20도 올려줌

③ 태변 : 출생 후 처음보는 변, 끈적끈적 냄새가 없으며 암록색, 암갈색, 붉은변은 출혈을 의미 기출

④ 이행변 : 생후 4~14일 묽고 점액을 포함한 녹황색 변, 암갈색

⑤ 기저귀에 약간의 붉은색 침착 : 모체 에스트로겐 감소 결과로 질 분비물(가성월경) 2~4주에 사라지는 정상 반응

⑥ 모로반사 : 출생 즉시 사정하여 뇌손상 여부 확인

2) 신생아 간호 시 보고상황

① 24시간 이내 : 핵황달은 혈성질환, 감염, 대사장애

② 24시간 이내 제대출혈

③ 호흡 시 흉곽함몰은 비정상이므로 보고

3) 생리적 황달

① 생후 2~3일경에 나타났다가 약 7일후 거의 없어짐(치료 필요 없음)

② 원인 : 출생 후 간 기능의 미숙으로 빌리루빈 처리가 미숙하여 생김(효소의 활성부족)

③ 신생아의 55~70%에서 나타남

④ 저체중아나 미숙아인 경우는 형광(광선)요법 사용

7. 신생아 질환과 감염 (기출 19하) (기출 20상)

1) 제대 절단부 : 파상풍 감염

① 제대 절단용 가위를 소독하지 않고 사용했을 경우 발생

② 제대는 소독된 제대사로 묶고 소독가위로 절단하고 70% 알코올로 소독

③ 제대를 깨끗하고 건조하게 유지

④ 홍반, 악취, 농성 분비물(감염 증상)과 출혈을 잘 관찰

⑤ 제대는 10~14일 이내에 건조 탈락

2) 눈 : 신생아 임균성 안염 감염(수정체 후부 섬유증식증) 기출

① 1% $AgNO_3$(질산은)액을 점안하고 곧 생리식염수로 세척(크레테씨 점안법)

② 1% 테트라사이클린 또는 0.5% 에리스로마이신 안연고

3) 피부 : 피부염

4) 구강과 기저귀 부위 : 칸디다증 또는 아구창

① 아구창은 칸디다 알비칸스에 의해 발생

② 분만 시 산도를 통해 감염되거나 사람, 오염된 손, 젖병, 젖꼭지 등에 의해 감염

③ 니스타틴을 경구 투여

5) 선천성 기형 : 토순, 구개파열, 무항문, 난쟁이, 소두증 등

6) 난산으로 인한 분만 손상 : 두개출혈, 두혈종, 안면신경마비, 쇄골골절

    ① 출생 시 뇌 손상, 두개내 이상, 쇄골골절 시 모로반사 없음

    ② 모로반사 : 자극주면 발바닥은 안쪽으로 발가락이 닿고 손바닥과 손가락은 활짝 펴며 팔은 포옹하는 자세가 됨, 생후 1주일에서 시작 6개월 이후 소실

7) 두부 : 천문 – 두개골이 연결되는 곳의 부드러운 막성부위

    ① 소천문(시상봉합–인자봉합사이, 삼각형) : 6~8주(2개월)에 닫힘

    ② 대천문(시상봉합–관상봉합 사이, 마름모꼴) : 12~18개월 후 닫힘

    ③ 천문이 부풀어 오른 것은 두개 내압 상승을 의미, 들어간 것은 탈수를 의미함

8) 태아적아구증

    ① 부(RH+), 모(RH−) → 아기(RH+)

    ② 산모와 신생아간에 혈액 부적합에 의해 오는 빈혈과 황달이 주증상

    ③ 증상 : 첫날 황달이 점차 심한 용혈로 빈혈 치료

    ④ 중정도 : 광선치료요법 시행

    ⑤ 심한 경우 : 즉시 제대정맥을 통해 교환수혈

    ⑥ 예방 : RH 부적합 신생아 출산한 산모에게 분만 3일 이내 RH면역체 근육주사해서 항체 생기지 않도록 함

9) ABO 부적합에 의한 용혈성 빈혈

    ① 산모의 혈액형이 O형이고, 아기가 A형 또는 B형일 때, 첫 분만에서 발생 가능

    ② 심한 경우 : 즉시 제대정맥을 통해 교환수혈

10) 핵황달(선천성 황달)

    ① 출생 후 24시간 이내 공막, 피부, 점막에 발생

    ② 교환수혈과 광선요법 실시

    ③ 광선(형광)요법 주의점

        – 탈수를 방지 위해 수분을 공급, 오한이 나지 않도록 온도 조절

        – 모든 신체 표면이 빛에 노출되도록 매 2시간마다 체위를 변경(생식부위는 가려준다)

기출

– 목욕은 시킬 수 있고 보육기에서 꺼내 수유시킴

– 망막보호를 위해 안대를 착용

– 윤활용 기름이나 로션은 피부를 태우므로 금지

8. 신생아 목욕 (기출 20상)

① 목욕물 온도는 팔꿈치를 담궈 보아 측정(40℃)

② 통목욕 시 발부터 물속에 담그도록

③ 목욕시간은 5~10분 정도로 가급적 빠른 시간 내에 끝낼 수 있도록 함 기출👆

④ 목욕물은 신생아의 가슴 정도까지 오도록 함

⑤ 태지는 피부를 보호하기 위한 기름막으로 깨끗하게 제거하면 안 됨

⑥ 매일 같은 시간에 하고 수유 전에 함(수유 직후는 피함)

⑦ 조산아 : 오일목욕 / 건강한 아기 : 통목욕

⑧ 목욕 순서는 머리에서 발 방향으로 함

⑨ 생식기, 엉덩이, 항문 주위를 기울이며 씻김

9. 신생아의 수유 (기출 20하)

1) 모유수유의 장점

① 신선하고 완전 무균상태, 면역력 증강효과

② 산후비만증을 억제, 경제적, 정서적 안정감

③ 세균과 바이러스의 번식을 억제하는 장의 점막상피세포의 성숙에 중요한 항체가 함유되어 있어 소화가 잘 됨

④ 모유는 구토, 설사, 변비, 알러지의 가능성이 적음

⑤ 수분과 열량은 우유와 같다.

⑥ 우유에 비해 당질과 비타민 A가 함유되어 있어 영양적으로 적합

⑦ 모유 : 당분과 비타민 많다.

⑧ 우유 : 단백질과 무기질이 많다.

2) 초유의 특성

    ① 끈적끈적 황색, 분만 2~3일후 분비

    ② 성숙유보다 당분과 열량이 적고, 단백질과 무기질, 비타민 A가 많다.

    ③ 면역체 함유

    ④ 태변 배출 촉진 기출

3) 산모의 유즙분비 촉진방법

    ① 고단백, 고열량식이를 섭취

    ② 2,000~3,000 cc 수분섭취

    ③ 심신의 안정

    ④ 규칙적인 수유를 하며(3시간 간격)

    ⑤ 수유 한쪽 유방은 완전히 비워야 함

10. 모유수유의 금기

1) 모체 원인

    ① 산욕기염증, 정신병, 임신, 유선염, 급성간염, 만성 질환(심한 빈혈, 영양장애, 심한 당뇨, 신장염, 결핵)

    ② 유두의 이상(유두 균열, 유방 종양, 유방 농양)이 있을 때

2) 아기 원인 : 구내염(아구창), 모유에 대한 알레르기체질 아이, 구개파열, 토순, 조산아, 심한 허약아, 혀의 이상

11. 신생아실의 온도 측정 방법

    ① 신생아실 : 온도(22~26℃), 습도(55~65%)

    ② 우유 온도 : 팔목 안쪽에 떨어뜨림

    ③ 목욕물 온도 : 팔꿈치 담가 봄

    ④ 음식 온도 : 손등에 떨어뜨려봄

    ⑤ 인공수유순서 : 보리차 → glucose → 밀크

12. 고위험 신생아 및 미숙아 보육기 간호 (기출 19상) (기출 20하) (기출 21상)

1) 미숙아(=조산아) 4대 간호

① 호흡관리, 체온조절, 영양보급, 감염방지

② 체중측정 시 보육기 안에 넣은 채 재도록 하고, 생후 24~72시간은 금식함

2) 미숙아(= 조산아) 특징

① 출생 시 체중과 관계없이 임신 37주 이전에 출생한 저체중(2.5 kg 미만) 신생아

② 매우 작고 야윈 외모, 신체에 비해 머리가 크다.

③ 손·발바닥의 주름이 적거나 없고, 귀 연골의 발달이 미약

④ 체온조절능력 저하와 빈번한 무호흡, 파악반사

⑤ 빠는반사, 연하반사가 없거나 미약 → 위관 영양 실시 기출

⑥ 솜털이 과다하고, 가늘고 솜털 같은 머리카락

⑦ 태지는 거의 없고, 여아는 음핵 돌출, 남아는 음낭 발달 미약, 고환이 하강 되지 않음

⑧ 피하지방이 적고, 피부 주름이 많음. 피부 밑으로 정맥이 비쳐 보임. 기출

3) 흔한 질병

① 수정체 후부 섬유증식증(미숙아 망막증) : 보육기 내에 고농도의 산소를 장기간 흡입
할 때(산소 과잉공급 막으면 예방 가능)

② 초자양막증 : 폐포에 초자양막이 형성되어 호흡곤란 초래(조산아에서 가장 중요한
질환)

4) 보육기 환경

① 습도 : 55~65%

② 온도 : 30~32.2℃ (미리 보온) 기출

③ 산소 : 30~40%

④ 청소 : 매일(소독수)

13. 영아의 인공수유 시 고려사항

① 기저귀를 먼저 살핀 후 우유를 먹임

② 공기가 들어가지 않게 젖병을 비스듬히 기울여 먹임

③ 아기를 45° 안고서 10~20분에 걸쳐 천천히 먹인 후 트림 시켜줌

④ 수유 시 침대에 누인 채 우유병을 물리지 않음

⑤ 수유 중 우유가 기도로 넘어가 청색증이 나타날 때 아이를 엎어(복위), 머리가 몸통보다 아래로 가도록 등을 두드려 이물질이 나오도록 한 후 도움을 요청

14. 영아의 이유식 (기출 21상)

① 한꺼번에 두 가지 음식주지 말 것

② 새로운 음식 추가 시 4~5일 간격으로 줌(적은 양부터 점차 늘림) 기출

③ 싫어하는 것을 억지로 먹이지 말 것

④ 스스로 먹도록 도와줌

⑤ 유쾌한 분위기를 만들어 줌

⑥ 경제적이고 쉬운 재료 사용

⑦ 4시간 간격으로 이유식을 먼저 주고 나중에 젖을 줌

⑧ 한 번에 한 가지 음식만 2~7일간 주어 알레르기 반응이 나타나는지 살펴 봄

15. 영아에게 흔히 일어나는 사고 및 질환

1) 흡인성 폐렴

① 폐안으로 음식물과 구토물이 들어가 발생되는 질환

② 영아기 시 부적절한 포유 방법, 약물 투약, 빈호흡 영아, 자극성 이물흡인 등이 원인

③ 수유 후에는 복와위(엎드려 눕히거나)나 우측위로 눕혀 구토 시 흡인을 방지함

2) 이물질 흡인

① 영아에게 이물질 흡인은 특히나 위협적임

② 입에 무엇이든 집어넣으며 먹을 수 없는 물건을 삼키므로 발생

제2장 | 환아의 간호보조

1. 고열 환아 간호

① 옷을 적게 입히거나 벗기고 창을 위 아래로 열어 환기시킴

② 수분을 경구적, 비경구적으로 충분히 공급

③ 미온수를 대주고 급격한 체온하강을 예방하기 위해 발은 따뜻하게 유지

④ 30~50% 알코올을 사용하여 얼굴을 제외하고 마사지 실시

⑤ 얼음물이 아닌 체온보다 2℃ 정도 낮은 미온수로 15~20분 닦아줌

⑥ 체온은 30분 후 반드시 측정

⑦ 탈수 증상을 체크함

⑧ 탈수예방 → 어린이는 체표면적이 어른보다 넓기 때문에 위험

⑨ 고탄수화물, 저지방식이를 줌

2. 급성 사구체신염 환아 간호 (기출 20상)

① 급성 사구체신염 : 신장 안 사구체의 갑작스런 감염

② 혈압을 자주 체크

③ 매 2~4시간마다 섭취량과 배설량을 측정 : 소변배설량에 따라 수분섭취를 제한
(체중과 혈압조절을 위해)

④ 매일 체중을 측정

⑤ 증상 : 부종, 고혈압, 핍뇨, 혈뇨, 단백뇨 등

⑥ 발열, 상기도 감염, 기타 감염성 질환에 이환되기 쉬운 환자와 접촉 금지 기출

⑦ 염분, 칼륨, 수분을 제한(혈압조절과 부종을 경감시키기 위해)

3. 기관지 천식 환아 간호

① 기관지 수축, 기관지 과민반응을 특징으로 하는 만성폐쇄성 기도질환
② 호흡곤란 시 : 반좌위(=파울러식위) – 상체를 45° 올려주는 자세
③ 천식은 호기성 천명음, 만성기침, 호흡곤란 증상을 보이므로 지속적인 관찰과 평가 필요
④ 호흡곤란 시 산소투여, 아동에게 휴식의 기회를 제공
⑤ 알레르기원을 피할 수 있도록 함(음식, 환경, 날씨, 의복 등)
⑥ 규칙적인 생활, 균형 잡힌 영양, 휴식, 아동과 가족(천식 자기관리 교육)에 대한 지지가 필요

4. 기저귀발진 환아의 간호

① 가장 중요 : 청결과 건조(자주 교체, 공기노출, 깨끗한 물을 이용하여 씻어줌)
② 영아에게 가장 흔한 급성·염증성 피부 질환으로 9~12개월에 호발
③ 아무 연고를 함부로 바르거나, 연고 위에 분(powder)을 바르면 안 됨
④ 피부 보호를 위해 보호연고나 크림 zinc oxide (산화아연), 바셀린을 발라줌

5. 뇌수종이나 뇌종양으로 뇌압상승 환아의 간호

1) 증상 : 팽팽하고 불룩한 천문, 봉합선의 분리, 두위 증가, 두피정맥의 확장

2) 신생아 뇌 손상 의심 내용
① 경련을 일으키고 청색증
② 쇠약해 보이고 잘 먹지 못함
③ 고음의 날카로운 울음소리 : 신경학적 검사에서 날카로운 울음은 두개내 손상을 의미
④ 모로반사가 소실 : 중추신경계 상태를 표시할 수 있는 중요한 지표

6. 디프테리아 환아(응급입원 시) 간호

1) 준비해야 할 기구 : 기관절개세트

2) 증상 : 디프테리아는 호흡기 점막이 침해받기 쉬운 어린이에게 많이 발생
   ① 인두디프테리아 : 발열, 인두통, 권태감
   ② 후두디프테리아 : 발열, 쉰 목소리, 호흡곤란, 청색증

3) 치료
   ① 2주간 절대안정
   ② 응급시 호흡곤란이 심할 때 기관절개술
   ③ 항독소, 산소공급, 습도, 페니실린 주사

4) 진단 Schick test (피내주사)
   ① 성홍열 : Dick test (딕 테스트)
   ② 장티푸스 : Widal test (위달 테스트)
   ③ 디프테리아 : Shick test (쉬크 테스트)
   ④ 매독 : VDRL (브디알엘)
   ⑤ 에이즈 : ELISA (엘라이자)

7. 백혈병 환아 간호

   ① 소아기 암 중 가장 빈도가 높은 혈액 생산조직의 암, 2~6세에 가장 많음.
   ② 가장 중요 : 감염예방(특수 무균 환경)에 최선을 다함
   ③ 장갑, 마스크, 가운 착용
   ④ 환아 접촉 전후에 손씻기

8. 분노발작 환아 간호

① 주의를 끌려는 행동으로 유아기에 특징적으로 나타나는 정상적인 양상

② 1~3세의 어린아이에게 잘 옴

③ 청색증을 나타내며 잠시 의식을 잃는 경우도 있음

④ 놀이요법으로 긴장을 해소시켜 줌

⑤ 소리를 지르고, 발로 차고, 물건을 던지고 몸을 상하게 하며 숨을 멈추기도 함

⑥ 정상적인 양상, 가장 좋은 방법은 아동의 행동을 무시하고 일관된 태도 유지

9. 분리불안 환아 간호 (기출 21하)

① 학령전기 아동들은 부모와의 격리, 낯선 사람들, 바뀐 일상생활, 공포 등으로 분리의 스트레스를 이기는 힘이 결여 됨

② 양육자와 떨어질 때 발생, 6~30개월된 유아에게 가장 큰 스트레스임 기출

③ 3세 유아에게 가장 문제 : 부모로부터의 격리

10. 설사 환아 간호 (기출 20하)

1) 만성 설사

① 환아의 대변 배설물을 따로 격리하여 처리

② 탈수증상 → 체중감소 → 의사에게 보고 기출

③ 정해진 시간마다 체중을 측정

④ 변기 사용 전후에 손 씻기를 하도록 교육

⑤ 저섬유식이, 저지방식이, 차가운 음식 제한

2) 설사로 인한 탈수

① 설사의 주요 합병증은 탈수와 전해질 불균형이므로 우선적으로 수분과 전해질을 공급

② 고당, 고지방은 중단, 과일, 채소 섭취는 설사를 유발하므로 피할 것

③ 설사 시 탈수상태가 되어 위험 : 비경구적 수액요법

④ 설사 심하면 금식하고 증상 호전 시 맑은 액체로 식이 시작

11. 수두 환아 간호

① 수두바이러스에 의한 비말감염

② 환자의 비인후 점막 분비물

③ 증상 : 전구기 → 발열기(발진이 체간 → 얼굴 → 하지)

④ 긁지 않도록 장갑을 끼우고 손톱을 짧게 깎아 2차 감염과 합병증 예방

⑤ 2차 감염예방 위해 항생제 투여

⑥ 격리 : 발진 1일 전(전구기)부터 첫 수포 출현 6일 후 가피가 형성될 때까지 일주일 정도

⑦ 비누 사용하지 않은 차가운 스펀지 목욕, 전분목욕, 칼라민 로션 도포(소양증 완화)

⑧ 수두나 습진 아동이 긁지 못하게 하기 위해 적용되는 억제법 : 팔꿈치 억제법

12. 신경성 식욕부진 환아 간호

① 의도적으로 먹기를 거부, 심각한 체중 감소를 나타내는 정신 식이장애로 정신적 사고의 왜곡 교정, 자존감과 자기 가치감 증진, 개인 심리치료 중요

② 항우울제나 선택적으로 세로토닌 재흡수 억제제는 효과적

③ 상호작용 유형의 장애를 교정하기 위한 가족치료가 포함

④ 부드럽고, 교육적이지만 단호한 태도로 임해야 함(행동수정요법)

⑤ 감정과 욕구를 보다 직접적으로 표현할 수 있도록 허용함

13. 중이염 환아의 간호

① 아동은 성인에 비해 이관(유스타키오관)이 넓고, 짧으며, 곧고 수평으로 위치하기 때문에 이물질이 쉽게 통과하고, 체액 방어기전의 미숙으로 감염 가능성이 증가함

② 인두와 중이가 중이관을 통해 연결되어 있어 중이염에 걸릴 수 있음

③ 수술후 24시간은 합병증 예방을 위해 안정을 취함

④ 식사는 미음으로 제공

⑤ 두통, 이명이 있으면 간호사에게 보고

⑥ 침상 난간을 올려줌

⑦ 재채기나 기침, 코풀기를 금지

14. 열성경련 환아 간호 (기출 19하)

① 혀를 깨물고 기도가 막히는 것을 방지(고개 옆으로) : 치열 사이에 설압자(압설자) 삽입 기출
② 자극을 주지 않는다.
③ 의복 끈, 허리띠, 단추를 풀어 눕힌다.
④ 어둡고 조용하게 유지한다.
⑤ 발작 시에는 환아를 상처받지 않도록 안전한 환경 제공(외상방지가 중요)

15. 풍진 환아 간호

① 풍진 바이러스
② 직접접촉, 간접 접촉(비인두 분비물, 혈액, 대소변)
③ 얼굴 → 상지 → 몸통 → 다리 → 24시간 안에 전신에 나타남
④ 3일 후 열이 떨어지고 발진이 소실, 피부낙설이 생김
⑤ 12~15개월에 혼합 접종 실시(MMR → 홍역, 볼거리, 풍진)
⑥ 임신 3개월 내에 감염되면 태반을 통해 태아기형을 유발

16. 화상 환아 간호 (기출 20하)

① 가능한 빠른 시간(1~2분 이내)안에 산, 알칼리, 부식성 제제를 다량의 물로 닦아내는 것이 중요함(20분 이상)
② 화학물질을 절대로 중화시키려고 해서는 안 됨
③ 감염과 쇼크예방이 중요
④ 얼굴과 기도부위 화상 : 기도부종, 호흡근육손상 위험 → 호흡곤란 징후 확인 기출

17. 파상풍 환아 간호

① 방안을 어둡게 하고 호흡근의 마비를 방지함
② 신생아 파상풍은 가정 분만 시 제대 절단용 가위를 소독하지 않고 사용했을 경우 발생 가능성이 높은 질환
③ 경련 방지을 위해 어둡고 조용한 환경을 제공하여 자극을 최소화 함

18. 홍역 환아 간호 (기출 20하)

① 비말감염되는 바이러스질환

② 발진 순서 : 목뒤 → 귀 뒤 → 얼굴 → 목 → 팔과 몸통 → 다리

③ Koplick(코플릭) 반점 : 발진 2일 전 관찰 − 구강 점막 가운데 흰색, 불규칙한 홍색 반점 기출

④ 발진 후 5일까지 호흡기 격리(마스크를 착용)

⑤ 발진 5일째까지 격리

⑥ 직사광선 피하고 색안경 착용, 미지근한 생리식염수로 눈 세척

⑦ 피부간호 : 미온수 목욕, 중조수, 전분수, 황산마그네슘

⑧ 발진 4일 전~5일 후까지 감염

⑨ 감염 후 3일 내 감마 글로불린 투여하면 발병을 피할 수 있음

⑩ 합병증 : 중이염, 폐렴

⑪ 해열 후 1~2일 후 등교

⑫ 홍역 단독백신인 라이루겐을 생후 6개월부터 접종

19. 환아의 경구 투약방법

① 영유아는 점적기로

② 반드시 상체를 상승시키고 먹임

③ 쓴 약을 달다고 속이지 않음

④ 투약 후 항상 칭찬해 줌

⑤ 싫어하는 것을 강제로 먹이지 말고 시기를 기다림

⑥ 쓴 약은 과즙이나 꿀물에 섞어 먹임

⑦ 토하면 다시 처방을 받아 먹임

20. 아동학대 (기출 21하)

1) 정의

① 아동의 건강과 복지를 해치는 것

② 정상적 발달을 저해할 수 있는 신체적, 정신적, 성적 폭력

③ 가혹행위, 유기, 방임

2) 내용

① 아동학대 인지 시 아동보호전문기관, 수사기관에 신고

② 신체적 학대 : 아동의 건강, 복지를 해치거나 정상적 발달을 저해할 수 있는 신체적 폭력이나 가혹행위 기출

③ 정서적(심리적) 학대 : 언어폭력, 잠을 재우지 않는 것 등

④ 성적 학대 : 아동을 대상으로 하는 모든 성적 행위

⑤ 방임 : 아동을 방치 – 의식주의 미제공, 불결한 환경, 위험한 상태에 아동을 방치하는 행위

⑥ 유기 : 스스로 독립할 수 없는 아동을 격리, 방치

⑦ 아동학대 신고의무자 교육 대상 : 간호조무사 제외(정신의료기관 종사 간호조무사는 포함)

CHAPTER 10 노인간호

제1장 | 노인문제

1. 노인의 특성

1) 노인 : 65세 이상(노인복지법 및 국민기초생활보장법)

2) 노년기의 특징

① 질병의 고통 → 체력 감소로 의욕 및 성취감의 상실

② 외로움의 고통 → 소외로 인한 고독감

③ 가난의 고통 → 은퇴로 인한 수입 감소

④ 역할 상실 → 핵가족화

⑤ 노인의 부양문제

⑥ 고령화에 따른 여성노인 문제

2. 노인인구의 특성

① 여자의 평균수명이 남자의 평균수명보다 길다.

② 여성인구가 남성인구보다 많다.

③ 남성의 유배우자율이 여성의 유배우자율보다 약 3배 높다.

④ 노인인구가 차지하는 비율은 농촌지역이 도시지역보다 높다.

⑤ 독신 가구가 많아 여성 노인이 사회적인 문제가 됨

⑥ 종래 피라미드형 → 종형구조 → 항아리형으로 변모 예상됨

3. 우리나라 노인인구 특징 (기출 20하)

1) 노인인구 증가

① 의학기술발달, 평균수명 연장

② 급성질병 감소, 만성질환 증가

③ 출생률 및 사망률 감소, 국민 소득증대 향상

④ 정부의 인구정책(산아제한정책)으로 출산율 저하

2) 고령화(노령화) 사회 진입

(1) 고령화 사회

① UN의 정의 : 전인구에서 65세 이상의 노인 인구가 7%를 넘어서는 사회

② 우리나라는 2000년에 7.2%로 이미 고령화 사회로 진입함

③ 고령사회 : 14.2%(2017년 8월)

④ 초고령사회 : 20%(2026년으로 추산함)

(2) 고령화 지수

① 정의 : 인구 구성의 고령화를 나타내는 지표로 유년인구에 대한 노인인구의 비율

② 고령화지수(%) $= \dfrac{65\text{세 이상 인구}}{0\sim14\text{세 인구}} \times 100$

③ 고령화지수 증가 → 노년인구 증가를 의미

④ 노년부양비 증가 추세 기출

3) 우리나라 노인문제의 특징

① 노인의 질병이나 장애는 만성적이고 퇴행적임

② 노인의 건강문제는 만성 퇴행성 질환이라는 특성상 장기간의 관리가 필요함

③ 노인의 유병률은 다른 연령층에 비해 상대적으로 질병에 이환될 확률이 2배 정도 높다.

④ 노인의 만성질환 증가로 의료 이용률은 증가되었으나 의료비 부담능력은 낮다.

⑤ 연령이 높을수록 간병 서비스, 목욕 서비스, 식사 제공, 이야기 상대의 욕구 등 보건 의료 요구는 다른 연령층에 비해 높다.

4. 부양비

① 정의 : 생산가능 인구(15~64세)에 대한 생산능력 없는 인구의 비

② 노년부양비 : 생산가능인구(15~64세) 100명이 부양해야 할 노년인구의 수

③ 부양해야 할 인구 : 유년인구(0~14세), 노년인구(65세 이상)

④ 부양률이 높을수록 후진국임, 경제 성장률 저해요인.

⑤ 유년, 노년, 총부양비로 구분

$$※ 노인부양비(\%) = \frac{65세\ 이상\ 인구수}{15\sim64세\ 인구수} \times 100$$

5. 노화이론 : 사회적 이론(각기 다른 개인적 특성 있음)

① 활동이론 : 노인이 사회적 활동 참여가 성공적인 노화에 도움이 된다는 것

② 사회유리이론 : 힘의 이동이 노인에서 젊은이로 점차적으로 이동되며, 이 현상은 개 개인이 죽은 후에 사회의 모든 분야에서 지속적인 기능을 가능하게 만드는 것

③ 사회교환이론 : 사회 상호작용이 적어진다.

④ 지속성이론 : 사람은 노화과정을 겪으면서 원래 가지고 있는 변화하지 않는 인격성 향이 있어 각기 다른 노화 패턴을 만들며 과거, 현재, 미래를 일관성 있게 연결시켜 유지하려는 경향이 있음

제2장 | 노인복지

1. 노인복지정책의 목표

※ 국민적 최저 수준의 생활유지, 사회적 통합, 개인의 성장 욕구 충족

① 만성질환 증가에 따른 정책이 필요함
② 고령화에 따른 산업 및 지역경제를 활성화시킴
③ 노인의 삶의 질을 향상시키는 정책을 추진
④ 노인의료비 증가에 따른 효율성을 고려함
⑤ 가족의 신체적·경제적 부담 감소시킴

2. 고령화 현상에 따른 노인복지정책의 추진방향

1) 노인보건의 목적 : 당뇨병, 고혈압, 뇌졸중, 치매와 같은 만성 퇴행성 노인성 질환의 예
방관리 및 합병증을 예방

2) 노인보건의 중요성이 대두하게 된 배경
① 노인인구의 현저한 증가 : 노인부양비의 급증으로 사회적 부담이 증가
② 질병의 유병율과 발병률의 증가 : 연령이 증가할수록 유병률이 증가
③ 의료비의 현저한 증가 : 만성 퇴행성 질환으로 인해 노인 의료비가 증가
④ 만성질환의 증가 : 노령화에 따른 만성퇴행성 질환 등으로 장기요양과 관련된 보건
문제가 심화됨

3) 고령사회 삶의 질 향상 기반 구축
① 노후 소득보장체계 구축
② 건강·의료보장체계 구축
③ 노인 친화적 사회기반 조성

3. 노인복지시설

1) 노인주거복지시설

① 양로시설

② 노인공동생활가정

③ 노인복지주택

2) 노인의료복지시설(2017. 8. 3 개정)

① 노인요양시설

② 노인요양공동생활가정

3) 노인여가복지시설

① 노인복지관

② 경로당

③ 노인교실

④ 노인휴양소

제3장 | 노인간호

1. 노인간호의 역할

① 교육자 : 위생, 영양, 운동, 휴식, 스트레스 관리, 질병과 상해의 예방에 관한 교육 (처방된 식이, 안전한 약물복용, 치료적 기술 등)

② 상담자 : 정보를 제공, 가족내 대화 유도, 주위의 지지 자원과 연결

③ 간호제공자 : 대부분의 대상자들은 스스로 해결할 수 없어 부분적, 전적으로 타인 돌봄 필요

④ 관리자 : 노인이 서비스에 접근, 적절히 이용할 수 있도록 역할

⑤ 옹호자 : 대상자의 의사결정과 간호과정에서 주도적 역할을 할 수 있도록 보장해 줌

2. 노인의 환경간호

① 실내온도는 24℃로 유지 : 낮은 실내온도는 저체온증을 유발

② 병실내부는 대비색을 사용 : 실내에 주로 사용된 색과 대비되는 색으로 문, 계단, 공간 변화의 경계선을 표시함

③ 간접조명을 제공하고, 야간조명은 조도를 낮추어 사용 : 밤에 지남력 유지와 충분한 시야를 제공하므로 완전소등은 안 됨

④ 욕실바닥의 미끄럼방지 매트를 설치함

⑤ 앉거나 일어설 때 충분히 지지해 줄 수 있는 팔걸이가 있는 딱딱한 의자 사용

⑥ 맑은 공기를 유지하기 위해 간접적으로 환기

3. 노화현상 (기출 19하) (기출 21상)

1) 골절 발생

① 골다공증

② 뼈 광물질 소실과 뼈 질량 감소 때문

2) 폐활량 감소, 폐기종 가능성 많음 기출

① 무기폐(노인수술환자)

② 호흡근 약화, 흉곽의 신장성 감소, 방어능력 감소 등으로 감염에 취약

3) 심박출량 감소 : 심근의 강도와 효율성 감소

4) 혈관의 탄력성 감소, 말초혈관 저항 증가 기출

5) 눈의 변화

① 안구의 건조 : 누선의 기능이상, 점액 부족 등으로 안검 구조의 이상이 발생, 안구 돌출로 인해 안구 표면에 골고루 퍼지지 못함에 따라 안구건조증이 발생함

② 수정체 탄력감소 : 수정체의 황색화 및 불투명(백내장)

③ 동공의 축소 : 동공크기가 감소, 수축력 감소, 눈으로 들어오는 빛의 양이 제한됨 안압의 증가(전방으로부터 수성액 흐름의 비정상화로 인해 안구내 압력이 증가함)

④ 시야 감소 : 시야의 크기가 제한되고 깊이의 지각에 변화를 일으킴(시야 내에서 간호, 대비 색 이용)

6) 난청

① 고음 감지하는 장애

② 8번뇌신경(내이신경, 청신경)장애

7) 미각

① 맛봉우리(미뢰) 감소

② 식욕에 변화가 옴

③ 짜고 달게 먹는다.

8) 맥박 : 거의 변화가 없거나 약간 감소

9) 뉴런(신경원) 감소 : 감각운동기능, 기억력, 인지기능 등이 감퇴

4. 노인성 질환의 특성 (기출 19상)

① 대부분 만성질환으로 원인이 불명확, 비정형적, 여러 가지 질병 보유 → 조기발견이 어려움 기출

② 면역, 체력 저하(회복력 느림)

③ 질환의 경과가 길고 재발률 높음(고위험군)

④ 예방과 재활간호 필요

⑤ 여러 가지 약물 병용으로 부작용이 많음

⑥ 의학, 간호학, 정신사회학, 사회복지학 등 다학제적 접근이 필요

⑦ 노인병은 장기간에 걸쳐 퇴행함

5. 노인질병예방 관리 (기출 20상)

1) 요실금, 야뇨증, 빈뇨 발생

① 규칙적으로 변기를 대줌(낮 – 4시간, 밤 – 2시간 간격) 기출

② 피부간호(욕창 예방), 심리적 간호

③ 고무포를 깔아줌, 기저귀 착용(최후의 수단)

④ 요실금이 심해지거나 욕창 발생 시 : 정체(유치)도뇨관 삽입

2) 욕창

① 뼈 돌출된 피부 → 지속적인 압력 → 혈액순환장애 → 조직 손상(발적, 피부 벗겨짐, 궤양 등)

② 체위를 자주 변경하여(1~2시간마다) 더 진행되는 것을 방지해야 함

3) 약물축적, 탈수되기 쉽다.

① 약물 효과가 늦게 나타남

② 성인보다 약을 일찍 준다.

③ 수분 섭취를 증가

4) 진통, 진정제를 줄 경우 성인용량의 ½~⅓ 줌

① 모르핀(마약성 진통제) : 투여 전 호흡 측정 → 호흡중추마비 우려 때문

② 디기탈리스(강심제) : 맥박 측정 → 서맥(60회/분 이하) 우려 때문

5) 영양

① 노년기에 가장 흔한 영양장애 : 비만

② 칼로리식이, 단백질, 칼슘, 비타민 C를 충분히 줌

6) 변비

① 원인 : 활동부족과 식습관의 결과

② 예방 : 식이섬유 섭취, 수분섭취 증가, 활동유지, 규칙적인 배변습관 유지 기출

7) 헤모필루스 질염

① 폐경이 되면 난소의 여성호르몬(에스트로겐) 생산 중지로 옴

② 치료 : 여성호르몬, 연고, 질정 사용

6. 노인환자의 등 마사지 주의사항 (기출 19상) (기출 21상)

① 체위 : 복위가 가장 좋지만, 어려우면 측위도 가능 기출✋

② 경찰법, 유날법, 지압법, 경타법을 반복하며 마사지

③ 체온을 뺏길 수 있으므로 15~20분이 넘지 않도록 하는 것이 중요 기출✋

④ 염증이나 악성종양 세포가 주위조직으로 퍼질 염려가 있을 때 마사지 금지

⑤ 뼈가 돌출된 부위나 천골부위가 붉게 변할 경우 마사지 중지(조직 손상 우려)

7. 피부건조

① 땀샘과 피지선의 분비가 저하되어 : 피부가 건조

② 매일 목욕하는 것을 피함

③ 뉴런(신경원)감소로 통증감각이 둔화되므로 뜨거운 물보다는 따뜻한 물 사용

④ 알코올 사용 금지

⑤ 목욕수건은 부드러운 것

⑥ 지방 많은 중성 비누 사용

⑦ 목욕 후 기름, 로션, 크림 등의 습윤제를 바름

⑧ 자외선 차단 크림 바를 것

⑨ 가습기 사용

8. 낙상 예방 (기출 19하) (기출 20상) (기출 20하) (기출 21하)

※ 노인의 기동력에 장애를 초래하고 심하면 사망에 이르게 할 수도 있음(노인에게 흔한 사고).

1) 원인

① 약물 복용 : 투약은 진정, 반응시간 지연, 균형의 결함을 일으킬 수 있으므로 낙상의 위험을 증가시킴

　　　　－ 항경련제, 정신병치료제 등에 부작용인 현기증도 낙상의 원인이 될 수 있음

　　　　－ 향정신성 약물, 항고혈압제, 저혈당제, 항우울제, 최면제, 이뇨제 등

　② 청력·시력 손상 : 시력 감퇴와 깊이에 대한 지각의 변화로 유해환경을 식별하지 못하기 때문에

　③ 배뇨장애(요실금) : 화장실에 빨리 갈 수 없는 노인의 요실금 및 배뇨장애는 낙상 유발 요인임

　④ 과거의 낙상 경험 : 75세 이상 노인의 ⅓가 낙상경험이 있으며, 낙상경험자 중 과반수가 다시 낙상이 발생 [기출]

　⑤ 환경적 요인 : 미끄러운 마루바닥, 어두운 조명, 고정되지 않은 목욕실 깔개 등

2) 예방

　① 바닥의 장애물을 제거, 미끄럽지 않도록 하며 조명을 밝게 한다. [기출]

　② 침상난간을 항상 올려줌

　③ 욕실이나 필요한 곳에 손잡이를 설치 미끄럼 방지매트 깜

　④ 휠체어 이동 시 바퀴잠금장치를 고정함

　⑤ 뼈와 근력강화을 위해 규칙적으로 운동

　⑥ 이동 시 보행기나 지팡이를 사용 [기출]

　⑦ 앉고 일어설 때 천천히 움직임(체위성 저혈압 예방)

　⑧ 뒷굽이 낮고 폭이 넓으며 미끄러지지 않는 편안한 신발을 착용

　⑨ 낙상방지를 위해 신체 억제대를 사용하지 말고 그 대안이 되는 방법을 취함

　⑩ 낙상주의 팻말 표시 장착 [기출]

9. 수면 (기출 19상) (기출 20상)

1) 노화에 따른 수면 변화

　① REM(렘) 수면은 일정, NREM(비렘) 수면(3~4단계) 짧아짐, 깊은 수면의 감소

　② 숙면이 어려움

　③ 잠들기도 어렵고, 일단 잠이 든 후에도 자주 깨므로 수면의 질이 떨어짐

　④ 총 낮 수면시간이 길어지고 수면이 시작된 후 깨어나는 빈도가 증가하는 경향

　⑤ 노인들에게 에너지를 충전시키고 신체기능 증진을 위해 낮잠을 자는 것이 필요

2) 노인의 수면교육

① 낮 동안의 활동을 강화, 낮잠을 제한함

② 아침 기상을 일정한 시간에 하도록 유도 기출

③ 식사나 간식에 수면을 돕는 음식을 제공함 → 배가 고파 잠이 오지 않을 경우 간단한 먹거리 제공

④ 취침시간이 길지 않도록 일 주기 리듬을 교정함

⑤ 과도한 카페인, 알코올, 담배, 수분섭취, 잠자기 3시간 전에 음식섭취 제한함

⑥ 부드러운 음악, 점진적 근육이완법 등을 적용함

⑦ 침실 조도를 낮추고(간접조명) 환경 자극을 최소화하여 수면을 유도함

⑧ 어둡고, 조용하고, 환기가 잘 되고, 편안한 실내온도 유지

⑨ 취침 전에 소변을 볼 수 있도록 격려 기출

10. 노인의 운동

1) 수영

① 노인의 심폐기능, 근력강화, 무릎관절염으로 인한 통증을 경감시키기 위해 권장되는 적절한 운동

② 관절염의 경우는 관절을 압박하고 있는 중력의 효과(물의 부력효과)를 완화하도록 하는 수중운동인 수영이 좋음

③ 관절통, 심혈관계 질환, 비만, 폐질환 등에 적합함

2) 유산소운동

① 많은 양의 산소를 운반하고 인체의 큰 근육군을 움직이고 일정기간 특정수준의 강도를 유지하는 종류의 활동(조깅, 자전거타기, 수영, 춤 등)

② 노인의 체력에 맞는 적정 운동 선택 : 주 3회, 1회 30분, 유산소운동이 효과적임

3) 균형운동 : 낙상을 예방하고 저하된 균형감각을 향상시킴

4) 등척성 운동 : 통증이나 불구로 관절운동을 제한하거나 힘든 운동을 위한 준비운동

5) 등장성 운동 : 저항성을 강화해 근육군을 강화하기 위해 사용됨

11. 노인성 우울증(자살 방지) (기출 20하) (기출 21하)

① 우울 : 일시적으로 기분만 저하된 상태를 뜻하는 것이 아니라 생각의 내용, 사고과정, 동기, 의욕, 관심, 행동, 수면, 신체활동 등으로 전반적인 심신 기능이 저하된 상태
② 우울이 경감되면 가역적인 치매증후군을 나타냄. 치매와 유사한 증상이 있어 감별이 중요 기출
③ 우울증은 나이가 들면서 증가 추세에 있고, 만성질환이 있는 노인에게 발생이 높음
④ 큰 원인 → 배우자, 가족상실
⑤ 여성노인에게 3배 정도 많다.
⑥ 증상 : 피로감, 식욕결핍, 체중감소, 변비, 성적 흥미 감소, 자기비하, 죄책감, 무관심 등
⑦ 동기 저하 : 사회적 위축, 삶에 대한 의지 상실 → 자살 의도 인지 시 구체적, 단도직입적 질문 기출
⑧ 약물요법과 정신요법 : 인지치료, 행동치료, 단기정신 치료를 병용함

12. 노인성 치매 (기출 19하) (기출 21상)

1) 치매 증상

① 뇌의 만성 또는 진행성 질병에 의해 발생하는 증후군(뇌기능의 다발성 장애)
② 지남력 상실(시간, 장소, 사람에 대한 인지 상실)
③ 주의력 장애, 언어장애
④ 실행증, 실인증, 시공간 기능장애
⑤ 망상, 환각, 행동이상 등
⑥ 치매는 인지장애로 타인의 돌봄을 필요로 함

2) 치매 간호

① 인지기능 저하, 언어장애 동반 : 분명하며 익숙한 단어 사용, 간단한 문장으로 천천히 낮은 목소리로 부드럽게 이야기, 명령조로 얘기해서는 안 됨. 1 m 이내의 가까운 거리에서 대화함
② 환경을 자주 바꾸는 것은 지남력(시간, 장소, 사람) 장애를 더 악화시키므로 피함
③ 요실금이 있으므로 취침 전 수분 공급은 피함

④ 새로운 것이나 최근 기억이 현저히 감소하므로 한 번에 과다한 정보를 제한함

⑤ 낮 동안에 규칙적인 운동 : 산책(가장 간편하고 효과적인 운동)

⑥ 반복적인 질문이나 행동 시 대처방법 기출 기출

→ 단순하게 할 수 있는 일거리 제공 : 나물다듬기, 빨래개기, 콩 고르기 등

→ 좋아하는 노래 함께 부르기, 과거의 경험 이야기 나누기, 좋아하는 음식 제공

→ 집안에서 배회할 경우 배회코스를 만들어 준다.

⑦ 음식은 잘게 잘라서 부드럽게 조리하여 제공(사탕, 땅콩, 팝콘 등은 주지 않음)

⑧ 불안정하게 의심 및 우울증상을 보일 때(석양증후군) : 해질녘에는 충분한 시간을 가지고 치매노인과 함께 있고 소일거리를 제공, 산책

3) 치매 환자의 약물 투여방법

① 인지능력이 없는 치매노인의 경우는 화학 약물, 약물 및 잠재적으로 섭취할 수도 있는 것들을 안전을 위해 환자로부터 멀리 해야 함

② 노인의 약물에 대한 자기관리 능력과 지적 능력 저하를 고려하여 가족이나 간호자에게 설명해 주어 투약해야 함

4) 치매 노인과의 의사소통 방법

① 인내를 가지고 대화에 임함(이해력이 부족하므로)

② 노인의 말을 경청함

③ 일상적으로 사용하는 단어, 가능한 같은 단어를 사용하고, 구체적이고 짧은 단어와 문장을 사용

④ 지시는 한 번에 한 가지씩 간단하고 구체적으로 함

⑤ 필요하면 반복함

⑥ 긴장을 풀고 천천히 부드럽게 이야기함

※ 치매조기검진 : 노인건강진단서비스(보건소에서 실시)

13. 파킨슨 질환 (기출 20상)

① 중추신경계 퇴행성 변화로 발생하는 질환

② 도파민 부족 : 움직임 둔화로 낙상 위험 높음

③ 3대 증상 : 진전(떨림), 경직, 완서(느린 행동)

④ 간호 : 근육 스트레칭 및 관절운동, 스스로 할 수 있는 것 돕도록 기출

PART

02

보건간호학

파워 간호조무사 **국가시험 핵심요약집** ⚪ ⚪ ⚫

CHAPTER
01 보건교육

제1장 | 보건교육의 이해

1. 보건교육의 이해 (기출 19하) (기출 21상) (기출 21하)

1) 정의

　① 지역주민의 건강을 지키고 유지하기 위한 교육

　② 지역사회 간호업무 중 가장 포괄적이고 중요한 것 기출👆

2) 보건교육의 대상자 : 지역사회 주민 전체

3) 보건교육의 목적

　① 개인, 가족, 지역사회가 스스로 건강문제를 인식

　② 보건을 위한 지식, 태도, 행동의 변화로 질병 예방

4) 보건교육의 원칙

　① 지식 → 태도 → 행동의 변화가 될 수 있도록 유도 기출👆

　② 보건교육 계획 시 지역주민과 함께 대상자의 요구를 반영할 것(가장 중요) 기출👆

　③ 대상자의 수준에 맞는 종류와 평가방법을 선택

　④ 시행 후 평가를 반드시 고려

5) 효과적인 보건교육의 단계

① 주의를 집중(자극) → 흥미와 관심 형성 → 동기부여 → 신념유발 → 실천 →
만족(자신감) → 계속하고자 하는 자극

② 동기부여 : 태도와 행동 변화시키는데 영향 크다. 기출

6) 보건교육에 영향을 주는 환경적 요인

① 물리적 환경 : 장소, 의자배치, 교육장 크기, 온도, 환기, 조명

② 정서적 환경 : 교육장의 분위기

③ 학습에 영향을 주는 피교육자의 준비도, 학습동기, 학습환경

7) 보건교육 준비 시 고려사항

① 대상 결정 : 누구를 대상으로 할 것인지

② 장소 : 어디서

③ 시기 : 언제

④ 교육주제 선정 : 대상자와 함께 참여하여 흥미와 관심을 형성할 수 있는 주제

⑤ 교육 방법 선택

⑥ 평가 : 시행 후 평가를 어떻게 할 것인지 고려

2. 보건교육내용의 진행 단계 (기출 20상) (기출 20하) (기출 21상) (기출 21하)

1) 단계

① 도입 : 교육에 들어가기 전 대상자들과 관계 형성하고 주의를 집중시키며 학습동기
를 높여주는 단계 기출

② 전개 : 교육이 본격적으로 진행되는 단계 기출 기출

③ 종결 : 교육을 요약하고 정리, 점검하는 단계로 교육 성과를 평가 기출

2) 교육내용의 순서

① 쉬운 것 → 어려운 것 기출

② 단순한 것 → 복잡한 것

③ 친숙한 것 → 낯선 것

④ 구체적 → 복잡

⑤ 직접 → 간접

3. 보건교육의 평가 방법 (기출 19상) (기출 19하) (기출 20상) (기출 21상) (기출 21하)

1) 평가의 단계

① 자료수집 → 자료분석 → 결과판정 → 평가결과의 재계획 [기출]

② 평가 시기 : 교육의 전과정에서 이루어져야 함

2) 평가의 기준에 따라

① 절대평가(목표지향평가) : 미리 정해 놓은 목표에 교육이 끝난 뒤 도달 여부를 평가하는 방법 [기출]

② 상대평가(기준지향평가) : 교육이 끝난 후 정해진 평가 기준 자료로 학습자를 평가하는 방법

3) 평가의 시기에 따라

① 진단(사전)평가 : 교육계획 수립 전 대상자의 지식정도, 태도, 흥미, 동기, 준비도, 개인차등을 파악해 교재나 교육과정, 수업방식 등을 결정할 때 사용되는 평가 방법 [기출] [기출] [기출]

② 형성평가 : 교육활동 단계에 따른 형태의 평가로 학습자들의 이해 정도와 참여 정도 파악 및 학습자들의 능력·태도변화정도·학습방법 등을 확인하는 평가 방법

③ 총괄(총합)평가 : 교육이 끝난 후 대상자 스스로 목표 도달 여부와 교사의 교육방법과 과정까지 총체적으로 평가하는 방법

4) 평가의 초점에 따라

① 과정평가 : 교육에 사용 된 교재와 시간, 참여율, 만족도등을 알아보는 평가 방법

② 영향(결과)평가 : 교육의 투입 결과로 대상자의 변화 정도를 알아보는 평가 방법

③ 구조평가 : 교육에 쓰인 도구, 예산, 인력, 장소, 시간 등의 적절성을 평가하는 방법

5) 평가의 기법에 따라

① 관찰법 : 학습자의 학습 활동을 관찰하여 학습의 변화량을 매일 연속적으로 측정할 수 있는 평가방법

② 평정법 : 대상자의 평가 내용을 숫자나 내용으로 연속선 위에 분류하는 측정도구를 사용하는 평가방법

③ 질문지법 : 어떤 문제에 관해 작성된 일련의 질문을 서면화 하여 이를 피험자에게 지표로 응답하게 하는 평가방법

④ 지필검사 : 문서 형태로 검사의 문항이나 질문을 제시하고 응답자로 하여금 응답을 체크하거나 쓰도록 하는 것이다.

⑤ 구두질문법은 교육자가 말로 질문하여 대상자들이 잘 이해했는지를 질문과 대답을 통해 알아보는 방법

⑥ 그 외 조사기록, 면접, 회의, 체크리스트, 토의, 역할극, 통계 자료 조사 등

제2장 | 보건교육의 실시

1. 보건교육 방법

1) 교육자 중심 교육

(1) 일방식 보건교육

① 전문 지식이 없는 대상자에게 실시되는 교육 방법

② 종류 : 강의, 강연회, 영화, TV, 포스터, 광고, 신문

③ 장점 : 시간과 경비 절약, 일시에 다수에게 교육 편리

④ 단점 : 피교육자 수동적

(2) 왕래식 보건교육

① 상호의견을 교환하면서 결론을 정리하며 건강과 관련됨 지식을 습득 후 행동으로 실천할 수 있도록 하는 교육 방법

② 종류 : 면접, 집단토의, 좌담회, 강습회, 시범교육

③ 장점 : 일방적인 방법에 비해 효과적, 단기간에 국민 지지를 얻기 위한 가장 효율
   적인 방법

④ 단점 : 시간과 경비 소모

2) 대상자 중심 교육

(1) **개별교육** : 상담

(2) **집단교육** : 강의, 토론, 집단토의, 분단토의, 심포지움, 패널토의, 브레인스토밍, 시
   범, 세미나 등

① 적은 비용으로 많은 인원의 행동변화

② 한 번에 많은 인원의 행동을 변화

③ 짧은 시간에 많은 양의 지식전달이 가능

④ 비용과 시간이 절약

3) 매체 중심 교육

① 유인물, 게시판, 벽보판, 포스터, 모형, DVD, TV, 라디오, 신문 등

② TV, 라디오, 신문 : 대중을 단시간에 교육 시킬 수 있는 가장 좋은 매체

③ 벽보판의 설치장소 : 지역주민의 왕래가 빈번한 곳

2. 상담(카운셀링)/면접 (기출 19하) (기출 20하)

1) 특징

① 대상자의 문제 해결이 이루어지도록 상담자가 전문적으로 도와주는 개별보건교육방법

② 짧은 시간, 언제, 어디서나 적용 가능한 효과 높은 방법

③ 경청과 공감을 통해 신뢰감을 형성

④ 흡연, 부적절한 식이, 음주, 운동부족 등 개인의 건강 문제에 효과적

⑤ 성관련 질환자의 보건교육 시 효과적 : 감염병이면서 프라이버시 존중을 위해 기출

2) 면접자의 바람직한 태도

① 면접 시 신뢰감 형성이 가장 중요 : 경청, 긍정적 태도 유지

② 시간상 이만해둔다는 끝맺음 하지 말 것(대화의 마무리는 피면접자가 할 것)

③ 지시, 명령, 대답 강요하지 말 것

④ 부정적 감정을 이해하고 수용할 것

⑤ 대상자의 문제점의 정확한 이해를 위해 질문은 꼭 필요할 때만 할 것

⑥ 대상자에게 맞는 어휘와 수준으로 상담할 것 기출

3. 강의

1) 장점

① 비교적 적은 경비로 많은 인원의 행동의 변화가 가능한 방법

② 짧은 시간에 많은 양의 지식전달이 가능

③ 학습자의 기본 지식과 적극적 참여전달이 가능한 교육방법

2) 단점

① 일방적인 학습법으로 자율성이 보장이 안 됨

② 수동적, 학습자의 의견이 반영 안 됨

③ 개인별성향을 고려할 수 없음

4. 집단교육의 종류 (기출 20상) (기출 21하)

1) 패널토의(배심토의)

① 어떤 주제에 관하여 상반된 의견을 가진 각각의 전문가 4~7명이 사회자의 진행에 따라 찬·반 토론을 진행하는 것

② 청중은 이 토론을 경청하면서 지식과 태도 변화의 기회를 갖게 됨

③ 집단 모두가 토론에 참여하기 어려운 경우 사용하는 방법

2) 분단토의(버즈 토의)

① 집단 구성원을 몇 개의 분단으로 나누어 토의하고 그 각각의 견해를 전체 집단에 발표하여 의견을 종합하는 방법

② 참여자 수가 많을 때 전체를 수개의 분단으로 나누어 토의

3) 심포지움

① 여러 명의 연사가 각기 다른 입장에서 강연을 한 후 청중을 공개토론의 형식으로 참여시키는 방법

② 발표자, 사회자, 청중 모두 주제에 대한 한 전문가

4) 집단토의(그룹토의)

① 10~15명으로 구성된 인원이 자유로운 분위기에서 토의하는 방식

② 장점 : 양보와 협력하는 사회성 배양, 민주적 회의능력이 길러짐, 능동적인 참여기회가 제공됨, 의사전달능력이 배양됨

③ 단점 : 참가자 수가 많을수록 토의에 참여하는 수는 적어짐

5) 브레인스토밍(묘안 착상법) : 창의성

① 특정 주제에 대해 모든 면을 다방면으로 해결방안을 찾기 위해 구성원들의 협동으로 결론을 도출하는 토의 방식

② 아이디어의 자유로운 흐름으로 창의성 활용

③ 최종 결론 도출이 힘들 수 있고, 주제가 간단 & 구체적일 것

④ 10~12명의 청소년들이 흡연이나 성폭력을 토론하는 창의적인 방법 기출

6) 세미나 : 10명 내외의 교육 대상자가 교수의 지도 아래 능동적으로 토론, 연구하는 교육 방법

7) 워크샵 : 강연을 주로 하는 교육적 집회. 참가자 전원이 기획, 활동하면서 실천하는 방법

8) 역할극 : 교육 대상자가 실제 상황 중의 한 인물로 등장해 상황을 분석하고, 해결 방안을 모색하는 방법

(1) 역할극의 장점

① 실제 활용 가능한 기술의 습득이 쉽다.

② 직접 참여함으로 흥미와 동기유발이 쉽고, 현장견학과 같은 효과

③ 대상자의 수가 많아도 적용이 가능

(2) 역할극의 단점

① 준비 시간이 길다.

② 상황에 맞는 역할 선정이 쉽지 않을 수 있다.

③ 역할극의 상황이나 기구, 물품 등이 실제와 차이가 나면 학습목표 도달이 쉽지 않을 수 있다.

9) **현장학습** : 지역사회에 있는 보건시설이나 기관, 또는 건강에 유해하거나 문제 있는 장소를 조사하거나 방문함으로써 지역사회의 요구와 보건교육 방법을 연결하는 역동적 방법 기출

5. 시범 교육

1) 개요

① 이론과 실물, 실제 장면을 만들어 지도하는 집단 왕래식 교육방법

② 교육의 주제가 기술의 습득인 경우 더욱 좋다.

③ 보건교육 시 간호조무사의 역할 : 시범교육 시 조력한다.

2) 시범교육의 장점

① 현실적으로 교육내용을 실천가능하게 하는 효과적인 방법

② 주의집중, 동기유발이 용이

③ 대상자가 경험이 없어도 학습목표도달이 용이

④ 배운 내용을 실무에 적용하기가 용이

3) 시범교육 시 주의사항

① 단상이 잘 보이도록 하고, 사용할 기구는 미리 준비

② 중요한 부분은 반복, 단계적 & 순차적으로 설명, 질문 받는 시간을 갖도록 한다

③ 실무에 적용이 가능하고 현실적으로 실천가능하게 하는 효과

④ 시범자의 태도, 외모, 음성 등에 주의하고, 피교육자의 주의를 끌도록 할 것

⑤ 사전에 충분한 계획과 준비, 연습이 필요

⑥ 최근의 진보된 내용으로 한꺼번에 많은 내용을 교육하지 않도록 할 것

⑦ 수가 많을수록 효과가 없으며, 10~20명의 인원이 적당

6. 대중매체 교육 (기출 19상)

1) 장점 : 가장 효과적, 빠르다.

① 신속성, 대량 정보 전달, 동시에 다수의 사람에게 정보전달

② 반복성(교육자가 따로 없어도 학습목표 도달이 가능)

③ 급성 전염병 유행 시 : 대중매체가 가장 효과적(텔레비전)

2) 단점

① 일방적인 전달이므로 개인상태가 고려 안 됨

② 다른 방법에 비해 비교적 비싸다.

7. 학교보건교육

① 대상 인구가 학생, 교직원, 가족까지 포함해 전체 인구의 ¼ 정도로 범위가 크다.

② 성장발달의 단계에 있고, 가치관이 형성되는 학생들에게 건강행동을 습관화시키기
   쉬우며, 조기에 질병을 발견해 관리해 적은 경비로 효과가 큰 보건사업임

③ 학교라는 장소에 대상자들이 모여 있기 때문에 집단교육을 할 수 있는 좋은 장소임

④ 담임교사의 역할 중요

⑤ 학생들이 습득한 건강행위는 가정과 지역사회로 파급되기 때문임

CHAPTER
02 보건행정

제1장 | 보건조직

1. 보건행정

① 정의 : 정부와 공공단체가 국민 또는 지역사회주민의 건강을 유지·향상시키기 위해
서 수행하는 행정

② 내용 : 영유아 및 성인에서 노인까지의 보건대책, 성인병이나 전염병을 포함한 각종
질병대책, 정신위생대책 등

③ WHO에서 규정한 보건행정 범위 : 재해예방, 보건교육, 환경위생, 전염병관리, 보
건관계 기록의 보존, 모자보건, 의료, 보건간호

2. 보건행정의 관리요소(Gulick의 관리과정) (기출 20상)

① 기획(Planning) : 목표를 설정하고 그 목표에 도달하기 위하여 필요한 단계를 구성하
고 설정

② 조직(Organizing) : 공식적 권한의 구조 설정, 분업, 각 직위의 직무내용 확정

③ 인사(Staffing) : 직원 채용, 훈련, 근로환경 관리

④ 지휘(Directing) : 주어진 목적 달성을 위하여 직원들을 지도·감독

⑤ 조정(Coordination) : 협의, 회의, 토의 등을 통하여 행동의 통일성을 가져오도록 하는 집단적인 노력 기출

⑥ 보고(Reporting) : 신속하고 정확한 보고를 접수

⑦ 예산(Budgeting) : 예산의 편성, 회계, 통제

3. 보건행정조직 (기출 19상) (기출 19하) (기출 20상) (기출 20하) (기출 21상) (기출 21하)

1) 중앙보건기구 : 보건복지부

① 보건 정책안 결정기관

② 보건에 관한 기술을 지도·감독 기출 기출

③ 방역, 위생 등을 실시

④ 전 국민을 대상으로 한 사회통합적 역할을 담당

2) 지방보건기구

조직	설치 기준	지휘 감독
① 보건소 기출	- 시, 군, 구별로 1개소씩(지역보건법) 기출	시장, 군수, 구청장 → 보건소장
② 보건지소	- 읍, 면 1개소씩(지역보건법) - 시장, 군수, 구청장이 필요하다고 인정되는 경우 추가 설치 가능	보건소장 → 보건지소장
③ 보건진료소	- 의료취약지에 설치(농어촌 등 특별조치법) 기출 - 보건진료 전담 공무원 - 간호사, 조산사, 기타 대통령령이 정하는 자격을 가진 자	보건지소장 → 보건진료소장 (= 보건진료전담공무원 = 보건진료원)

※ 농어촌 등 보건의료를 위한 특별조치법 : 1980년 공포, 농어촌 보건의료지역의 주민에 대한 보건의료 문제를 해결하기 위해서 1981년 보건진료소 설치 기출

3) 우리나라 보건행정 체계 이원화

행정 - 행정안전부, 기술지도 및 감독 - 보건복지부 기출

4) 보건소장의 업무

① 의사, 보건직 공무원 5년 이상의 자로 임명

② 시장·군수·구청장의 지휘·감독을 받아 보건소의 업무를 관장, 소속공무원을 지휘·감독

③ 보건지소와 농어촌 등 보건의료를 위한 특별조치법에 의한 보건진료소의 직원 및 업무를 지도·감독

5) **보건진료원** : 농어촌 벽·오지에 보건진료소에서 일차보건의료를 행하는 간호사나 조산사로서 일정한 직무 교육을 받은 자

4. 세계보건기구(WHO) (기출 19상)

1) 개요

① 국제적인 보건통계 수집·분석·보존

② 보건교육, 환경위생

③ 감염병관리, 모자보건

④ 의료서비스 제공

⑤ 보건간호를 하는 대표적인 기관

2) 1948년 설립, 본부는 스위스 제네바

3) 6개 지역사무소

① 서태평양 지역사무소 : 필리핀의 마닐라(우리나라 지역사무소)

② 동남아시아 지역사무소 : 인도의 뉴델리

③ 아프리카 지역사무소 : 콩고의 브라자빌

④ 중동의 동지중해 지역사무소 : 이집트의 카이로

⑤ 아메리카 지역사무소 : 미국의 워싱턴

⑥ 유럽 지역사무소 : 덴마크의 코펜하겐

4) **WHO의 건강에 대한 정의** : 신체적, 정신적, 사회적 안녕 상태 기출

제2장 | 보건의료체계

1. 보건의료전달체계 (기출 21상) (기출 21하)

1) 정의와 목적

① 국민의 건강 증진, 예방, 치료 및 재활 등을 포함한 보건의료의 전 영역에서 행하는 모든 조치

② 보건의료 수요자에게 적정한 의료 제공을 목적

③ 적절한 시간과 때, 적절한 장소, 적절한 의료인에게 적정진료를 효과적으로 받도록 하는 제도

2) 보건의료체계의 종류

① 1차 예방(건강증진, 질병예방), 2차 예방(조기 발견, 치료), 3차 예방(재활)

② 1차 진료(의원급, 보건소 등), 2차 진료(병원급 이상), 3차 진료(종합병원, 대학병원)

3) 보건의료체계의 요건

① 접근 용이성

② 질적 적정성

③ 지속성

④ 효율성

4) 보건의료체계의 하부 구성요소

① 보건의료자원 개발 : 인력, 시설, 장비 및 물자, 지식 및 기술 기출

② 자원의 조직적 배치 : 국가보건당국, 건강보험기관, 기타정부기관, 비정부기관, 독립 민간부문 보건의료전달체계

③ 보건의료 서비스의 제공 : 1, 2, 3차 예방

④ 경제적 지원 : 공공재원, 기업주, 조직화된 민간기관, 지역사회의 기여, 외국의 원조, 개별 가계, 기타(복권 등)

⑤ 보건의료정책 및 관리 : 지도력, 의사결정(기획, 실행 및 실현, 감시 및 평가, 정보지원), 규제 기출

2. 우리나라 보건의료전달체계 (기출 19상)

1) 자유방임형

① 자유 기업형, 의료 이용자가 의료인이나 기관을 이용함에 있어 최대한의 개인의 자유가 허용 되지만(책임도 스스로가 진다), 정부 간섭은 제한된 형태

② 미국, 독일, 프랑스, 일본, 한국 등

2) 자유방임형의 보건의료전달체계의 특징

① 정부의 통제나 간섭을 최대한 극소화함

② 보건의료 소비자가 자유롭게 보건의료기관을 선택할 수 있음

③ 의료수준이 높음(전문직 의료인의 증가) 기출

3) 우리나라 보건의료전달체계의 특징

① 보건행정관리체계가 다원적

② 보건의료의 공공부문이 취약

③ 보건의료기관간의 기능과 역할이 미분화되어 있음

④ 보건의료의 지역화 개념이 적음

⑤ 대도시에 보건의료가 집중되어 있음 : 농어촌 보건의료기관 부족

⑥ 한의학과 양의학이 병존함

⑦ 의약 간의 기능이 중복되어 있음

⑧ 예방측면보다 치료측면에 치중하고 있음

3. 일차보건의료의 개념 (기출 19상) (기출 19하) (기출 20하) (기출 21하)

1) 일차보건의료 : 주체 − 지역사회 주민

① 모두 혜택을 받을 수 있는 가장 기본적이며 보편적·포괄적인 지역사회 보건의료 기출

② 주민이 받아들일 수 있고

③ 적극적으로 참여할 수 있는 사업

④ 지역사회나 국가가 그 비용을 감당할 수 있는 방법

⑤ 주민의 기본건강요구를 충족하기 위한 1차적인 조치

⑥ 포괄적이고 치료보다는 질병예방과 건강증진에 치중

2) 일차보건의료의 내용(1978년 WHO의 알마아타 선언)

① 가족계획을 포함한 모자보건

② 기본의약품 제공

③ 기본환경위생 관리

④ 정신보건의 증진

⑤ 풍토병의 예방과 관리

⑥ 식량의 공급과 영양의 증진

⑦ 지역사회의 건강문제 규명과 관리방법에 관한 보건교육

⑧ 통상질환의 적절한 치료

⑨ 지역사회의 주된 전염병 예방 접종

3) 일차보건의료 접근의 필수요소(WHO)

① 주민참여(Available) : 주민의 적극적인 참여를 통해 제공 `기출` `기출`

② 접근성(Accessible) : 필요한 때 차별 없이 즉시 이용 가능 `기출`

③ 수용가능성(Acceptable) : 쉽게 받아드릴 수 있는 방법

④ 지불부담가능성(Affordable) : 주민의 지불능력에 맞는 보건의료수가 제공

4) 우리나라의 일차보건의료 시작

① 우리나라는 WHO의 알마아타 선언의 일차보건의료를 받아들이기 위해 1980년 농어촌 등의 보건의료 취약지역을 위한 특별보건법을 만들어 보건진료소를 설치 보건진료원을 배치

1. 의료보장의 목표

① 국민의 건강권을 보호 위해 필요한 보건의료서비스를 국가나 사회가 제도적으로 제공하는 것

② 의료서비스를 모든 국민이 이용할 수 있도록 균등하게 분배(최고급은 해당되지 않음)

③ 의료비 부담에 대하여 국민을 재정적으로 보호

④ 보건의료비의 적정수준을 유지

⑤ 의료기관 이용 시 의료비 부담을 감소시켜 줌

⑥ 질병 이환 시 전 국민이 의료기관을 이용할 수 있게 함

⑦ 의료 보장의 종류에는 국민건강보험, 의료보호, 산재보험이 있음

⑧ 의료가 필요한 사람에게 적절한 의료 서비스를 제공함

2. 양질의 의료서비스 구성요소

① 접근 용이성 : 개인적 접근성, 포괄적 서비스, 양적인 적합성

② 질적 적정성 : 전문적인 자격, 개인적 수용성, 질적인 적합성

③ 효율성 : 평등한 재정, 적정한 보상, 효율적 관리

④ 지속성 : 개인 중심의 진료, 중점적인 의료제공, 서비스의 조정

3. 국민의료비 증가 원인

1) 대상자와 급여범위 확대

① 전 국민의 의료보험 실시

② 생활수준 향상에 따른 건강에 대한 국민의식의 변화

2) 노인인구 증가로 인한 수요 증가 : 노인인구 및 만성·장기질환자 증가

3) 고급 의료기술 사용

① 고가의 의료장비나 시설투자

② 의료인력 증가

③ 병상 수 증가

④ 의료비 지불제도로 행위별 수가제 채택

⑤ 의료전달체계의 미확립

⑥ 의료의 공공성 약화

4. 사회보장제도 (기출 19상) (기출 19하) (기출 20하) (기출 21하)

1) **사회보장** : 질병, 장애, 노령, 실업, 사망등 사회적 위험으로부터 국민을 보호하기 위해 소득과 의료를 보장을 하는 것

사회보장				
종류	사회보험		공공부조	사회복지서비스
의의	미래에 다가 올지도 모르는 경제적 위험, 의료사고에 미리 준비		최저 생계 보장과 자립 촉진	정상적 사회생활을 위한 지원
대상자	국민		극빈자	특정 대상자
구분	의료보장	소득보장	의료보장	소득보장	현금 급여, 현물 급여
종류	건강보험(국민) 의료보호(빈민) 산재보험(근로재해) 노인장기요양보험	연금보험 고용보험(실업보험) 산재보험(산재연금) 기출	의료급여 기출	기초생활보장	노인복지 장애인복지 아동복지 청소년복지 가정복지
원리	가입 강제성 차등 부과 균등 급여		생존권 보장 원리 국가 책임 원리 최저 생활보호 원리 무차별 평등 원리 자립 조장 원리		국가나 지방자치단체에서 서비스

2) 우리나라 4대 사회보험

※ 보험료 납부가 가능한 국민을 대상으로 국민의 건강과 소득을 보장, 대비하는 제도

① 국민건강보험 : 질병과 상해로 인한 의료비에 대비

② 산업재해보상보험(근로복지공단) : 업무상 재해로 인한 의료비 지출과 소득 상실에 대비 `기출`

③ 국민연금보험(국민연금공단) : 노령, 폐질, 사망으로 인한 소득 감소에 대비

④ 고용보험 : 실업으로 인한 소득 감소에 대한 대비

3) 공공부조

① 정의 : 생활 유지 능력이 없거나 생활이 어려운 국민의 최저생활을 보장하고 자립을 지원하는 제도

②「국민기초생활보장법」에 근거

③ 대상 : 생활능력을 잃은 자, 일정한 생활수준에 미치지 못한 자

④ 목적 : 최저생활 보장과 자립 촉진

⑤ 주체(재원) : 국가 및 지방자치단체(국민 세금)

⑥ 종류 : 소득보장, 의료보장(기본적인 의료혜택 제공) `기출`

4) 사회복지서비스

① 정의 : 도움을 필요로 하는 모든 국민에게 상담, 재활, 직업소개 및 지도, 사회복지시설 이용 등을 제공하여 정상적인 생활이 가능하도록 지원하는 제도

② 대상 : 정상적인 일상수준의 생활을 영위하기 어려운 불특정 개인 또는 가족

③ 목적 : 정상적인 생활이 가능할 수 있도록 회복·보전하도록 도와주는 것

④ 주체 : 국가 · 지방자치단체 및 민간(사회복지법인)

⑤ 종류 : 노인복지서비스, 장애인복지서비스, 아동복지서비스, 청소년복지서비스, 가정복지서비스

5. 국민건강보험제도 (기출 19상) (기출 19하) (기출 20하) (기출 21상)

1) 정의

사회보장제도의 하나로 생활유지 능력이 있는 국민을 대상으로 필요한 의료서비스 이용 시 의료비 문제를 국가나 사회가 연대책임을 활용해 제공하는 제도

2) 보험자 : 국민건강보험공단 `기출`

3) 피보험자(가입자) : 국민 – 직장 가입자와 지역 가입자(강제 가입) `기출`

4) 관리운영 : 보건복지부, 국민건강보험공단, 건강보험심사평가원

5) 급여형태 : 현물(의료서비스), 현금(요양비, 장애인 보장구 구입비)

6) 기능
   ① 소득재분배 기능 : 경제적 능력에 따라 부담하고 개별 부담과 관계없이 균등한 급여 혜택을 통해 질병 발생 시 경제적 부담을 감소시켜 줌 `기출`
   ② 위험분산 기능 : 많은 인원이 집단화하여 경제적 부담을 분산하고 미리 돈을 적립해 둠으로써 위험의 시간적 분산 기능도 함께 하고 있음
   ③ 사회연대성 강화 기능 : 전 국민을 강제 가입 대상자로 하는 사회보험으로써 사회공동의 연대책임을 활용하여 소득재분배
   ④ 형평성 있는 의료비용 부담 : 보험료 부담은 소득이나 능력에 따른 차등 부담 `기출`
   ⑤ 누구에게나 균등한 적정수준의 급여 제공 : 보험 급여 측면에서 모두에게 필요한 기본 의료에서부터 적정 의료까지 균등하게 제공 `기출`

6. 노인장기요양보험제도 (기출 19상) (기출 19하) (기출 20상) (기출 20하) (기출 21상) (기출 21하)

1) 개요
   ① 정의 : 고령 또는 노인성 질환으로 6개월 이상 일상생활을 혼자 수행하기 어려운 노인에게 신체·가사·활동을 지원하는 장기요양급여를 제공하여 가족 부담을 완화하는 제도
   ② 수급권자 : 65세 이상 노인, 65세 미만 노인성 질환자로 장기요양등급판정을 받은 자
   ③ 노인성 질병 : 알츠하이머병, 치매, 지주막하 출혈, 뇌내출혈, 뇌경색증, 뇌졸중 등의 뇌혈관성질환, 파킨슨병, 중풍후유증, 진전 등 `기출`
   ④ 재원 : 장기요양보험료 + 국가 및 지방자치단체 + 장기요양급여 본인부담금 `기출`
   ⑤ 보험자 : 국민건강보험공단

⑥ 피보험자(가입자) : 국민건강보험 가입자와 동일 [기출]

2) 급여의 종류

(1) 재가급여(본인부담률 20%, 우선 적용) [기출] [기출]

① 재가노인지원 : 상담, 교육, 정서지원 등 서비스

② 방문목욕 : 목욕장비를 갖추고 가정에서 목욕 서비스

③ 방문간호 : 수급자의 가정 등을 방문하여 간호, 진료의 보조, 요양에 관한 상담 또는 구강위생 등을 제공 [기출]

④ 주·야간보호 : 주간, 야간 동안의 보호 서비스

⑤ 방문요양 : 1일 중 일정기간 가정을 방문하여 서비스

⑥ 단기보호 : 월 1일 이상 15일 이하 단기보호 서비스 [기출]

(2) 시설급여(본인부담률 15%)

① 노인요양시설 : 치매·중풍 등 노인성 질환 등으로 심신에 상당한 장애가 발생하여 도움을 필요로 하는 노인을 입소시켜 급식·요양과 그 밖의 일상생활을 제공함을 목적으로 하는 시설 [기출]

② 노인요양공동생활가정 : 치매·중풍 등 노인성 질환 등으로 심신에 상당한 장애가 발생하여 도움을 필요로 하는 노인에게 가정과 같은 주거여건과 급식·요양과 그 밖의 일상생활에 필요한 편의를 제공 → 타인들과 공동생활을 통해 치매 노인들의 문제행동, 행동장애 완화를 목적으로 하는 시설

(3) 복지용구급여

(4) 특별현금급여 : 가족요양비, 특례요양비, 요양병원간병비

3) 노인장기요양보험 표준서비스 [기출]

신체활동지원, 일상생활지원, 개인활동지원, 정서활동지원, 방문목욕, 기능회복훈련, 치매관리지원, 응급 시설환경관리, 간호처치서비스(관찰 및 측정, 투약 및 주사, 호흡기간호, 피부간호, 영양간호, 통증간호, 배설간호, 그 밖의 처치, 의사 진료 보조.)

4) 노인장기요양보험 등급 체계 개편

① 2014년 7월 1일부터 장기요양등급 체계를 5등급 체계로 개편하여, 장기요양 3등급을 3, 4등급으로 세분화하였고, 장기요양 5등급을 신설함

② 장기요양인정의 유효기간 : 최소 1년에서 최대 3년 6개월까지의 기간 동안만 유지됨

장기요양 등급	심신의 기능 상태
1등급	일상생활에서 전적으로 다른 사람의 도움이 필요한 자로서 장기요양인정 점수가 95점 이상인자
2등급	일상생활에서 상당 부분 다른 사람의 도움이 필요한 자로서 장기요양인정 점수가 75점 이상 95점 미만인 자
3등급	일상생활에서 부분적으로 다른 사람의 도움이 필요한 자로서 장기요양인정 점수가 60점 이상 75점 미만인 자
4등급	일상생활에서 일정 부분 다른 사람의 도움이 필요한 자로서 장기요양인정 점수가 51점 이상 60점 미만인 자
5등급	치매환자로서(노인장기요양보험법 시행령 제2조에 따른 노인성 질병으로 한정) 장기요양인정 점수가 45점 이상 51점 미만인 자
인지지원등급	치매환자로서(노인장기요양보험법 시행령 제2조에 따른 노인성 질병으로 한정) 장기요양인정 점수가 45점 미만인 자

5) 등급 판정 절차

① 인정 신청 : 국민건강보험공단 기출

② 방문 조사 : 간호사, 사회복지사, 물리치료사 → 장기요양인정조사표에 의한 52개
  항목 조사, 25개 욕구 조사

③ 장기요양인정점수 산정 + 의사 소견서 제출

④ 등급판정위원회 심의 판정 → 등급

6) 방문간호

① 대상자 : 장기요양인정 5급 판정 이상을 받은 자

② 내용 : 진료의 보조, 간호, 요양에 관한 상담 및 구강위생 제공

③ 방문간호지시서 기출

  – 의사, 한의사, 치과의사가 장기요양인정자를 직접 진찰 후 발급

  – 유효기간 : 발급일로부터 180일 이내(기출 21하)

  – 비용 부담 : 본인부담금 20% / 공단 80%(기초수급자 무료)

7) 방문간호조무사의 자격요건

① 간호조무사 자격증을 소지

② 최근 10년 이내에 3년 이상 간호보조업무 경력이 있는 자로서 보건복지부장관이 정하는 소정의 교육을 이수한 자

③ 이론 360시간, 실습 340시간 총 700시간의 교육을 받고, 방문간호 간호조무사 자격을 취득한 후, 노인을 대상으로 방문간호, 방문요양, 방문목욕 등의 재가 서비스를 제공함

7. 국가 시행 정기 암검진 (기출 20상) (기출 21하)

① 종류 : 위암, 대장암, 간암, 유방암, 자궁경부암, 폐암 [기출]

② 대상자 : 만 40세 이상의 간경변증 환자, B형 바이러스 항원 양성자, C형 바이러스 항체 양성자, B·C형 간염 바이러스에 의한 만성 간질환 환자 등 고위험군 [기출]

③ 6개월 주기로 간초음파검사 및 혈청 알파태아단백검사를 지원

8. 진료보수 지불제도(의료비 지불방식)의 종류 (기출 19상) (기출 20상) (기출 20하) (기출 21하)

1) 행위별수가제

① 제공된 의료서비스의 단위당 가격에 서비스의 양을 곱한 만큼 보상하는 방식(양질의 서비스가 제공) [기출]

② 의사의 시술 내용에 따라 값을 정하며 의료를 공급(과잉진료의 가능성) [기출]

③ 진료행위 자체가 기준

2) 포괄수가제 : 진단명에 따라 진료비를 포괄적으로 책정하여 지불하는 방식 [기출] [기출]

3) 인두제 : 등록된 환자 또는 주민의 수에 따라 일정액을 보상받는 방식

4) 봉급제 : 제공된 서비스의 양이나 사람의 수에 관계 없이 일정 기간에 따라 보상하는 방식

5) 총괄계약제 : 지불자측과 진료자측이 진료보수 총액의 계약을 사전에 체결하는 방식 (주로 독일에서 시행)

6) 본인일부부담금제도

① 의료비의 일부를 대상자가 부담하게 하는 제도

② 의료이용의 남용(불필요한 의료서비스)을 억제하여 보험재정을 안정화시킬 수 있음

9. 행위별수가제와 포괄수가제의 비교 (기출 19하) (기출 21상)

행위별수가제(사후보상결정 방식)	
장점	단점
• 의료서비스의 양과 질의 확대 기출 • 의료인의 재량권 확대(의료인의 자율보장) • 첨단 의·과학기술의 발달 유도 • 전문적 의료수가결정에 적합 • 가장 현실적·합리적 • 원만한 의사와 환자관계 유지 • 의사의 생산성 증가	• 의사의 수입과 행위가 직결되므로 과잉진료와 의료남용 우려 • 의료비 지급에서는 과잉진료를 막기 위해 심사, 감사 또는 기타방법을 동원하므로 행정적으로 복합적인 문제 발생 • 의료인과 보험자 간에 갈등요인을 안고 있음 • 예방보다는 치료에 치중 • 기술지상주의 팽배 가능성 • 상급병원으로 후송을 기피

포괄수가제	
장점	단점
• 과잉 진료 억제 기출 • 병원업무의 표준화(진료의 표준화) • 예산 통제 가능성이 큼 • 부분적으로 적용가능 • 병원 생산성 증가 • 진료비 청구심사·지불심사의 간소화	• 서비스가 최소화·규격화되는 경향 • 행정적으로 진료진에 대한 간섭요인증가 (의료행위의 자율성 감소) • 합병증 발생 시 적용 곤란 • 과소 진료의 우려 • 신규 의학기술에는 적용이 어려움

10. 우리나라 의료비 지불방식

① 요즘에는 포괄수가제를 도입 → 의료비 상승을 억제하는 장점

② 지불단위가 하나하나의 행위에서 여러 행위들의 묶음으로 포괄화됨에 따라 진료비의 청구심사·지불절차가 간단해짐

CHAPTER
03 환경보건

제1장 | 환경의 요소

1. 기후의 3요소 : 기온, 기습, 기류

1) 온열요소 : 기온, 기습, 기류, 복사열

① 기온 : 대기의 온도

② 기류 : 공기의 온도, 압력차에 의해 움직이는 대기상태

③ 기습 : 대기 중에 포함된 수분의 양으로 기온에 따라 변화

④ 복사열 : 태양의 적외선에 의한 열

2) 기온

① 쾌적 감각온도 : 무풍상태의 100% 포화습도일 때 온도(체감온도)

② 성별, 연령, 피복, 계절 등에 따라 차이가 있음

③ 겨울철 66°F(18.9℃), 여름철 71°F(21.7℃)임

3) 기습

① 비교습도(상대습도) : 현재 공기 1 m³ 내 포화상태에서 함유할 수 있는 수증기의 양과 현재 공기 속에 함유되어 있는 수증기의 양과의 비를 %로 표시한 것

② 절대습도 : 공기 1 m³ 중에 함유된 수증기량이나 수증기의 장력을 의미

③ 쾌적함을 느끼는 습도
- 40~70%, 습도는 정오가 지나서는 최소, 밤에서 아침까지는 최대
- 낮에는 태양열을 흡수하여 대지의 과열방지
- 밤에는 지열의 발산을 방지하여 온도의 급격한 저하를 방지

4) 기류

① 불감기류 : 0.5 m/sec 이하
② 무풍 : 0.1 m/sec
③ 쾌감기류 : 실내(0.2~0.3 m/sec), 실외(1 m/sec 전후)

5) 공기의 자정작용

① 희석작용 : 바람
② 세정작용 : 비, 눈
③ 산화작용 : 산소, 오존, 과산화수소
④ 살균작용 : 자외선
⑤ 교환작용 : 산소와 이산화탄소

6) 페텐코퍼 : 환경위생학을 근대과학으로 발전시킴

7) 우리나라 환경위생학의 효시 : 지석영 선생 → 1879년 처음 종두법 실시

2. 태양광선

1) 적외선

① 열선, 온도 상승으로 혈관확장, 홍반, 화상, 현기증, 일사병, 백내장 등을 유발
② 파장 7,800Å 열선
③ 운동에너지 증가, 조직온도 상승

2) 자외선

① 신진대사와 적혈구생성 촉진, 백혈구, 혈소판이 증가
② 체내 비타민 D형성, 구루병 예방

③ 피부침착, 피부암, 백내장, 홍반, 포피박리, 피부노화, 안검부종, 결막염 등을 유발

④ 특히 임파선, 뼈, 관절 등의 피부결핵 및 관절염 치료

※ 건강선(Dorno 선) : 자외선 중 2,920~3,150Å 파장, 인체에 유익한 작용(살균, 소독, 비타민 D 합성)

3) **가시광선** : 망막시세포 자극, 색깔과 명암 구별

3. 우리나라 환경부의 미세먼지 농도별 등급 (기출 20상)

등급	농도	수준
좋음	PM$_{10}$ 0~30(μg/m^3) PM$_{2.5}$ 0~15(μg/m^3)	대기오염 관련 질환자군에서도 영향이 유발되지 않는 수준
보통	PM$_{10}$ 31~80(μg/m^3) PM$_{2.5}$ 16~35(μg/m^3)	환자군에게 만성 노출 시 경미한 영향이 유발될 수 있는 수준
나쁨	PM$_{10}$ 81~150(μg/m^3) PM$_{2.5}$ 36~75(μg/m^3)	환자군 및 민감군(어린이, 노약자 등)에게 유해한 영향 유발, 일반인도 건강상 불쾌감을 경험할 수 있는 수준 기출
매우 나쁨	PM$_{10}$ 151(μg/m^3) 이상 PM$_{2.5}$ 76(μg/m^3) 이상	환자군 및 민감군에게 급성 노출 시 심각한 영향 유발, 일반인도 약한 영향이 유발될 수 있는 수준

4. 불쾌지수(DI)

※ 온도와 습도의 영향에 의하여 인체가 느끼는 불쾌감을 숫자로 표시

① DI≧70일 때 : 10% 사람이 불쾌감을 호소

② DI≧75일 때 : 50% 이상의 사람이 불쾌감을 호소

③ DI≧80일 때 : 거의 모든 사람이 불쾌감을 호소

④ DI≧86일 때 : 견딜 수 없는 상태

5. 환경보호 대책

1) **직접 규제** : 법 위반시 행정상 강제조치나 형법상 제재를 가하는 방법(환경보호법 제정)

2) **경제적 유인제도**
   ① 폐기물처리 부담금(생산자 부담)
   ② 배출물처리 부담금(생산자 부담)
   ③ 환경개선 부담금(사용자 부담)
   ④ 수질개선 부담금(사용자 부담)

3) **환경영향평가제도** : 환경에 미치는 영향이 큰 법률, 정책, 개발사업 시행 전 예측, 평가하여 영향을 최소화하거나 방지

6. 환경 관련 용어 (기출 19상)

1) **님비(NIMBY)** 기출
   ① not in my backyard의 약자
   ② 늘어나는 범죄자, 마약중독자, 장애인 아파트나 재활원, 산업폐기물, 쓰레기 등의 수용·처리시설의 필요성에는 근본적으로는 찬성하지만, 자기 주거지역에 이러한 시설물이 들어서는 데는 강력히 반대하는 현대인의 자기중심적 공공성 결핍증상

2) **핌비(PIMBY)**
   ① please in my backyard의 약자
   ② 지역 사회에 도움이 되는 수익성 사업을 자신의 지역에 유치하고자 하는 지역 이기주의 (↔ 님비현상)

3) **임피(IMFY)**
   ① in my front yard의 약자
   ② 자신이 거주하는 지역에 유리한 시설이나 그에 관한 권리를 끌어오려고 적극적으로 행동하는 현상(↔ 님비현상)

제2장 | 환경오염

대기오염

1. 대기 오염이 가장 잘 발생할 수 있는 기상 조건

1) 기온역전현상(상부기온이 하부기온보다 높을 때)

① 기온 : 높이의 증가에 따라 100 m에 0.56℃ 온도가 낮아지는데

② 반대인 경우 지상고도에 따라 기온이 상승하는 현상

③ 기온역전 발생 : 바람이 없는 맑은 날, 춥고 긴 겨울, 눈이나 얼음 등이 지면에 덥힐 때 나타남

④ 스모그 현상을 유발 : 대기오염의 주범

2) 링겔만스모그 챠트 : 매연량 측정방법(연기의 농도 측정)

3) 대기오염의 피해

① 인체에 대한 피해 : 호흡기질환, 시야 방해, 불쾌감

② 식물에 대한 피해 : 농작물 생장 억제, 조직파괴

③ 재산상의 피해 : 건물수명 단축, 세탁물 오염

④ 자연환경의 악화 : 쾌적한 생활 저해

2. 대기오염 요인과 현상 (기출 19상) (기출 21상) (기출 21하)

1) 일차오염물질 : 발생원에서 직접 대기로 방출되는 오염물

2) 이차오염물질 : O_3(오존), 스모그, PAN, 알데하이드 기출

3) 대기 오염도 측정의 지표로 사용 : 일산화탄소(CO), 분진(먼지), 아황산가스(SO_2)

4) 대기가스 종류

① N_2 (질소) : 78%, 질소산화물(NOx)을 형성하여 대기오염의 원인이 됨

② CO_2 (이산화탄소) : 무색, 무취의 비독성 가스, 실내공기 오염의 지표

③ CO (일산화탄소)

    – 자동차 배기가스 발생

    – 유기물 불완전 연소 시 발생

    – 무색, 무취, 맹독성 기체

    – 저산소증 초래

④ SO_2 (아황산가스)

    – 무색, 자극성 기체

    – 경유사용 차량에서 많이 발생

    – 허용기준 : 0.02 ppm 이하(환경기준)

⑤ O_3 (오존) : 자외선을 차단, 탈취, 살균효과, 탈색의 자극성 가스

⑥ NOx (질소산화물) : 대기오염과 식물에 유해한 오염물질

⑦ HC (탄화수소) : NO와 함께 태양광선에 의해 2차 오염물질을 생성함

5) 열섬현상 : 도심은 인위적으로 교외에 비해 약 5℃정도 높게 되어 대기오염물질, 수증기, 열의 발생량이 커지는 현상

6) 엘리뇨 현상

① 남미 에콰도르, 페루 연안, 난류의 비정상적인 해면온도 상승, 조류 이변이 생김

② 영향 : 기상, 어업, 경제 등 여러 방면에 영향, 특히 홍수나 가뭄을 야기 함

7) 온실효과(지구 온난화)

① 대기 중 탄산가스의 증가로 적외선 부근의 복사열이 흡수되기 때문에 기온상승

② 생태계의 파괴, 해수면 상승 등으로 기후변화의 요인으로 작용 되고 있음 [기출]

8) 산성비

① 공장이나 자동차 배기가스에서 배출된 황산화물이나 질소산화물이 황산, 질산 등의 형태로 빗물에 섞여 내리는 것 [기출]

② 빗물이 pH 5.6 이하 → 식물 피해, 삼림 황폐화, 토양 오염, 호수 및 하천의 산성화, 건축재료 및 금속 부식 [기출]

3. 오존층 파괴 (기출 21상)

① 오존층 : 고도 20~30 km의 대기층에서 유해한 자외선을 흡수하여 지구상의 생물을 보호하고 물을 정화시키는 일을 함 기출

② 주로 자동차 배기가스에 의해 발생

③ 유해자외선이 인체에 피부암, 백내장, 면역기능 약화, 지구 온난화 등의 피해를 줌

④ 지구 온난화의 피해를 주는 이차 대기오염물질

⑤ O_3(오존) : 이차오염물질(질소산화물, 탄화수소 등은 오존층을 파괴)

실내오염

4. 실내오염 (기출 19하) (기출 20상) (기출 20하)

1) 산소(O_2) : 20.95%

① 인체와 가장 밀접한 관계

② 생체 호흡시 영양소의 연소 시 소비

③ 식물의 동화작용에서 발생

④ 혈중 산소(PaO_2) 정상치 : 80~100 mmHg

2) 이산화탄소(CO_2)

① 동물의 대사와 연료 연소 시

② 허용농도 : 0.1%

③ 함량↑ : 온실효과를 일으켜 군집독(실내오염의 판정지표) 기출

3) 군집독 : 환기가 불충분한 실내에 많은 사람이 장시간 군집하여 있을 때 나타나는 현상. (ex : 극장, 만원버스 등)

① 혈중 이산화탄($PaCO_2$) 정상치(35~45 mmHg)

② 증상 : 피로권태, 오심구토, 식욕부진, 두통, 현기증

③ 예방 : 적절한 환기 기출

4) 새집증후군

① 새로 지은 건물 안에서 거주자들이 느끼는 건강상 문제 및 불쾌감

② 집이나 건물을 새로 지을 때 사용하는 건축자재나 벽지 등에서 나오는 유해물질

　　: 벤젠·톨루엔·클로로폼·아세톤·스타이렌·포름알데히드 등의 발암물질 기출

③ 예방 : 건축 시 친환경 소재를 사용, 환기, 공기정화용품 사용

수질오염

5. 물의 자정작용

※ 하수나 공장폐수 등 오염된 물을 방치해 두면 점차적으로 침전·분해되어 자연적으로 안정된 자연수로 환원되는 현상

① 물리적 작용 : 희석, 침전, 응집, 폭기, 흡착, 살균

② 화학적 작용 : 산화, 환원작용

③ 생물학적 작용 : 미생물에 의한 유기물질 분해작용

④ 최소 0.2 ppm이 되어야 잔류효과를 냄

6. 물의 소독

1) 염소소독

① 소독력이 강하고 잔류효과가 크고 조작이 간편, 가격이 저렴함

② 단점 : 냄새와 독성이 있음

③ 표백분 : 염소소독제 중에서 유효염소량이 가장 많은 것

2) 활성탄

① 물의 냄새와 맛을 제거하는데 가장 효과적인 것

② 활성탄법 : 강한 흡착력으로 독성물질 제거, 중금속을 제거하는 화학적여과지

3) 맛, 냄새, 색도의 제거 : 활성탄법, 약품침전법, 여과법, 폭기법으로 제거

4) 유리잔류염소량 : 0.2 ppm 이상이어야 소독이 완전함

7. 음용수 수질기준 중 분변오염의 지표 (기출 19상)

1) 대장균

① 대장균군은 검출이 쉽고 병원균보다 저항력이 강해 분변성 오염의 지료로 이용,
   분변오염의 증거이기 때문에 수질오염의 지표임

② 기준 : 100 cc 중 검출되지 아니할 것 기출

2) 음용수 수질기준

① 일반세균 : 1 cc 중 100 마리를 넘지 아니할 것

② 탁도 : 물의 탁한 정도를 표시 → 2도 이하를 넘지 아니할 것

③ pH(수소이온농도) : 5.8~8.6

④ 용존산소 : 수중에 녹아 있는 산소, 물의 오염도를 나타내는 지표

⑤ 과망간산칼륨 : 하수, 공장 폐수, 분뇨 등에 의해 증가 → 소비량이 10 mg/L 넘지
   아니할 것

8. 오염된 음료수에 의해서 매개될 수 있는 질환

① 수인성(물) 전염병 : 장티프스, 파라티프스, 이질, 콜레라, 유행성 간염, 기생충
   감염, 소아마비

② 야토병 : 야생토끼

③ 파상풍 : 오염된 흙, 먼지, 동물의 대변

④ 디프테리아 : 세균

⑤ 홍역 : 바이러스

⑥ 브루셀라증 : 감염된 동물의조직, 체액, 멸균처리 안된 유제품

9. 상수의 정수

① 정수 과정 : 침사지 → 침전지 → 여과지(완속여과지, 급속여과지) → 소독(염소처
   리–산화력) → 배수조 → 급수

② 완속여과법와 급속여과법의 비교

완속여과법	급속여과법
영국식(테임즈강) 보통침전 사면대치 3 m/일 넓은 장소 전처리 불필요	미국식 약품침전 역류세척 120 m/일 좁은 장소 전처리 필요 원수의 오염이 심할 경우

10. 도시 하수처리 (기출 21상)

1) 하수도 정수 과정 : 스크리닝 → 침사 → 침전 → 생물학적 처리(활성오니법) 기출

2) 하수처리 방법 분류

① 호기성 처리 : 관계법, 산화지법, 살수여상법, 활성오니법

② 혐기성 처리 : 부패조, 임호프탱크법(정화조), 메탈발효법(혐기성 소화조)

3) 활성오니법(호기성 처리) :

① 수중의 미생물을 폭기(산소주입)작용에 의해 호기성균의 활동을 촉진시켜 유기물질을 분해하는 방법(활성슬러지법)

② 도시하수의 대부분은 생물학적 처리방법인 활성오니법을 사용하고 있음

③ 가장 발전된 하수처리법(1912년 영국 처음 사용)

④ 폭기시간 : 2~3주 소요

⑤ 일반 도시하수 : 4~6시간 정화 됨

⑥ 토지가 적게 들고 파리, 모기 발생을 방지 함

4) 임호프탱크법(혐기성 처리, 정화조)

① 희석된 분뇨를 고체 액체 분리 및 부패작용 원리를 이용한 임호프탱크 방식에 의한 혐기성 처리방식(도시 분뇨처리)

② 1907년 독일의 Imhoff 가 고안

③ 위의 짐전실과 아래의 침사실 2단조

④ 침전실 : 부패작용 없이 고체·액체의 분리작용

⑤ 침사실 : 침전실에서 내려온 오니를 혐기성균에 의해 충분히 부패한 후 방출하도록 함

⑥ 장점 : 부패실에서 발생하는 가스와 스컴이 침전실로 역류되는 것을 방지

11. 수질 오염 지표 (기출 19하) (기출 20하) (기출 21하)

1) 용존산소량(DO)

① 정의 : 수중에 녹아 있는 산소로 물의 오염도를 나타내는 지표

② 순수한 물 : 용존산소 최대

③ 5 ppm 이하 : 생물 생존 불가능

④ 용존산소 높다 → 깨끗한 물 → 물의 오염도가 낮다. 기출

⑤ 용존산소 낮다 → 더러운 물 → 물의 오염도가 높다.

2) 화학적 산소요구량(COD)

① 수중의 유기물을 산화제에 의해서 산화시킬 때 요구되는 산소량으로 수질오염의 화학적 지표(공장폐수)

② 호수나 바닷물의 오염도 측정기준

③ 수중의 오염물이 화학적인 산화제에 의해 분해될 때 소비되는 산소량을 ppm으로 표시한 것

3) 생물학적 산소요구량(BOD)

① 수중에 있는 유기물질을 미생물에 의해서 호기성 상태로 분해, 산화시키는데 요구되는 수질 오염 지표 기출 기출

② 100% 산소농도, 20℃의 어두운 곳에서 5일 후에 소비된 산소농도로 측정

③ 오염된 해역에서의 BOD는 높게 나타난다.

4) 대장균 검사 : 100 cc 중 미검출(다른 병원성 미생물의 존재를 간접 시사)

12. 수질 오염 현상

1) 부활현상 : 염소 소독된 물은 세균이 거의 0에 가깝게 감소되는데 어떤 경우에는 염소처리 얼마 후에 세균이 평상시보다 증가하는 경우를 말함

① 식균 생물이 전부 사멸되면 잔존해 있던 세균이 급증

② 조류가 사멸되면 남아 있는 세균이 이를 영양원으로 번식

③ 염소성분이 소실되면 아포형성균이 발아증식하여 발생함

2) 적조현상

① 미세한 플랑크톤이 바다에 무수히 발생 → 해수가 적색을 띠는 현상

② 수심이 얕으며 해안선이 복잡한 곳에서 주로 발생함

③ 용존산소가 감소 → 어류 질식사

3) 부영양화 현상

① 도시하수나 농업폐수의 유입

② 질소와 인 등의 영양염류를 증가 : 조류나 동식물성 플랑크톤이 과도하게 번식하는 수질오염현상

③ 생활용수의 악취 발생

4) Mills-Reincke 현상(밀스-라인케)

① 물의 여과, 소독 시 전염병의 발생이 감소하는 현상

② 여과에 대한 정수작용의 효과를 의미

▎중금속 오염

13. 중금속 오염

1) 수은 중독(미나마타병)

① 유기수은에 의해 오염된 어패류를 장기간 대량 섭취해서 일으키는 중추신경계 질환

② 증상 : 사지마비, 시청각 기능장애, 보행장애, 언어장애, 선천적 신경장애 등

③ 1953년~1960년 사이 일본에서 산업폐수로 오염된 생선 섭취 후 중독환자 발생

2) 카드뮴(이따이 이따이병)

① 칼슘 상실과 불균형

② 골연화증, 보행 장애, 심한 요통, 관절통

③ 식욕부진, 허약, 구토, 폐렴, 기침, 흉통, 장기 손상(폐, 간, 신장)

3) 기타 중금속 중독

① 페놀 : 피부와 폐자극, 장기의 손상(폐, 신장, 신경계)

② 크롬 : 폐암, 피부궤양

③ 베릴륨 : 폐암, 간과 신장의 손상, 베릴륨폐종

식품 오염

14. 식품위생 (기출 19상) (기출 19하)

1) 정의 : 식품, 첨가물, 기구 또는 용기, 포장 등을 대상으로 하는 음식물에 관한 모든 위생(식품위생법)

2) 식품의약품안전청

① 식품의 품질관리 및 연구평가, 국가검정의약품의 업무를 맡고 있는 기관

② 주요기능 : 식품의약품 위생관리, 의약품의 안전성과 유효성 점검

3) 식품의 변질 : 식품에 미생물이 증식하면 부패 → 발효 → 변패가 차례로 일어남

① 부패 : 단백질 식품에 미생물이 증식하여 분해되는 현상

② 발효 : 탄수화물 식품에 미생물이 증식하여 분해되는 현상

③ 변패 : 당질, 지방질 식품에 미생물이 증식하여 분해되는 현상

4) 식품의 보존법

① 물리적 보존법 : 건조법, 냉동냉장법, 가열법, 밀봉법, 자외선 이용, 통조림법(가스 제거 및 밀봉) **기출** 👆

② 화학적 보존법 : 절임법(소금 – 염장법, 설탕, 식초 등), 당장법, 훈연법(연기), 훈증 가스법, 방부제 **기출** 👆

③ 저온살균법 : 우유의 영양을 유지하기 위한 방법으로 가장 적당한 소독법(63℃에서 30분간 살균)

5) 냉장 보관 목적

① 미생물 번식억제, 식품변질 억제, 음식물 자기소화 억제, 식품신선도유지

② 10℃에서 세균발육억제

③ −5℃ 이하면 대부분 미생물 발육억제

15. 식중독의 분류 (기출 20상) (기출 20하) (기출 21상) (기출 21하)

1) 세균성 식중독

유형	중독	원인		증상 및 특징
감염형	살모넬라증	육류, 유제품, 어패류 등		• 설사, 복통, 구토, 발열 등 • 잠복기 : 12~24시간(48시간, 길다), 발병률 75% 이상 • 저온살균
	장염비브리오 기출	생선회, 어패류 생식 시		• 급성 위장염(복통, 설사, 구토증) • 잠복기 : 8~20시간 정도 • 여름철에 국한해서 발생
	병원성 대장균	분변에 의한 식품 오염물		• 급성위장염, 두통, 발열, 구토, 설사, 복통 등
		장출혈성 대장균 기출	• 주로 소고기 → 햄버거	• 용혈성 요독 증후군이 발생
독소형	포도상구균 기출	• 엔트로톡신(장독소) 기출 • 우유, 빵, 케이크 등 유제품		• 우리나라에서 가장 많은 식중독 (식중독의 30%) • 구토, 복통, 설사 등 급성 위장염 증상
	보툴리누스균	• 밀봉식품(통조림, 병조림), 소시지		• 복통, 구토, 언어장애, 호흡곤란 등 • 잠복기 : 12~36시간 정도 • 치명률 : 6.7%(가장 높은 치사율)
	부패산물형	• 꽁치, 정어리, 고등어 등 • 단백질 부패		• 히스타민 중독형
생체 독소형	웰치균	• 토양에서 발견 • 육류가공식품, 어패류가공식품		• 감염형과 독소형의 중간 • 복통, 구토, 심한 설사

2) 자연독 식중독

유형	중독	원인	증상
식물성 자연독	감자	솔라닌	구토, 복통, 설사, 언어장애 등
	버섯	무스카린	위장형 중독, 콜레라형 중독, 신경장애형 중독 등
	보리	에르고톡신	위궤양 증상과 신경계 증상
	미나리	시큐톡신	구토, 현기증, 경련, 호흡곤란 등
	매실	아미그달린	마비
	밀, 보리, 이삭	태물린	교감신경 차단, 자궁수축 이상
	쌀, 견과류, 옥수수	아플라톡신	발열, 복통, 구토, 간염 유발
동물성 자연독	조개	미틸로톡신	신체마비, 호흡곤란 등
	굴	베네루핀	출혈반점, 혈변, 혼수상태 등
	복어	테트로도톡신	구토, 근육마비, 호흡곤란, 의식불명

3) 화학성 식중독

유형	중독	원인	증상
유독 금속류	납	용기, 조리기구	빈혈, 구토, 복통, 설사
	구리	식기, 냄비, 주전자	마비, 신경장애
	수은	어류	구토, 복통, 설사, 경련, 신경장애
	비소	농약 첨가물	마비 → 사망
	카드뮴	식기, 용기 등의 도금	구토, 경련, 설사
유기화합물	메틸알코올	–	식중독, 만성장애 → 암 복통, 두통, 설사, 실명 등
	식품첨가물	합성조미료, 표백제	
	용기, 포장 용출물	합성수지제 식기	
	유기살충제	농약	

16. 매개체 별 질병

1) 쥐

① 바이러스성 : 유행성 출혈열

② 세균성 : 페스트, 렙토스피라증, 서교열

③ 리케치아성 : 발진열, 쯔쯔가무시병, 발진티푸스

④ 기생충 : 선모충증, 아메바성 이질

2) 파리

① 소화기계 : 장티푸스, 이질, 콜레라, 파라티푸스

② 호흡기계 : 결핵, 디프테리아

③ 화농성 : 피부병

④ 기생충 : 회충, 편충, 십이지장충

3) 이 : 발진티푸스, 재귀열

4) 모기 : 일본뇌염, 말라리아, 황열, 사상충증

5) 진드기 : 유행성출혈열, 쯔쯔가무시증(양충병), 록키산홍반열

17. 위생해충 구제

1) 방법

① 물리적 방법: 끈끈이, 쥐덫, 접착판 등

② 환경적 방법 : 가장 근본적인 방법, 발생원 및 서식처 제거

③ 생물학적 방법 : 천적이용

④ 화학적 방법 : 화학약품 사용, 생태계 파괴 우려

2) 구충과 구서의 원칙

    ① 광범위하게 동시에 구제

    ② 발생원 및 서식처 제거 : 가장 근본적이고 최선의 방법

    ③ 발생초기에 구제

    ④ 대상 동물의 생태습성에 따라 구제

폐기물 오염

18. 쓰레기(생활폐기물) 처리 방법 (기출 19하) (기출 20하)

1) 퇴비처리법

    ① 농촌에 적합한 방법, 쓰레기를 4~5개월 발효시켜 퇴비로 사용

    ② 음식물과 낙엽을 처리하는 가장 좋은 방법

2) **매립법** : 땅에 파묻는 방법

    ① 지하수 오염, 악취발생, 위생해충발생 우려 기출

    ② 처리 비용이 낮고, 공정이 간단하여 고형폐기물 처리 시 사용

    ③ 우리나라에서 가장 많이 사용하는 방법(소도시)

3) **소각법**

    ① 도시 쓰레기, 병원쓰레기, 감염성 폐기물 처리로 적합

    ② 가장 위생적인 방법이나 고비용, 대기오염 우려 기출

4) **투기법(방기처분)**

    ① 땅이나 강, 바다에 버리는 방법

    ② 가장 비위생적, 악취발생, 감염병 전파의 매개체, 수질오염

5) **고형화법** : 폐기물을 고체 형태로 고정하는 물질과 혼합함으로써 고정하고 안정화하는
    처리방법

6) 쓰레기의 비위생적 매립이 국민보건에 미치는 직접적인 영향

① 지하수 오염, 토양오염, 해충발생, 악취발생

② 먼지 등에 의한 호흡기나 피부의 침해, 악취발생, 위생동물(쥐, 파리, 바퀴, 진드기 등)의 발생, 병원성 미생물의 전파 등 직·간접적으로 건강과 생활에 악영향을 주게 됨

19. 분뇨의 위생적 처리

1) 목적

① 소화기계 전염병 방지

② 기생충 질환 방지

③ 수인성 전염병 방지

④ 세균성 전염병 방지

⑤ 환경위생 개선

2) 비료 사용 시 분뇨의 부숙기간 : 겨울 3개월, 여름 1개월 이상

CHAPTER 04 산업보건

제1장 | 산업보건의 이해

1. 산업보건의 목적

① 근로자의 건강과 복지확보(건강증진)

② 적합한 근로환경고려

③ 작업능률향상(생산성 향상) : 근로자들이 유해인자들로부터 노출되는 것을 예방

④ 직업병예방 : 작업조건 때문에 발생하는 질병을 예방

⑤ 산업재해 방지 : 신체적·정신적·사회적 안녕상태 유지·증진

⑥ 산업피로 예방 : 생리적·심리적으로 적성에 맞는 작업장 배치

2. 근로기준법상 보호연령

1) 15세 이상~18세 미만

2) 작업시간 제한 : 1일 8시간, 주 40시간 초과 못함

3) 임산부와 18세 미만자는 도덕상, 보건상 유해 사업장 근로고용 금지

① 13세 이하 : 고용금지

② 여성 근로자 보호

③ 생리휴가 – 월1회, 산전·산후 휴가 – 6~8주

④ 서서하는 작업의 시간조정, 휴식시간 조정

⑤ 작업조건과 냉·난방 고려

3. 산업장의 근로자 건강진단의 목적

① 근로자의 기능 간 조화를 확인

② 근로자가 일에 적합한 특성을 지니고 있는지 확인

③ 건강장해를 조기 발견하여 관리

④ 산업재해 보상의 근거

⑤ 작업이 근로자의 건강에 불리한 영향을 미치지 않는지 발견하기 위함

4. 근로자 건강진단 구분 (기출 19하)

① 일반 건강진단 : 취업 배치 후 근로자의 건강상태를 정기적으로 파악하여 위험 요인이 될 수 있는 건강장해를 조기 발견하기 위해 실시(사무직 : 2년에 1회 이상 / 기타 근로자 : 1년에 1회 이상) 기출

② 수시 건강진단 : 유해인자에 의한 직업성 천식, 피부염 기타 건강장해의 의심 증상 및 의학적 소견이 있는 근로자 질환 조기발견 위해 실시

③ 특수 건강진단 : 직업병 검출을 목적으로 위험 업무, 유해 업종 근로자에게 정기적으로 실시

④ 배치 전 건강진단 : 신규채용 또는 작업부서 전환으로 특수 건강진단 대상 업무에 종사할 근로자에게 실시

⑤ 임시 건강진단 : 특수 건강진단 대상 유해인자에 의한 중독 여부, 질병의 이환 여부, 질병의 발생 원인 등을 확인하기 위해 실시

제2장 | 산업장 건강문제

1. 직업과 직업병 (기출 19상) (기출 20상) (기출 20하)

1) 직업병

① 근로자들이 그 직업에 종사(특수한 직업환경에 노출)함으로서 발생하는 상병

② 작업장의 환경불량, 주 적당한 근로조건(작업과중, 운동부족 등)으로 발생

③ 예방이 가능하며 만성의 경과를 거치며 특수검진으로 판정함

2) 잠함병 : 이상고기압에 의한 장애(잠수부, 갱내 터널작업자, 해녀 등) 기출

① 고압의 작업 후 급속히 감압이 이루어질 때 체대에 녹아있던 질소가스가 혈중으로 배출되어 공기색전증을 일으키는 병

② 대책 : 단계적 감압

③ 1기압 감압에 20분 이상 소요, 고압 폭로시간 단축, 감압 후 산소공급, 작업 중 고지 방식이나 알코올 음용 금지 등

3) 고산병 : 이상저기압에 의한 장애(항공기 조종사, 등산가)

4) 규폐증

① 채석공, 채광부, 연마공

② 유리 규산의 분진 흡입으로 폐에 만성 섬유증식을 일으키는 직업병

5) 진동장애

① 레이노드씨병(착암공, 연마공, 분쇄기공)

② 진동에 의한 특히 사지, 손과 발의 국소성 혈관경련에 의한 발작성 청색증과 통증을 유발하는 직업병

6) VDT 증후군 : VDT(시각표시단말기를 의미) 사용자

① 컴퓨터, 워드 프로세스, 팩시밀리 등 사무자동화로 인한 작업환경, 공간, 난이도, 시간 등 각종 영상 표시단말기를 취급하는 작업에서 발생하는 근골격계 건강장애

② 눈의 피로, 경견완증후군(목, 어깨, 팔, 손가락 장애와 등, 허리의 요통) 정신신경장애(불안, 초조, 신경질, 두통 호소), 임신, 출산의 이상 등 기출

7) **조명부족** : 시계공, 정밀기계공(근시, 안정피로, 안구 진탕증)

8) **소음성 난청** : 조선공, 제관공, 금속공(청력저하, 이명, 두통 등)

9) **납중독** : 축전지제조공, 인쇄, 납 제련(빈혈, 소화기, 정신신경장애) 기출

10) **유해 방사선** : 용광로 화부, 방사선(동위원소 등)기사(피부암)

11) **수은중독** : 농약제조, 전기분해(구내염, 설사, 피부염)

12) **직업성 난청이 유발될 수 있는 소음의 크기** : 90~120 dB

   ① 소음의 기준 : 연속음으로 8시간 동안 90 dB 이상 폭로되지 않아야 함

   ② 직업성 난청 : 90~120 dB

   ③ 초기난청 : 4,000 Hz

   ④ 통각 : 140 dB 이상

   ⑤ 증상 : 소음성 난청, 혈압상승, 발한, 근육수축

13) **유해 방사선**

   ① 적외선 : 가공열

   ② 자외선 : 설안염, 백내장, 전기안염

   ③ 감마선 : 재생불량성빈혈

14) **이상저온** : 국소의 발적, 동창, 동상, 참호족 발생

   ① 1도 동상 : 발적, 부종

   ② 2도 동상 : 수포형성에 의한 삼출성 염증

   ③ 3도 동상 : 피부와 피하조직 등 국소조직의 괴사상태

   ④ 4도 동상 : 괴사 및 조직의 손실(가장 심각한 상태)

15) **메트헤모글로빈빈혈증**

   ① 아닐린 및 니트로벤젠중독

   ② 염료, 약품, 화학공장(청색증)

16) **열중증** : 고열의 신체장애로 급성 증상(열경련, 열사병, 열허탈증), 만성(열쇠약증)이 있음

   ① 열경련 : 체내 수분 및 염분의 손실

② 열허탈(열피로): 말초혈관 조절장애와 심박출량 부족으로 인한 순환부전

③ 열쇠약 : 만성 체열 소모, 비타민 B_1결핍

④ 열사병 : 체온조절 부조화 → 체온상승 → 중추신경장애(가장 치명적)

2. 직업병 예방대책

1) 작업환경관리

① 근로조건 등의 작업관리

② 생물학적 모니터링

③ 작업환경 모니터링

④ 사용전 독성검사, 대체 또는 제거

⑤ 공학적 제어, 개인보호장비

2) 직업병 관리대책

① 근로자 개인의 철저한 위생관리와 보호구 착용

② 근로자의 적정 배치와 근로시간의 적정화

③ 작업장의 환기 및 작업환경의 개선

④ 정기적인 신체검사 등

3. 산업재해

1) 정의 : 산업장에서 여러 위험요소에 의해 예기치 않은 돌발적인 인명피해와 재산상의 손실을 초래하는 것

2) 산업재해 발생 요인 : 인적 요인(80%), 환경 요인(20%)

① 환경적 요인 : 작업환경의 불량

② 생리적 요인 : 근로자의 체력부족

③ 작업상의 요인 : 작업미숙

④ 관리상의 요인 : 산업장의 관리 태만성

3) Heinrich (하인리히) 법칙 : 하인리히의 :「1 : 29 : 300의 법칙」

    ① 대형사고 발생 전 그와 관련된 수많은 경미한 사고와 징후들이 반드시 존재한다는 것을 밝힌 법칙

    ② 현성재해 : 불현성 재해 : 잠재성 재해

      = 1(큰 재해, 사망 또는 중상) : 29(작은 재해, 경상) : 300(사소한 재해, 무상해 사고)

    ③ 현성재해는 약 1/300에 불과하다고 함

4) 산업재해 지표

    ① 건수율(발생율) $= \dfrac{\text{재해 건수}}{\text{평균 실근로자수}} \times 1,000$

    : 1,000명의 근로자 중에서 연간(혹은 일정기간) 재해건수가 몇 건인가를 나타냄

    ② 강도율 $= \dfrac{\text{근로 손실 일수}}{\text{연 근로 시간수}} \times 1,000$

    ③ 도수율 $= \dfrac{\text{재해 건수}}{\text{연 근로 시간수}} \times 1,000,000$

4. 산업피로 (기출 21상)

1) **정의** : 정신적, 육체적, 신경적인 노동부하에 반응하는 생체의 태도, 질병이 아니라 가역적인 생체변화로서 건강의 장해에 대한 경고반응, 회복되지 않고 축적되는 피로를 의미

2) **발생요인** : 작업부하조건, 작업환경조건, 노동시간과 작업 편성, 생활조건(휴식, 휴양조건), 개인조건(개인적 적응 조건)

3) **산업 피로 예방 대책**

    ① 적절한 휴식과 충분한 영양섭취 기출

    ② 불필요한 동작을 피하고 에너지 소모를 적게 하기 위해 작업에 숙련되어야 하며 훈련 필요함

    ③ 작업에 사용되는 기계와 작업자세는 인간공학적으로 고안되어야 함

    ④ 작업환경을 정리정돈

    ⑤ 개인차에 맞는 작업량을 배분

    ⑥ 작업 전·후 체조나 오락을 실시

⑦ 충분한 수면과 영양을 취함

⑧ 적성에 맞는 작업에 배치

5. 작업환경관리 (기출 21하)

1) 목적 : 작업환경의 조건이나 유해요인을 측정함으로 근로자의 건강·장해를 예방

2) 유해요인의 종류

　① 물리적 인자 : 소음, 진동, 고열, 한랭, 조명, 이상기압 등

　② 화학적 인자 : 유기용제, 중금속, 유해가스, 산 및 알카리, 분진, 화학물질 등

　③ 생물학적 인자 : 세균, 바이러스, 진균 등

　④ 인간공학적 인자 : 작업자세, 작업방법, 작업강도, 작업시간, 휴식시간 등

　⑤ 사회적 인자 : 임금, 교통수단, 공장소재지 등

3) 작업환경관리의 기본원리

　① 대치 : 독성이 적은 물질로 대치(생산공정의 변경 또는 개선, 가장 효과적 방법) 기출

　② 희석, 환기 : 작업장의 오염된 공기를 신선한 공기로 치환(펌프실, 탈의실, 휴게실)

　③ 보호구 착용 : 작업자를 보호하는 마지막 수단(안전안경, 귀마개, 덮개)

　④ 격리 : 작업자와 유해인자 사이에 장벽을 설계하는 방법

　⑤ 교육 : 근로자 및 관리자에게 작업환경 관리의 필요성과 대처방법을 교육

4) 보호구 종류

　① 피부 : 방열복

　② 호흡기 : 분진·미스트 또는 흄이 호흡기를 통해 인체에 유입되는 것 방지(방진마스크, 방족마스크, 송기마스크)

　③ 머리 : 안전모

　④ 눈 : 보안경

　⑤ 얼굴 : 보안경(용접용, 일반용)

　⑥ 발 보호구 : 안전화

　⑦ 손, 팔 : 안전장갑

　⑧ 차음 보호구(방음 보호구) : 귀마개 또는 귀덮개

PART

03

공중보건학

파워 간호조무사 **국가시험 핵심요약집**

파워간호조무사국가시험핵심요약집

CHAPTER 01 공중보건학

제1장 | 공중보건의 이해

1. 공중보건

1) 정의(윈슬로우, Winslow)

지역 사회의 조직적인 노력을 통해 질병을 예방하고, 수명을 연장하여 신체적, 정신적, 사회적 안녕 상태를 가능한 최상의 수준으로 증진시키는 것

2) 공중보건학

① 대상 : 지역사회주민

② 목적 : 질병예방, 수명연장, 육체적·정신적 건강 및 효율의 증진 → 노인 인구가 늘어나고, 환경 및 생활습관의 변화로 발생된 만성질환이나 희귀질환이 처음부터 생기지 않도록 예방하는 것

③ 책임소재 : 공공조직의 책임

④ 연구방법 : 예방의학적 지식을 집단에 적용

3) 공중보건학의 범위

① 보건관리분야 : 보건행정, 보건영양, 인구, 가족, 모자, 학교보건, 보건교육, 보건통계

② 환경보건분야 : 식품위생, 환경위생, 환경보전과 환경오염, 산업보건

③ 의료보장제도 : 저소득 계층의 경제적 부담없이 의료 서비스를 이용할 수 있도록 하여 의료의 형평성, 국민의료비의 적정수준 유지, 의료수급의 효율을 극대화

2. 공중보건사업을 중앙집권제로 시행할 때의 장점

① 시책을 신속하게 수행할 수 있음
② 보건사업의 중복을 피할 수 있음
③ 국가시책이 지방말단까지 골고루 반영될 수 있음
④ 문제지역에 우선적으로 집중투자할 수 있음

3. 건강상태지표 (기출 20하) (기출 21하)

1) 영아사망률

① 연간 출생아 수 1,000명당 생후 1세 미만의 사망자 수의 비율
② 일정 연령군으로 통계적 유의성이 높고
③ 모자보건수준, 환경위생상태, 경제상태, 교육정도의 수준이 높아지면 사망률이 낮아지기 때문에 국가 또는 지역별 건강상태나 보건사업 수준을 평가할 때 가장 많이 사용되는 지표 기출

2) 모성사망률

한 나라의 모자보건 수준 및 지역사회의 전반적인 보건수준을 반영해주는 지표

3) 건강상태를 나타내는 지표(국제간 건강수준 비교척도)

① 평균수명 : 갓 태어난 신생아가 일정한 조건 아래에서 몇 해 동안 생존할 수 있는가 하는 기대연수

② 영아사망률 $= \dfrac{\text{같은 해의 1세 미만 사망아 수}}{\text{일년동안 총 출생아 수}} \times 1,000$

③ 조사망률(보통사망률) $= \dfrac{\text{같은 해의 총 사망자수}}{\text{특정연도의 중앙인구}} \times 1,000$

④ 모성사망률 = $\dfrac{\text{임신, 분만, 산욕에 의한 모성사망수}}{\text{출생아수}} \times 1,000$

⑤ 질병지표 : 유병률과 발생률, 기생충 감염률, 급성감염병 발생률 등

－ 발병률(이환률) = $\dfrac{\text{일정 기간 내에 새로 발생한 환자의 수}}{\text{일정기간 위험에 폭로된 인구수}} \times 1,000$

－ 유병률 = $\dfrac{\text{일정 시점에서 어떤 집단의 환자 수}}{\text{전체 인구수}} \times 1,000$

4) 발병률과 유병률의 관계

① 급성 전염병 : 발병율 높고 유병률 낮다.

② 만성 전염병 : 발병율 낮고 유병률 높다.

③ 질병이환기간이 짧을 때(전염병유행기간) : 발병율과 유병률이 낮다. 기출

5) 우리나라 태아사망(사산) 신고

출생신고의무자 또는 유언집행자가 그 사실을 안 날로부터 1개월 이내에 인지신고지의 시(구)·읍·면의 장에게 신고해야 함

6) 비례사망지수

① 전체 사망자 수 중에서 50세 이상의 사망자 수가 차지하는 백분율

② 비례사망지수 = $\dfrac{\text{같은 해에 일어난 50세 이상 사망자 수}}{\text{일년 동안의 총 사망자 수}} \times 100$

7) 건강수명

① 출생 후 건강한 상태로 살아가게 될 것으로 기대되는 연수

② 평균수명에서 질병이나 부상으로 인하여 활동 하지 못한 기간을 뺀 기간

4. 매슬로우의 인간의 기본욕구(5단계)

• 5단계 : 자아실현의 욕구(가장 상위 단계) →잠재력을 발휘하여 꿈을 실현, 자기만족

↑

• 4단계 : 자아존중감(존중)의 욕구 →타인에게 인정

↑

- 3단계 : 소속(감)과 애정의 욕구 →사회생활, 소속/사랑받는 느낌

  ↑

- 2단계 : 안전의 욕구 →신체적, 정서적 안정

  ↑

- 1단계 : 생리적 욕구(가장 하위 단계) →의.식.주 생활, 생존, 본능

제2장 | 건강과 질병 예방

1. 건강증진

1) 1986년 오타와 헌장채택(세계최초건강증진대회)

2) 국민건강증진법 : 1995년 제정

① 국민소득증대 → 생활수준향상 → 삶의 질 향상 국민욕구 증가 → 질병양상 변화 → 새로운 보건정책요구

② 건강증진계획을 지방행정부가 수립하여 국민의 건강생활 지원

③ 금연과 절주, 건강생활 실천협의회 운영, 보건교육, 영양개선, 구강건강사업, 검진 등의 사업 시행

3) 건강증진의 개념

① 건강 잠재력의 개발과 발휘를 통한 긴깅수준의 향상

② 건강증진 : 현재의 건강 상태를 개선, 증진하고 건강에 대한 욕구를 자극하여 자신의 건강잠재력을 통하여 건강수준을 더 높이는 행위

4) 건강증진의 목표

① 건강할 수 있는 여건을 조성하여 삶의 질 향상과 건강장수

② 4개 영역 : 보건교육, 질병예방, 영양개선, 건강생활의 실천

③ 주된 사업 내용 : 금연, 절주, 건강생활 실천협의회 운영, 구강건강사업, 건강검진 등

④ 궁극적 목표 : 삶의 질 향상과 건강수명 연장

5) 치료보다 질병예방이 강조되는 이유

① 의료비 증가 : 전 국민 의료보험 확대 실시 등과 같은 의료비의 사회적 부담 증가

② 만성질환의 증가 : 감염성 질환에서 비감염성 질환으로, 만성질환 증가, 난치성 질환의 증가

③ 평균수명의 연장 : 평균 수명의 연장으로 노인 인구의 증가

④ 의사 및 의료시설의 증가 : 의사, 의료시설은 더 많아지고 더 세분화, 고급화 됨

⑤ 의료인에 대한 신뢰 증가 : 전문화된 의료인력과 의료기구로 인해 더 정확하게 진단하게 됨

⑥ 건강생활습관의 중요성 증가 : 환경, 생활양식의 변화, 식습관 등으로 인한 질병의 증가

6) 국민건강증진 사업의 필요성

① 국민건강수준과 질병양상 변화로 인해 악성 신생물이나 뇌혈관질환 증가

② 만성 퇴행성 질환 증가

③ 자동차 이용률이 증가하여 사고사 증가

7) 건강증진 프로그램 개발과 전략

① 건강한 공공정책 확립

② 건강지향적 환경 조성

③ 지역사회활동 강화

④ 개인의 기술 개발

2. 건강증진사업

1) 정의

보건교육, 질병예방, 영양개선 및 건강생활의 실천 등을 통하여 국민의 건강을 증진시키는 사업

2) 지역사회 건강증진 사업의 주된 철학

건강생활의 실천을 위한 스스로의 책임을 강조

3) 국민건강증진사업 시 고려해야 할 기준 및 지침

① 국민건강증진사업 : 지역사회 및 공중보건 사업의 한 수단으로 지역사회간호사업의 원칙을 고려
② 예산범위 : 예산범위를 결정
③ 소요인력 : 사업기간과 소요인력
④ 평가시행 : 대상자의 요구 반영, 사업의 전과정에서 평가 시행
⑤ 관련법규 : 관련법령 고려
⑥ 업무지침 : 업무지침을 확인

4) 청소년기 대상자 중심의 건강증진사업

① 청소년기 : 신체적, 정신적, 사회적으로 매우 뚜렷하고 빠른 변화가 일어나는 시기로 이 시기에 경험한 건강 행위는 평생 동안 영향을 미침
② 음주 및 약물중독예방 : 음주, 약물남용
③ 보건교육 및 상담 : 비만, 척추측만증예방, 비행청소년 상담
④ 성교육 및 상담 : 자살예방 사업
⑤ 금연교육 및 여드름 관리 : 흡연, 여드름 관리, 영양관리 등

5) 생애주기별 건강증진사업

① 영·유아기 : 영유아 성장 및 발달 검사(월령별 성장, 발달 수준을 확인)
② 학령기 : 치아관리(비만관리, 자아존중감 증진 등)
③ 장년기 : 만성질환 예방 및 관리(정기건강검진, 비만관리, 알코올 및 카페인섭취 관리, 규칙적인 운동)
④ 노년기 : 치매예방 및 관절염 관리(영양관리, 적절한 운동, 휴식, 정기건강검진, 낙상과 상해 예방을 위한 교육 등)

3. 건강생활실천 분야 중 금연사업

1) 흡연규재

① 19세 미만 담배 판매자 및 흡연과 비흡연 구역 구분 안한 자
② 과태료 부과, 지정 장소 외에 담배 자동판매기 설치 금지 등

2) 금연상담 전화정책

금연교육프로그램 대상자들로부터 전화상담을 통해 금연을 실천할 수 있도록 유혹의 조절, 충동 다스리기 등, 재발처치와 인지적 처치 등을 제공함

3) 금연클리닉 확대운영

금연 운동, 건강 상담 및 건강교실 운영, 흡연과 관련된 질병의 조기 발견을 위한 검진

4) 흡연 모니터링 체계 구축

금연교육프로그램(동기부여단계 → 행동화단계 → 금연유지단계)의 체계를 구축하여 금연행위를 지속할 수 있도록 도움

5) 담배에 관한 광고 금지

제조 담배에 관한 광고 금지와 담배갑 포장지 앞·뒷면에 흡연이 폐암 등의 질병의 원인이 될 수 있다는 경고문구 삽입

4. 질병의 예방활동 (기출 19상) (기출 20상) (기출 20하) (기출 21상) (기출 21하)

1) 일차예방 : 질병발생 억제 단계

① 질병발생 전 건강유지·증진과 질병예방 목적
② 건강수준을 향상시키고, 면역력을 높이는 활동
③ 예방접종, 산전간호, 비만증 예방, 질병 예방, 금연, 금주 건강유지, 증진 활동, 보건교육, 건강상담, 생활조건 개선 기출

2) 이차예방 : 조기발견과 조기치료 단계

① 질병발생 후 신체손상 최소화, 조기진단, 치료 목적
② 병의 진전을 지연시키고, 조기에 발견, 치료하는 활동 기출
③ 정기검진, 결핵환자 X-ray 촬영, 당뇨 환자의 식이, 운동 요법 교육, 합병증 예방을 위한 보건교육, 꾸준하고 지속된 치료 기출

3) **삼차예방** : 재활 및 사회복귀 단계

① 기능을 회복하고 장애를 최소한으로 경감

② 질병의 잔재 효과를 최소화하기 위한 활동

③ 불구를 예방하고 사회 복귀 촉진을 위한 교육 등

④ 재활, 물리치료, 직업치료(고혈압·당뇨병·중풍환자 등), 정신질환자의 퇴원 또는 퇴소 후 사회적응훈련 기출 기출

5. 지역사회에 일차예방이 대두된 이유

① 건강행위의 중요성 증가

② 평균수명의 연장 → 노인인구가 증가

③ 질병의 양상 변화 : 감염성 질환 → 비감염성 질환으로, 만성질환 및 난치성 질환의 증가

④ 의료비의 사회적 부담 증가(전국민 의료보험 확대 실시 등)

CHAPTER 02 질병관리사업

제1장 | 역학

1. 질병발생 3대 요소 (기출 21상)

1) **병인(병원체) 요인** : 질병 발생의 직접 원인

① 화학적 병원체

② 물리적 병원체

③ 생물학적 병원체 : 항원성, 면역특이성

2) **환경(감염경로) 요인**

① 생물학적 환경 : 미생물, 절족동물(매개동물)

② 물리적 환경 : 기상, 기후, 지질, 지리, 계절 등

③ 경제적 환경 : 빈부, 직업 등

④ 사회적 환경 : 교육, 종교, 문화, 교통, 주거, 전쟁 등

3) **숙주 요인** : 기생생물이 기생하는 대상으로 기생당하는 동·식물

① 생물학적 요인 : 연령, 성, 인종, 면역 기출

② 형태 요인 : 생활습관, 직업, 개인위생

③ 체질 요인 : 선후천적 지향력, 건강상태, 영양 싱태

2. 질병의 과정 (기출 20하)

1) 질병의 자연사 단계

① 1단계(비병원성기) : 건강한 상태로 병인, 숙주 및 환경 간의 상호작용에 있어서 숙주의 저항력이나 환경 요인이 숙주에게 유리하게 작용하여 병인의 숙주에 대한 작용을 억제 또는 극복할 수 있는 단계

② 2단계(초기병원성기) : 병인의 자극이 시작되는 질병 전기로서, 숙주의 면역강화로 인하여 질병에 대한 저항력이 요구되는 단계

③ 3단계(불현성질병기) : 병인의 자극에 대한 숙주의 반응이 시작되는 조기의 병적이 변화기로서, 전염병의 경우는 잠복기에 해당, 비전염성 질환의 경우 자각 증상이 없는 초기단계 기출 👈

④ 4단계(현성질병기) : 임상적 증상이 나타나는 시기로, 해부학적 또는 기능적 변화가 있으며 적절한 치료를 요하는 단계

⑤ 5단계(회복기) : 재활의 단계로 회복기에 있는 환자에게 질병으로 인한 신체적, 정신적 휴유증을 최소화시키고 잔여 기능을 최대한으로 재생시켜 활용하도록 도와주는 단계

2) 예방수준

① 일차 예방 : 건강증진, 건강보호 – 질병 자연사 단계 중 1, 2단계

② 이차 예방 : 조기발경, 조기치료 – 질병 자연사 단계 중 3, 4단계

③ 삼차 예방 : 재활 – 질병 자연사 단계 중 5단계

3. 기후 특성에 따른 질병 분류 (기출 20상)

1) 풍토병

어느 지역의 기후 등에 수반하여 그 지역에만 주로 발병하는 질병(우리나라의 간디스토마, 아프리카와 남아메리카의 말라리아, 황열, 뎅기열, 중동과 아프리카의 지카바이러스 등) 기출 👈

2) 계절병 : 계절의 변화에 따라 주로 발병하는 질병

① 봄 : 홍역, 유행성 이하선염, 결핵 등

② 여름 : 장티푸스, 이질, 말라리아 등

③ 가을 : 쯔쯔가무시, 유행성출혈열 등

④ 겨울 : 순환기질환, 뇌출혈, 천식, 인플루엔자 등

3) 기상병

기후 상태에 따라 질병이 발생하거나 기존 질병의 증상이 악화되는 것, 비교적 짧은 주기의 환경 변화에 따라서 발병(신경통, 비출혈, 천식, 담석증, 요로 결석, 심근경색 등)

4. 감염병(전염병) (기출 19상) (기출 20상) (기출 20하) (기출 21하)

1) 생성 과정

미생물(병원체) → 병원소 → 병원소에서 병원체 탈출 → 전파 → 새로운 숙주로 침입 → 숙주의 감수성(저항성)

2) 감염 : 신체 조직이 병원체에 의해 침범되고 그 조직에서 병원체가 증식하는 것

① 감염력 : 병원체가 숙주에 침입하여 자리 잡고 증식하는 능력

② 병원력 : 병원체가 숙주에 감염하여 병을 일으키는 원인이 되는 능력 기출

③ 면역력 : 병원체가 숙주에 특이 면역성을 길러주는 성질

④ 독력 : 심각한 증상, 불구 등의 장애를 초래하는 정도 기출 기출

3) 감염의 종류

① 내인성 감염 : 자기가 보유하고 있는 상재 미생물에 의한 내인 감염

② 외인성 감염 : 생체 밖에서의 미생물 침입에 의한 외인감염

③ 원발성 감염 : 처음에 감염된 부위

④ 교차 감염 : 병실에서 사람에서 사람으로 전파되는 수평감염

4) 감염병 발생양상

① 유행성(전국적) : 전국적으로 넓은 범위로 발생하는 감염병

② 토차성(지방적, 편재적) : 지방의 특수성에 의해 계속적으로 발생하는 감염병

③ 세계성(범유행적, 팬데믹) : 전세계적으로 동시다발적으로 발생하는 감염병 기출

④ 산발성 : 경파경로가 확실치 않고 장소와 시간을 달리하여 발생하는 감염병

⑤ 주기성 : 2~4년마다 유행하는 감염병

5) 감염병 예방

① 손 씻기(손 위생) : 병원감염방지에서 가장 중요한 것

② 예방접종 : 숙주 면역력 증강 기출

③ 감염원 처리 : 환자, 보균자를 조기에 발견하여 치료함

5. 병원체의 종류

① 세균성 전염병 : 콜레라, 장티푸스, 이질, 결핵 등

② 바이러스성 전염병 : 독감(인플루엔자), B형 간염, 일본뇌염, 소아마비, 천연두 등

③ 리케차성 전염병 : 발진티푸스, 발진열, 쯔쯔가무시병 등

④ 기생충 전염병 : 회충, 구충, 간디스토마, 아메바, 말라리아, 사상충 등

⑤ 진균 전염병 : 각종 곰팡이류, 무좀, 도장병

※ 건조시 사멸되는 균 : 페스트균, 콜레라균, 임균, 매독균, 결핵균 등

6. 병원소(저장소)

1) 인간 병원소 : 격리

① 건강 보균자 : 병원체가 침입하였으나 임상증상이 전혀 없고 건강자와 다름없으나 병원체를 배출하므로 가장 위험

② 회복기 보균자 : 전염병이 경과하고 임상증상이 소실되어도 계속 병원체를 배출하는 자

③ 잠복기 보균자 : 잠복기간 중 타인에게 병원체 전파

④ 영속 보균자 : 영구 보균자로서 균을 계속 전파시키는 자

※ 현성 감염자 : 병원체에 감염되어 임상증상을 보이는 사람. 예방 및 관리가 쉽다.

※ 불현성 감염자 : 병원체가 숙주에 감염되어 알맞은 기관에 자리 잡고 증식하고 있으나 임상 증상이 나타나지 않고 병원체를 전파

2) 동물 병원소 : 가축이나 쥐

3) 토양 : 파상풍(자상이나 외상에 의한 감염), 곰팡이

7. 면역 (기출 19하) (기출 20상) (기출 21상)

1) **선천적 면역** : 종, 인종, 민족, 개인의 특성

2) **후천적 면역**

① 자연능동면역 : 질병이 걸린 후(홍역) 기출

② 인공능동면역 : 예방 접종(생균, 사균, 톡소이드) 기출 기출

③ 자동수동면역 : 모체, 태반으로부터 공급

④ 인공수동면역 : 치료적 혈청, 감마 글로블린, 항독소, 면역혈청 주사

⑤ 생균 백신 : 홍역, 풍진, 결핵, 폴리오(Sabin＝경구용), 두창, 탄저, 광견병, 황열

⑥ 사균 백신 : 장티푸스, 파라티푸스, 콜레라, 백일해, 일본뇌염, 폴리오(Salk＝주사용)

⑦ 톡소이드 : 세균의 체외독소를 변질시켜 약하게 만드는 것

제2장 | 감염성 질환

1. 전파경로에 따른 감염성 질환 분류 (기출 19상)

1) **비말 전파** : 호흡기계 감염성 질환

① 세균성 질환 : 디프테리아, 백일해, 성홍열, 뇌막염, 폐결핵 등

② 바이러스성 질환 : 인플루엔자, 홍역, 유행성 이하선염(볼거리) 등 기출

2) **경구 전파** : 소화기계 감염성 질환 – 위 장관을 통한 탈출로 분변이나 구토물에 의해서 체외로 배출

① 세균성 질환 : 장티푸스, 콜레라, 세균성 이질 등

② 바이러스성 질환 : 소아마비, B형 간염(혈청성 간염), A형 간염(전염성 간염)

3) **비뇨생식기계 전파** : 매독이나 임질과 같은 성병

4) **개방병소(신체 병소)로 직접 전파** : 한센병, 종기

5) 기계적 전파(흡혈성 곤충, 주사기) : 말라리아, 사상충, 뇌염, 황열, 뎅기열

2. 바이러스성 질환의 특징

① 항생물질과 설파제에 저항하여 항생제로 치료가 가능하지 않다.

② 세균 여과막 통과하므로 여과성 병원체

③ 생체 내에서 번식하므로 세포내 병원체

④ 크기가 작아 전자 현미경으로만 관찰이 가능

⑤ 암을 일으키는 유일한 병원체

호흡기계 질환

3. (폐)결핵 (기출 19상) (기출 20상)

1) 감염 경로

① 주된 전파방법 : 기침이나 재채기를 통한 비말감염 기출

② 소나 새 등을 통한 감염

③ 오염된 식기나 식품에 의해 감염

2) 증상

① 결핵의 특징적인 증상으로는 식욕부진, 체중감소, 피로, 오후의 미열, 잠잘 때 식은
땀이 나는 야간의 발한 등

② 질병이 진행됨에 따라 기침, 흉통, 객혈 등의 증상이 나타남

3) 결핵진단검사 : 투베르클린 반응검사

① 0.1 cc PPD용액 좌측전박 내측 중간 위쪽에 주사

② 48~72시간 후 경결(부어 오른 자리)로 판독

③ 10 mm↑ 양성 → 흉부 X-ray 촬영할 것
    └ 결핵균 접촉이 있었음

④ 5 mm↓ 음성 → BCG 예방접종하여 항체 만들 것
    └ 결핵균접촉 없었음으로

4) 결핵진단검사 방법

① 성인 : X-ray 간접촬영 → X-ray 직접촬영 → 객담검사

② 소아 : 투베르쿨린 검사 → X-ray 직접촬영 → 객담검사

③ 간접촬영 : 필름을 작은 크기로 찍어서 판독, 비용 적게 들고 간편, 한꺼번에 여러명 찍으므로 집단 검진 시 이용

④ 직접촬영 : 폐 size 크기로 촬영, 정밀도가 있고 결핵진행 정도 알아볼 때

⑤ 결핵진단 객담채취 : 이른 아침 첫 기침

5) 폐결핵 전파의 예방법

① 환자의 객담을 종이에 싸서 소각법 : 소각(불에 태워) 감염원을 제거하는 것이 가장 좋은 방법

② 비말감염(객담)이므로 분뇨는 소독할 필요 없다.

③ 환자가족의 규칙적인 흉부 X-ray 촬영

④ 환자의 방을 자주 환기

⑤ 환자는 마스크를 착용

⑥ 활동성 결핵 환자는 음압격리 `기출`

6) 결핵에 감수성이 높은 환자

① 3세 미만의 소아가 가장 높다.

② 영양 결핍 시

③ 게으른 자, 쉽게 피로한자

④ 당뇨병, 노인환자

⑤ 감염위험 높은 사람, 저항력 낮은 사람

⑥ 결핵은 소모성 질환 : 고지방, 고단백, 고탄수화물, 고비타민C

7) 항결핵제를 단독 사용 안 하고 병행하는 이유

① 효과를 증진시키고

② 내성이 생기는 것을 약화시키기 위해

③ 아침식전 하루에 한번 복용, 2주정도 복용시 감염력은 사라짐

4. B형감염

※ 출생 후 4주 이내에 하는 예방접종 : BCG (결핵예방접종)

1) B형간염의 전파방법

① 혈액, 타액, 모유수유를 통한 구강경로, 성접촉(정액), 수혈, 오염된 주사기나 면도날, 오염된 상처를 통해서도 발생

② 혈청성 간염 : 의료진이 주사바늘을 통해 발생할 수 있는 전염병

2) B형간염 환자에게 주사했던 바늘에 찔린 경우 처치

① 면역 혈청 글로블린을 주사

② 이미 주사에 찔리면서 B형 간염균이 침투했으므로 치료목적으로 시행하는 인공수동면역이 적합

5. 중동 호흡기 증후군(MERS, 메르스)

① 정의 : 사스와 유사한 고열, 기침, 호흡곤란 등 심한 호흡기 증상을 나타내는 중증 급성 호흡기 질환

② 원인균 : 메르스 코로나바이러스(MERS-CoV)

③ 증상 : 잠복기(2일~14일)후에 발병하며 발열, 기침, 호흡곤란이나 숨가쁨, 가래 등의 호흡기 증상, 두통, 오한, 콧물, 근육통, 식욕부진, 오심, 구토, 복통, 설사 등 소화기 증상, 급성 신부전 등

④ 검사 : 증상발현 후 3일 이내 가래에서 바이러스 유전자 검사를 시행하여 확진

⑤ 치료 : 현재는 치료를 위한 항바이러스제는 개발되지 않음, 증상에 대한 치료를 위주로함, 중증의 경우 인공호흡기(에크모, ECMO)나 인공혈액투석 등을 받아야 되는 경우도 있음

※ 에크모(ECMO) : 체외막산소화장치(인공 폐) : 폐의 기능차체에 문제가 생긴 경우 적용, 몸 밖에서 막을 통해 산소를 공급하는 장치

⑥ 예방법 : 손씻기, 일반적인 감염병 예방수칙을 준수, 발열이나 호흡기 증상이 있는 사람과 밀접한 접촉을 피하고 마스크를 착용

※ 음압병실(병상) : 병원 내부의 병원체가 외부로 퍼지는 것을 차단하는 특수격리 병실. (공기가 항상 병실 안쪽으로만 흐르도록 설계된 곳으로 균이 병실 밖으로 나가는 것을 방지하여 감염병 확산을 막기 위한 필수 시설)

6. DTaP (기출 19상)

1) 디프테리아(Diphtheria)

① 디프테리아균 외독소에 의한 급성 호흡기 질환

② 코, 인두, 편도, 후두 등 상기도에 위막 형성 → 호흡곤란, 기도폐쇄 등

③ 합병증 : 심근염, 연구개마비, 저혈압, 심부전 등

2) 백일해(Pertussis)

① 어린이의 급성 호흡기 기도감염증

② 전파 : 직접적인 접촉 또는 비말을 통하여 호흡기 전파

③ 증상 : 콧물, 결막염, 눈물, 기침, 발열 → 호기성 기침, 구토, 점액성 가래

④ 합병증 : 폐렴, 기관지 확장증, 폐기종 등

3) 파상풍(Tetanus) (호흡기계 질환은 아님)

① 상처부위에 파상풍균이 증식하여 근육에 강직성 경련이 일어나는 질병

② 증상 : 근육 수축, 마비, 몸이 활처럼 휘는 증상 → 발열, 오한 → 호흡근 경련(사망)

③ 항생제 투여 : 페니실린, 세팔로스포린, 메트로니다졸 등

4) DTaP 예방접종

① 디프테리아(diphtheria), 백일해(pertussis), 파상풍(tetanus)의 약자 기출

② 인체의 면역반응을 이용하여 디프테리아, 백일해, 파상풍 균에 의한 감염을 예방하는 백신

③ 모든 영·유아 및 소아에게 접종이 권장되며, 생후 2개월부터 표준예방접종 일정에 따라 접종

④ 국가예방접종 지원대상으로 만 12세 이하 어린이는 무료로 접종이 가능

7. MMR (기출 19상) (기출 20하)

1) 홍역(Measles)

① 홍역 바이러스에 의해 발생하는 급성 유행성 전염병

② 증상 : 발열, 기침, 콧물, 결막염 → 코플릭 반점(Koplik spot, 구강내 수포) → 발진

[기출] [기출]

③ 합병증 : 호흡기 합병증(기관지염, 기관지 폐렴), 중이염, 뇌염 등

2) 유행성 이하선염(볼거리, Mumps)

① 멈프스 바이러스의 감염으로 고열이 나고 이하선이 부어오르는 병

② 비말 감염, 호흡기 감염

③ 합병증 : 뇌수막염, 고환염, 난소염

3) 풍진(Rubella)

① 풍진 바이러스 감염에 의한 급성 발열성 질환

② 증상 : 미열, 홍반성 구진, 림프절 비대

③ 임신 초기 태반 감염으로 선천성 기형을 유발(백내장, 뇌수막염, 지능 저하)

4) MMR 예방접종

① 1차 : 생후 12~15개월

② 2차: 4~6세

소화기계 질환

8. 수인성 감염병 (기출 20하)

1) 정의

오염된 물이나 음료수에 의해 소화기 감염되는 질환

2) 특징

① 오염수에 의해 폭발적, 집단적, 동시적으로 발생

② 환자발생은 급수지역내에 국한해서 발생, 급수원에 오염원이 있음

③ 급수시설에서 동일 병원체 검출 가능

④ 성별, 연령, 직업 등의 차이에 따라 이환율에 차이가 없다.

⑤ 계절과 비교적 무관하게 발생

⑥ 일반적으로 치명률과 이환율이 낮으며 2차 감염자가 적다.

⑦ 소화기계 증상이 발생한다.

3) 종류

장티푸스, 파라티푸스, 세균성이질, 콜레라, 유행성 간염, 폴리오 등 기출

9. 장티푸스

① 수인성 전염병의 대표적인 질환 → 오염된 물과 음식물으로 전파

② 원인균 : 살모넬라 타이피균

③ 감염원 : 환자나 보균자의 대소변

④ 잠복기 : 1~3주

⑤ 유행 : 여름부터 초가을 사이

⑥ 매개체 : 파리

⑦ 증상 : 오한과 계류열, 두통·요통·전신통·식욕부진, 설사와 변비, 서맥, 장미진이
   흉부와 등 부위에 출현, 오심과 구토, 비장증대 등

⑧ 합병증 : 장출혈, 장 천공, 담낭염

⑨ 예방대책 : 환경위생관리, 환자 및 보균자의 철저한 관리
   – 보건교육 및 예방접종의 강화가 필요

10. 아메바성 이질

① 원인균 : 병원성 아메바, 원충류에 의한 질환

② 분포 : 열대와 아열대

③ 경로 : 분변으로 배출된 균은 음식물, 물 등에 오염되어 경구로 침입하여 회장하부~
   대장에 침입해 분열해 증식함

④ 증상 : 잠혈변과 설사, 심한 복통으로 수분과 전해질 불균형 초래

⑤ 예방 : 음료수는 반드시 끓여먹고, 분변처리는 위생적, 파리나 곤충을 구제하는 환경
   위생관리

11. 세균성 이질 (기출 19하)

① 원인균 : 이질균

② 경로 : 오염된 물과 음식물

③ 증상 : 점액성, 혈성, 농성인 설사변 기출👆

12. 콜레라

① 콜레라균(Vibrio cholerae)의 감염으로 급성 설사가 유발되어 중증의 탈수가 빠르게 진행되며, 이로 인해 사망에 이를 수도 있는 전염성 감염 질환

② 분변, 구토물로 오염된 음식이나 물을 통해 감염

③ 잠복기는 수 시간에서 5일까지이며, 보통 2~3일

④ 복통을 동반하지 않는 급성 수양성(물 같은) 설사와 오심, 구토가 나타난다.

⑤ 급성 설사 → 중증의 탈수 → 사망 : 탈수 예방이 중요

13. A형간염

① A형 간염 바이러스에 오염된 음식이나 물을 섭취함으로써 전염

② 30일 정도의 잠복기 후에 피로감이나 메스꺼움, 구토, 식욕부진, 발열, 우측 상복부의 통증 등 → 황달

③ 진단 : 항A형 간염 바이러스 면역글로불린M(IgM anti-HAV)항체검사에서 양성

④ 예방 : 백신 (치료제 없음)

14. 장출혈성 대장균감염증

① 장출혈성대장균(Enterohemorrhagic Escherichia coli) 감염에 의하여 출혈성 장염을 일으키는 질환

② 전파 : 식수, 식품(주로 소고기)을 매개로 전파, '사람-사람' 간 전파

③ 증상 : 발열, 오심, 구토, 복통, 설사

④ 치료 : 수분, 전해질 보충

15. 폴리오

① 폴리오바이러스(Poliovirus)에 의하여 급성 이완성 마비를 일으키는 질환 (소아마비)

② 전파 : '분변–경구' 또는 '경구–경구' 감염을 통해 전파

③ 예방접종 : 생후 2, 4, 6개월

16. 비브리오 패혈증

① 제3급 감염병

② 오염된 어패류를 생식하거나 오염된 바닷물에 상처난 피부 접촉 시 감염되는 병

성 전파성 질환

17. 성병(STD)에 속하는 질환

① 매개물 없이 사람에게서 사람으로 직접 전파되는 질병

② 꾸준히 치료하면 치유될 수 있다는 것을 각인시킬 것

③ 임질, 매독, 에이즈, 연성하감, 클라미디아감염증, 성기단순포진, 첨규콘딜름, 비임균성요도염 등

④ 산전 관리(치료 가능)

18. 후천성면역결핍증(에이즈＝AIDS)

1) 특징

① 원인균 : HIV(인간면역결핍바이러스)

② 전파 : 직접 전파(성적 접촉, 75%)

③ 경로 : 오염된 혈액이나 주사바늘, 정액, HIV양성모체, 면도기, 칫솔 등

④ 증상 : 만성적 설사, 체중감소, 열, 구강 및 식도염, 온몸의 임파선 종창

⑤ 사망원인 : 폐렴, 카포시 육종

⑥ 진단 : 엘라이자법(ELISA 효소면역법), 웨스턴 블랏법(확진)

2) AIDS 대책

    ① 건전한 성생활, 보건교육강화

    ② 수혈의 철저한 혈액검사

    ③ 감염자 관리, 추후관리

    ④ 환자의 혈액 및 분비물 소독

3) HIV 감염인과 에이즈 환자의 구분

    ① HIV 양성 : 반드시 AIDS는 아니다, 질병예측불가능

    항체는 존재하여 전파가능성 있음. 에이즈 면역자가 아니다(에이즈 백신 없음)

    ② HIV 음성 : 감염이 안 되어 있음. 감염은 됐지만 HIV감염 후 6~12주후 항체 형성하므로 관찰

    ③ 에이즈 환자 : 감염되어 오랜 시일이 경과 후 면역이 결핍되어 기회감염, 폐렴 등 증상이 나타나는 환자

4) 에이즈 예방 및 환자관리를 위한 교육내용

    ① 지속적인 추후 관리 : 바이러스 증식을 억제하는 칵테일요법을 도입하여 에이즈 환자로 진행하는 것을 막고 생존기간을 연장할 수 있으므로 계속적인 추후관리가 필요함

    ② 폐렴과 같은 기회감염 : 면역세포에 침입, 증식, 파괴하여 면역력이 떨어지면 기회감염이 병발함

    ③ 성관계 시 콘돔 사용 : 콘돔은 비용이 저렴하고 손쉽게 이용할 수 있는 효과적인 에이즈 예방법

    ④ 전파방지 방법 : 감염경로는 성적 접촉, 수혈, 혈액, 모자감염, 주사에 찔리는 경우이므로 전파방지

19. 연성하감

    ① 성병의 일종

    ② 국소적 임파결절, 부종, 동통, 궤양이 특징

    ③ 튜크레이간균이 원인균

    ④ 직접적인 성교접촉의 의해 감염

20. 매독 (기출 21하)

1) 특징
① 원인균 : 트레포네마 팔리듐
② 전파 : 직접전파(성교, 키스), 태아 감염(임신 4~5개월쯤 태반을 통한 수직감염) →
임신 16~20주 이내 치료해야 함 기출
③ 특징 : 숙주 밖에서 장시간 생존 못함
④ 진단 : 혈청검사(VDRL, 왓셀만 테스트)

2) 치료
① 광범위하게 페니실린 사용
② 부부 중 한사람 감염 시 같이 치료
③ 태아의 선천성 매독 예방 위해 임부에게 매독검사할 것
④ 완전히 치료될 때까지 성적접촉을 피할 것
⑤ 직접접촉에 의한 전염성 질환임을 설명
⑥ 매독은 치료가 가능한 질환이므로 성실히 치료에 임할 것을 권장

21. 성병환자교육 시 간호조무사의 태도
① 조기치료를 강조하며 환자발견에 힘씀
② 건전한 성생활 유지하도록 : 콘돔
③ 임신 중 귀머거리, 장님 기타 합병증 유발한다고 설명
④ 임신 중 발견된 경우 치료 가능하며 부부가 같이 치료 받도록 → 환자로 의심

22. 기생충 질환 (기출 19하) (기출 21상)

1) 간흡충증(간디스토마)

① 민물고기 생식 시, 우리나라에서 낙동강·한강 등 5대강 유역에 분포하며 발생률이 높은 기생충 질환 **기출**

② 쇄우렁이(1중간숙주) : 담수어(2중간숙주)

2) 십이지장충 : 경구, 경피를 통하여 침입

① 오염된 흙 위를 맨발로 다닐 경우 피부와 채소를 통해 감염

② 혈액을 따라 간, 심장 경유 해 폐포 에서 발육하며 기관지 식도를 따라 소장에서 기생하며 피를 빨아 먹으므로

③ 빈혈, 쇠약, 소화 장애, 체력저하, 채독증 발생

3) 요충

(1) 특징

① 맹장에서 기생하다가 항문주위로 나와 산란하므로 항문주위에 소양감이 있고 심하면 수면장애와 야뇨증까지 초래하며 어린이에게서 흔한 기생충 질환 **기출**

② 증상 : 항문주위의 소양감, 발적, 종창 등

③ 사람이 가려워서 긁을 때 손으로 전파됨

(2) 요충증의 예방대책

① 가족이나 집단 일원에 쉽게 감염되기 때문에 집단 구충을 실시

② 손, 내의, 침실 등을 청결하게 함

③ 사람의 손이나 음식물과 같이 구강으로

④ 사람이 가려워 긁을 때 사람의 손 오염시킴

⑤ 손톱 짧게 깎고 식전 손 씻기

⑥ 꼭 끼는 팬티 → 항문주위 청결

4) 기타 기생충 질환

① 무구조충증(=민촌충증) : 덜 익힌 쇠고기

② 유구조충증(=갈고리촌충증) : 덜 익힌 돼지고기

③ 회충층 : 야채 씻지 않고 생식시 *소아감염

④ 폐디스토마(폐 흡충증) → 다슬기(제1중간숙주) → 참게, 참 가재(제2중간숙주)

5) 기생충 예방책

① 육류는 익혀 먹음

② 도축장 위생 검사 실시

③ 민물고기는 가열하여 먹음

④ 야채 5회 이상 씻어 먹음

⑤ 도마를 깨끗이 씻음

6) 기생충 감염 관리방법에 있어 개선할 점

(1) 주원인 : 환경 불량, 비과학적 생활습관, 분변의 비료화, 비위생적 영농 방법

(2) 분변의 철저한 위생관리(치료보다는 예방중심)

① 집단구충에 의한 감염방지

② 파리구제 및 환경개선(기생충발육에 필요한 숙주제거)

③ 보건교육, 위생적인 식생활(집단관리 필요)

④ 민물고기의 생식 섭취제한

⑤ 풍토병관리를 위한 행정당국의 노력

⑥ 육류의 유통구조 개선 등

기타 주요 감염병

23. 절족동물 매개 감염병 (기출 21상)

① 발진티푸스 : 세균의 한 종류인 발진티푸스 리케치아에 감염되어 발생하는 급성 열성 질환

② 말라리아 : 학질모기의 교자로 인하여 매개되는 원충 감염증

③ 페스트 : 쥐에 기생하는 벼룩에 의해 페스트균(Yersinia pestis)으로 발생하는 급성 열성 감염병

④ 유행성출혈열 : 야생 들쥐, 쥐벼룩 등에 의해 발생하는 급성 열성 감염병

⑤ 일본뇌염 : 일본뇌염 모기에 의해 발생하는 급성 바이러스성 전염병

⑥ 지카바이러스 : 이집트 숲 모기에 의해 발생하는 급성 바이러스 질환 기출

24. 동물매개 감염병

① 광견병(공수병) : 개에게 물리거나 광견병에 걸린 야생동물에 물려서 발병

② 탄저 : 소·말·양 등 초식동물에 발병하는 급성 패혈증(인수공통감염병)

제3장 | 만성질환

1. 만성(퇴행성)질환 (기출 19상) (기출 20하)

1) 만성질환

① 국가적 차원에서 지속관리율과 자기관리율이 높은 질환 기출

② 생활습관병 : 암, 심혈관질환(고혈압, 동맥경화증, 심장병 등), 당뇨, 뇌졸중 등 기출

2) 만성(퇴행성)질환의 위험요인

① 유전적 요인

② 사회, 경제적인 요인

③ 습관적 요인

④ 직업적 요인

⑤ 심리적인 요인

2. 만성(퇴행성)질환의 특성

① 완치가 어렵고 평생 관리해야 하는 질환
② 유병률이 발생률보다 높다.
③ 진행의 장기성 → 속도가 느리다.
④ 원인의 다양성 → 여러 가지가 원인
⑤ 치료의 장기성 → 치료기간이 길다.
⑥ 개별적 다양성 → 질병의 경중차이
⑦ 질병의 동시존재성 → 여러 가지가 동시에

3. 만성(퇴행성)질환의 예방과 관리

1) 만성(퇴행성)질환의 일차예방의 주된 내용

질병의 원인이 되는 요인을 통제하여 질병발생을 사전에 예방하기 위한 예방접종, 산전간호, 건강유지, 질병예방, 보건교육, 건강증진, 환경위생개선, 개인 청결유지, 위험인자 홍보 등

2) 만성(퇴행성)질환자의 관리목표

① 질환의 중증도 완화 : 오랜 기간이 경과하며 발생, 치료도 장기적으로 해야되므로 질환의 중증도를 완화하는 것
② 건강수명연장 : 노령인구의 증가로 인하여 만성질환이 증가하므로 건강수명 연장
③ 기능장애지연 : 만성질환은 기능장애를 동반함으로 지연하는 것
④ 질병 유병률 감소 : 만성질환은 연령증가에 비례하여 유병률이 증가함으로 감소하기 위함
⑤ 자기관리능력 개선 및 유지 : 자기관리능력을 개선하고 유지하여 삶의 질을 향상하는 것

CHAPTER 03 인구와 출산

제1장 | 인구의 이해

1. 인구 (기출 20하) (기출 21하)

1) 정의

특정시간 일정지역에 거주하는 집단

2) 인구 피라미드 유형

① 인구 증가형(피라미드형, 저개발국가, 다산다사)

　: 0~14세 인구가 65세 이상 인구의 2배 이상

② 인구 정지형(종형, 선진국가, 이상적인 인구형)

　: 0~14세 인구가 65세 이상 인구의 2배와 같음

③ 인구 감소형(항아리형, 일부선진국, 프랑스, 일본)

　: 0~14세 인구가 65세 이상 인구의 2배에 미치지 못함

④ 유입형(별형, 도시형) 기출

　: 생산가능 15~64세 인구가 50% 이상

⑤ 유출형(표주막형 = 호로형, 농촌형) 기출

　: 15~64세 생산가능 인구가 50% 미만

2. 인구통계

1) 인구정태통계

　① 어느 한순간의 인구 크기, 분포, 밀도구조 상태

　② 성별, 연령별, 산업별 직업별 인구구조

2) 인구동태통계

　① 일정기간에 인구가 변동하는 상황, 국민의 신고에 의해 인구수를 가늠할 수 있다.

　② 출생률, 사망률, 혼인률, 이혼률, 사산률, 전입 및 전출률

3. 인구정책의 내용

1) 인구조정정책 : 변동에 영향을 주는 정책(출생, 사망, 이동)

　① 가족계획을 도입하여 출산조절정책, 이민정책

　② 인구자질 함양(우생정책), 인구분산

2) 인구대응정책 : 변동의 결과에 대한 정책

　① 교통, 교육, 주택, 고용, 보건

　② 환경개선, 보건서비스 등

　③ 질적인 향상을 위한 정책

4. 성별 구성에 있어서 성비

　① 여자인구 100명에 대한 남자인구수를 말함

$$성비 = \frac{남자인구수}{여자인구수} \times 100$$

　② 1차 성비 : 태아의 성비

　③ 2차 성비 : 출생 시 성비 → 장래인구수 추정자료가 됨

　④ 3차 성비 : 현재 30~40대 성비를 말함

⑤ 성비가 110 이란 : 여자는 100, 남자는 110을 의미

⑥ 1, 2차 성비는 남자가 여자보다 많고 연령이 증가해 차이가 줄어 듦

⑦ 결혼연령까지는 비슷, 고령이 되면 여자인구가 남자인구를 초과

⑧ 성비에 영향을 주는 요인 : 사망수준, 사망률의 남녀별 차이, 인구이동

5. 연령별 인구구성 (기출 20상) (기출 20하) (기출 21상)

1) 부양비

① 부양비란 경제활동연령층에 대한 비경제활동인구의 비

② 유소년 부양비 $= \dfrac{14세 \, 이하 \, 인구}{15\sim64세 \, 인구} \times 100$

후진국일수록 높다.

③ 노년 부양비 $= \dfrac{65세 \, 이하 \, 인구}{15\sim64세 \, 인구} \times 100$

선진국일수록 높다. 기출 기출

④ 총부양비 $= \dfrac{유소년부양비(0\sim14세) \; + \; 노년부양비(65세 \, 이상)}{15\sim64세 \, 인구} \times 100$

후진국일수록 높다. 기출

⑤ 부양비가 높을수록 경제발전에 장애가 되어 후진국

⑥ 노령화 지수가 높다는 것은 노년인구의 증가를 말함

⑦ 노령화 지수 $= \dfrac{65세 \, 이상 \, 인구}{14세 \, 이상 \, 인구} \times 100$

선진국일수록 높다.

2) 우리나라 인구의 특징

① 노인인구 지속적 증가 : 노년부양비 증가

② 평균수명 증가, 특히 여성의 평균수명 증가

③ 합계 출산율(여성이 평생 몇 명의 자녀를 낳는가) 감소

6. 지역사회 인구특성을 파악할 때 필요한 자료

① 조출생률 $= \dfrac{\text{1년간 총 출생자수}}{\text{중앙인구(그 해 7월 1일 인구)}} \times 1{,}000$

② 조사망률 $= \dfrac{\text{1년간 총 사망자 수}}{\text{중앙인구(그 해 7월 1일 인구)}} \times 1{,}000$

③ 영아사망률 $= \dfrac{\text{1년간 1세 미만의 사망자 수}}{\text{총 출생아}} \times 1{,}000$

④ 모아비 $= \dfrac{\text{영아(0~4세) 인구}}{\text{가임여성(15~49세)}} \times 100$

제2장 | 인구정책

1. 우리나라 인구정책의 특징 (기출 19하)

① 저출산, 고령화 → 일·가정 병행 장려

② 청소년 성교육 및 미혼모 예방

③ 출생 성비 불균형 해소

④ 출산, 양육, 고용, 주택, 교육 정책과 연계

2. 가족계획

1) 개요

① 정의 : 알맞은 수의 자녀를 알맞은 터울로 낳아 잘 양육하는 것

② 출산시기 및 간격을 조절, 출생 자녀수도 제한, 불임증환자의 진단 및 치료

2) 가족계획사업

가족의 건강과 가정복지의 증진을 위하여 수태조절에 관한 전문직인 의료봉사·계몽 또는 교육을 하는 사업을 말함(모자보건법 제2조)

① 초산연령, 임산연령, 임신간격, 출산기간

② 단산연령, 출산횟수, 출산시기, 임신섭생

③ 성교육, 불임치료, 피임

3. 피임방법 선택 시 고려사항

① 피임에 실패해도 태아와 모성에게 안전할 것

② 원할 때는 언제나 임신가능(일시적)할 것

③ 효과가 정확하고 절대적일 것

④ 비용이 적게 들고 무해할 것

⑤ 성생활에 지장주지 않을 것

4. 피임 방법

1) 일시적 피임술

① 언제든지 원할 때 피임 가능한 방법

② 기초체온법, 월경주기법, 콘돔, 점액관찰법, 자궁내장치(루프), 경구피임약 등

2) 영구적 피임술

(1) 난관결찰술(여) : 난관을 실로 묶거나 절단함

(2) 정관절제술(남) : 정자통로인 정관을 막아 피임하는 방법

① 정관수술은 수술 후에도 호르몬분비, 성욕, 정액배출, 발기는 정상

② 수술 일주일 후부터 성교는 가능하며 정관에 남아 있는 정자로 인해 수술 후 6~
10회 성교까지는 반드시 콘돔을 사용(정충 검사 후 임신이 되지 않음을 확인 후)

③ 수술 직후의 음주, 심한 노동, 목욕 등을 삼가도록 교육

④ 수술동기와 수술원리를 이해시켜 후회하지 않도록 함

⑤ 부종과 출혈시 의사에게 연락

⑥ 하복부 불편감은 2~3일후 소실됨

5. 자연피임법

※ 약이나 기구를 사용하지 않고 피임하는 방법

1) 월경주기법(날짜피임법) : 날짜를 이용하여 피임하는 방법

① 6개월간 월경주기 파악하여 짧은 월경주기 −18일

② 긴 월경주기 −11을 뺀 날짜까지가 임신 가능한 기간

(ex : 월경주기 28~30일 경우 28−18＝10일, 30−11＝19일, 이 여성은 월경주기 10~19일까지 임신가능기간임)

2) 기초체온법

배란이 끝나면 체온이 올라가는 것을 이용하여 아침에 깨자마자 누운채로 체온을 재어 피임하는 방법

3) 점액관찰법

배란일이 되면 자궁경부 점액이 부드러워지고 느슨해 정자가 잘 올라갈 수 있는 것을 이용한 피임하는 방법

4) 오기노식법 : 임신 가능한 기간을 이용한 피임하는 방법

배란일 + 정자생존기간3일 → 임신 가능한 기간 피임

(다음 달 월경전 12~19일, 8일간 임신 가능한 기간)

6. 자궁 내 장치(루프) : 모유수유 중 가능

※ 자궁 내 특수하게 제작된 장치를 삽입하여 수정란 착상 방지

① 터울조절하기 원하는 자에게 좋은 방법

② 삽입 시기 : 월경이 끝나고 3일 이내(월경이 끝날 무렵)

③ 1회 삽입 3~5년 동안 피임(반영구적)임신 원하면 언제든지 제거

④ 부작용 : 월경불순, 월경량, 질 분비물 증가, 하복부통, 골반 내 감염, 자연배출, 자궁내막염

⑤ 금기증 : 골반장기감염, 월경이 과다한 경우, 임신경험이 없는 부인, 자궁근종 또는 종양,자궁암, 자궁의 기형

7. 경구피임약

1) 특징

① 황체호르몬, 난포호르몬 혼합형 제제 복용으로 배란작용 억제

② 일시적 피임 중 가장 효과가 좋으므로 세계적으로 가장 많이 사용

③ 매일 같은 시간에 복용해야 효과적(불규칙하게 복용 시 : 효과도 불확실)

2) 장점

① 생리통경감, 불규칙한 생리조절, 정확히 복용시 피임효과가 절대적임

② 월경주기가 불규칙한 경우 경구피임약 복용 시 규칙적으로 됨

3) 단점

① 초기에 임신과 유사한 증상(오심구토, 유방통, 기미)

② 계속 복용시 소실됨

4) **복용방법** : 28일 주기 → 21정 호르몬＋7일 휴식(쉰다 → 월경 있음)

5) 금기증

① 혈관계(혈전, 색전, 뇌졸중, 관상 동맥질환, 정맥류, 고혈압)

② 암(유방암, 자궁암, 간 종양)

③ 갑상선, 당뇨, 심 기능 부전, 편두통, 우울증

8. 콘돔

① 남성 피임법으로 성병예방에 가장 좋은 피임방법

② 성교 직전 고무주머니를 음경에 씌워 정액이 못 들어가게 하는 피임

③ 성병, 특히 에이즈 전파예방의 유일한 방법

CHAPTER 04 모자보건

제1장 | 모자보건의 이해

1. 모자보건 (기출 19하) (기출 20하) (기출 21하)

  1) 정의 : 모성과 영유아의 정신적, 육체적 건강증진을 위한 보건활동

  2) 모자보건요원(모자보건법 제2조)
     ① 의사·조산사·간호사의 면허를 받은 사람 또는 간호조무사의 자격을 인정받은 사람
        으로 모자보건사업 및 가족계획사업에 종사하는 사람을 말함
     ② 모자보건요원 : 의사, 간호사, 조산사, 간호조무사

  3) 넓은 의미의 모자보건 대상
     ※ 임산부와 가임기 여성 및 출생 후 6년 미만의 영유아(모자보건법 제2조)
     (1) 모성
        ① 광의 : 가임여성(15~49세)
        ② 협의 : 임신·분만·산욕기 여성(20~40세)
     (2) 영유아
        ① 광의 : 출생 후에서 사춘기에 이르는 남녀
        ② 협의 : 출생 후 6년 미만인 영유아

4) 모자보건의 중요성

① 모자보건 대상이 전체 인구 60~70%를 차지 기출
② 어린이는 미래의 고귀한 인적 자원임
③ 질병에 취약한 집단으로 질병 이환율이 높다.
④ 질병 방치로 인한 사망률, 기형, 후유증의 지속 가능성 높다.
⑤ 모자의 건강은 다음세대 인구자질에 영향을 미침 기출
⑥ 산전관리, 예방접종, 조기발견을 통해 쉽게 예방 가능함
⑦ 포괄적인 모자보건사업이 잘 받아들여짐(접근성이 용이함)

5) 모자보건의 권장 사항

① 산전관리 : 임신부 관리를 통하여 건강한 자녀 출산과 분만 후 합병증 없이 회복하도록 도와주는 것
② 임신초기에서 임신 7개월까지는 매월 1회, 임신 8~9월까지는 월 2회, 이후 분만까지는 월 4회를 받는 것이 이상적(WHO 제시) 기출
③ 산욕기간 : 분만 후 6~8주까지
④ 초산시기 : 되도록 빠른 시일에 하고 단산 시기는 35세 이전이 좋다.
⑤ 출산간격 : 2~3년
⑥ 출산계절 : 봄, 가을
⑦ 가장 이상적인 이유시기 : 이유식 시작 시기는 빠를수록 좋다.

2. 모자보건사업 (기출 21상) (기출 21하)

1) 정의

모성과 영유아에게 전문적인 보건의료서비스 빛 그와 관련된 정보를 제공하고, 모성의 생식건강 관리와 임신·출산·양육 지원을 통하여 이들이 신체적·정신적·사회적으로 건강을 유지하게 하는 사업을 말함

2) 모자보건사업 대상(모자보건법 제2조)

① 신생아 : 출생 후 28일 이내의 영유아 기출
② 영유아 : 출생 후 6년 미만인 사람
③ 임산부 : 임신 중이거나 분만 후 6개월 미만인 여성 기출

3) 모자보건사업의 목적

① 모성의 생명과 건강을 보호하고 건강한 자녀를 출산하고 양육하여 모자의 삶의 질을 향상시켜 국민건강 수준을 유지·증진

② 모자인구를 위한 물리적·사회적 환경조성

③ 모자인구의 위험요인, 사망수준 감소

3. 모자보건 지표 (기출 19상) (기출 20하)

1) 정의

① 모자보건의 수준을 비교할 수 있는 통계자료

② 출생률, 사산율, 사망률, 영아사망률, 모성사망률, 신생아사망률, 영아후기 사망률, 주산기 사망률, 유아사망률, 출산율 등을 사용함

2) 모자보건사업 수행을 평가하는 지표 : 영아사망률, 주산기사망률, 모성사망률 기출

① 모성사망률 $= \dfrac{\text{임신, 분만, 산욕기 합병증으로 사망한 모성 수}}{\text{15~49세 가임여성 수}} \times 1,000$

– 한 국가의 기초보건 수준의 지표(WHO)

– 임산부의 산전, 산후 관리수준과 지역사회 의료전달체계, 사회경제적 수준 반영

② 영아 사망률 $= \dfrac{\text{1년 이내에 사망한 영아 수}}{\text{일 년간의 출생자 수}} \times 1,000$

③ 주산기 사망률 $= \dfrac{\text{후기 사산 수(28주 이후)와 초생아 사망 수(1주 이내)}}{\text{일 년간의 출생자 수}} \times 1,000$

④ 신생아 사망률 $= \dfrac{\text{28일 미만에 사망아 수}}{\text{일 년간의 출생자 수}} \times 1,000$

3) 영아 사망률이 한 국가의 건강수준 및 보건사업 수준평가에 대표적 지표로 사용되는 이유

① 한 국가의 의학기술이나 보건의료체계의 수준을 반영하기 때문

② 지역의 자연적, 사회적 환경조건과 의료혜택의 부실을 반영하기 때문

③ 일정 연령군이므로 통계적 유의성이 높기 때문

제2장 | 모성 보건

1. 모자보건수첩 기재 내용

① 모 : 임산부 산전·산후관리, 정기검진, 임산부 주의사항 등

② 자 : 영유아 정기검진, 종합검진, 성장발육, 건강상 주의사항, 예방접종에 관한사항

2. 모자 구강건강진단 내용

① 모 : 치아우식증상태, 치주질환상태, 치아 마모증상태, 구강질환상태

② 자 : 치아발육 상태, 구강발육 상태, 치아우식증 상태, 구강질환 상태

3. 고위험 산모 (기출 20하)

① 35세 이상 산모

② 임신성 출혈성 합병증, 임신관련 고혈압성 장애, 임신관련질환(당뇨병, 심장질환, 감염성 질환, 혈액질환 등)

③ 정기적 관찰과 교육 필요 기출

4. 인공임신중절이 가능한 경우(24주 이내)

① 본인이나 배우자가 유전학적 장애, 신체질환자

② 본인이나 배우자가 전염성 질환이 있는 경우

③ 강간이나 준 강간의 임신

④ 법률상 혼인할 수 없는 혈족, 인척간임신

⑤ 임신 지속 시 산모에게 치명적인 영향 시

제3장 | 영유아 보건

1. 영유아의 정기 건강검진 실시기준(모자보건법 시행규칙)

1) 영유아 실시 기준

① 신생아(출생 28일 이내): 수시

② 출생 후 1년 이내: 매 1월에 1회

③ 출생 후 1년 초과 5년 이내: 매 6월에 1회

④ 장애예방을 위한 선별검사 : 생후 7일 내 모든 신생아는 선천성대사이상 검사를 받도록 적극 추천 및 관리

2) 미숙아·선천성 이상아 실시 기준

① 분만의료기관 퇴원 후 7일 이내에 1회

② 1차 건강진단 시 건강문제가 있는 경우에는 최소 1주에 2회

③ 발견된 건강문제가 없는 경우에는 제2호의 영유아 기준에 의함

3) 법적 정의(모자보건법 2조)

① 미숙아: 신체의 발육이 미숙한 채로 출생한 영유아로서 대통령령으로 정하는 기준에 해당하는 영유아로 임신 37주 미만의 출생아 또는 출생시 체중이 2.5kg 미만인 자로서 보건소장 또는 의료기관의 장이 임신 37주 미상의 출생아 등과는 다른 특별한 의료적 관리와 보호가 필료하다고 인정한 자를 말함

② 선천성이상아 : 선청성 기형 또는 변형이 있거나 염색체에 이상이 있는 영유아로서 대통령령으로 정하는 기준에 해당하는 영유아를 말함

2 영유아 건강관리 내용

※ 성장단계별로 적정한 시기에 보건지도 및 의료서비스를 제공하여 차세대 건강한 국민을 확보하기 위함

① 치아 관리 : 18개월, 3세, 6세에 영유아 치과진료 받도록 하고, 보건교육을 통한 충치예방

② 시력 관리 : 3세, 6세 미만자 시력을 측정으로 약시 등은 조기에 교정하도록 유도함

③ 영양 관리 : 영유아 성장발달에 따른 건강 및 영양모니터링

④ 성장·발달 프로그램 : 성장발달 장애 아동을 조기에 발견하여 적절한 관리를 받도록 유도함

3. 영유아 클리닉 (기출 21상) (기출 21하)

1) 건강상담 내용

영양 및 이유식 지도, 호흡 및 소화기계 질환 관리, 급성감염병관리, 체온관리, 가정위생관리, 예방접종, 사고방지, 정서발육 지도, 구강위생 등

2) 영유아 클리닉 설치 시 고려할 사항

① 대기실을 설치하도록 함(대기실과 처치실은 떨어진 곳에 배치)

② 대상자들에게 즐겁고 편안한 곳이어야 함

③ 대상자가 앉는 의자의 높이는 안락감을 유지할 수 있는 수준으로 함

④ 클리닉 내에 음용수를 이용할 수 있도록 준비함

⑤ 결핵실과 멀리 떨어진 곳에 배치 함

3) 영유아 클리닉에서 간호조무사의 업무

① 환자접수 및 안내(어린이의 건강상태를 잘 아는 보호자 동반하도록 안내)

② 신장, 흉위, 두위, 체중, 체온 등 측정

③ 예방접종 증명 기록표, 약속카드 작성

④ 예방접종 후 영유아 관리에 대한 교육

⑤ 물품준비 및 환경관리 등

4. 영·유아 예방 접종 (기출 20상) (기출 21하)

1) 기본 접종의 순서

① 0~1주 : B형 간염(출생 후 가장 먼저 시행해야 하는 예방접종, 출생 2일 사이 접종) 기출

② 0~4주 : BCG(결핵 예방 접종약)

③ 2개월 : 뇌수막염, 소아마비(폴리오), 폐렴규균, DPT(디프테리아, 백일해, 파상풍)

④ 12~15개월 : MMR(홍역, 볼거리, 풍진), 수두

⑤ 12~24개월 : 일본뇌염, A형 간염

2) 기타 예방접종

① DPT 예방접종 : 2개월 간격으로 3회 접종, 근육주사, 1회 접종량은 0.5 cc, 4~6세에 추가접종

② 경구용 소아마비 백신 : 부작용으로 04년 11월부터 주사용만 사용

③ 가족 중 결핵환자가 있을 때 신생아의 BCG 접종 시기 : 전염의 가능성이 있으므로 출생 즉시 접종

3) 예방접종 전후 주의사항

① 가능한 오전에 접종(접종후 20~30분간 접종기간에 머물러 아이 상태 관찰)

② 오후에는 부작용이 있는지 관찰(귀가 후 적어도 3시간 이상 주의깊게 관찰) : 고열이나 경련이 있을 때는 바로 의료기관 방문

③ 접종당일은 목욕시키지 않는다.(체력소모 방지를 위함)

④ 집에서 미리 체온을 측정해 보고 청결한 의복을 입힌다.

⑤ 건강상태를 잘 아는 보호자를 데리고 온다.

어린이가 건강한 대한민국

질병관리청 | KMA 대한의사협회 | 예방접종전문위원회

표준예방접종일정표(2021)

대상 감염병	백신종류 및 방법	횟수	출생~1개월이내	1개월	2개월	4개월	6개월	12개월	15개월	18개월	19~23개월	24~35개월	만4세	만6세	만11세	만12세
결핵	BCG(피내용)[0]	1	BCG 1회													
B형간염	HepB[0]	3	HepB 1차	HepB 2차			HepB 3차									
디프테리아 파상풍 백일해	DTaP[0]	5			DTaP 1차	DTaP 2차	DTaP 3차		DTaP 4차				DTaP 5차			
	Tdap/Td[0]	1													Tdap/Td 6차	
폴리오	IPV[0]	4			IPV 1차	IPV 2차	IPV 3차						IPV 4차			
b형헤모필루스인플루엔자	Hib[0]	4			Hib 1차	Hib 2차	Hib 3차	Hib 4차								
폐렴구균	PCV[0]	4			PCV 1차	PCV 2차	PCV 3차	PCV 4차								
	PPSV[0]	-						고위험군에 한하여 접종								
홍역 유행성이하선염 풍진	MMR[0]	2						MMR 1차						MMR 2차		
수두	VAR	1						VAR 1회								
A형간염	HepA[0]	2						HepA 1~2차								
일본뇌염	IJEV(불활성화 백신)[0]	5						IJEV 1~2차		IJEV 3차		IJEV 4차		IJEV 5차	
	LJEV(약독화 생백신)[0]	2						LJEV 1차		LJEV 2차					
사람유두종바이러스 감염증	HPV[0]	2													HPV 1~2차	
인플루엔자	IIV[0]	-						IIV 매년 접종								
로타바이러스 감염증	RV1	2			RV1 1차	RV1 2차										
	RV5	3			RV1 1차	RV1 2차	RV1 3차									

국가예방접종

기타예방접종

CHAPTER **05** 지역사회보건

제1장 | 지역사회보건

1. 가족

1) **가족의 특징** : 지역사회보건 간호사업의 기초가 되는 집단

① 1차적 집단, 공동사회 집단, 폐쇄적 집단

② 가족은 형식적 집단이나 가족관계는 비형식적

③ 비제도적 집단

④ 혈연집단, 집단으로 작용

⑤ 가족의 개인구성원은 과업을 가진 독특한 인간으로서 기능

⑥ 지역사회와의 관계 : 가족은 개방체계임

⑦ 개인처럼 스스로 성장 : 출생 → 성장 → 사망 등으로 가족크기가 변화하며 가족집단
으로서 성장 발달

⑧ 고유의 생활방식 개발 : 가족 특유의 가치관, 행동양상, 생활방식을 개발함

2) **가족의 기능**

① 성적 기능 : 성적욕구의 충족 및 통제

② 생산적 기능 : 자녀출산

③ 교육적 기능 : 자녀교육

④ 경제적 기능 : 경제체제의 기본

⑤ 사회화 기능 : 가족구성원의 사회화

⑥ 보호와 지지를 위한 기능

3) 각 주기별 해결 과업

① 청년기 : 부모로부터의 독립, 친구들과 친밀감, 객관적 & 현실적 사고

② 중년기 : 신체적 쇠약을 느껴 건강에 몰두, 자녀독립에 대견함과 서운함, 사회적 지위 확보로 만족

③ 노년기 : 동년배집단과 애착, 소외감, 신체기능 현저한 변화로 절망감

4) 가족발달주기

① 각 주기별로 가족이 해결해야 할 과업이 있음

: 각 발달단계에 따라 가족이 완수해야 할 특정 발달과업이 있음

② 2세대 핵가족을 중심으로 분류함

: 부모나 자녀로 구성되는 핵가족을 중심으로 자녀의 나이에 의해 구분됨

③ 가족형성 → 확대 → 축소 → 해체되어 가는 과정에 따름

: 가족의 출생에서 사망까지 시작과 끝을 정의할 수 있고, 앞으로 경험할 단계를 예측할 수 있음

④ 가족의 발달 단계 중 생략 단계가 생기기도 함

⑤ 모든 가족이 동일한 기능을 가지고 수행되어지는 것은 아님

2. 지역사회보건 간호사업

1) 대상 : 지역사회 전체

2) 사업대상의 기본단위 : 가족

3) 우선 실시 : 정확한 보건실태파악으로 건강문제 확인

4) 목적

① 지역사회의 간호활동(행위)인 간호제공과 보건교육을 통해 지역사회 전주민의 적정 기능 수준의 향상에 기여하는 것

② 대상자 스스로의 건강관리 능력을 향상시키는 것

③ 개인보다는 가족 전체에게 영향을 미치는 보건사업 위주

5) 원칙

① 지역의 요구를 사업의 전 과정에 반영

② 정확한 보고서를 작성하고, 관련 법령을 고려

③ 업무지침을 준수

④ 사업 기간 및 예산범위를 결정

6) 내용

① 지역사회의 개인, 가족, 집단을 대상으로 함

② 지역사회의 자발적 참여와 개입을 토대로 함(계획과정부터 주민 참여)

③ 지역사회 스스로 건강문제를 발견하고 해결(성공 열쇠)

④ 지역주민의 요구에 맞는 사업을 선정

⑤ 지역사회 내 여러 단체를 활용

⑥ 사업은 그 지역 전체에 침투되어야 함

⑦ 지역사회간호 실무 : 일반적, 포괄적, 지속적

7) 보건교육과 건강상담

① 사업의 중요한 부분

② 교육을 통해 가족이 문제해결책을 찾을 수 있는 지식을 제공

③ 상담을 통해 문제를 인식할 수 있는 힘과 스스로 문제해결 방안을 찾을 수 있게 함

④ 주민의 적극적 참여를 이끌어낼 수 있는 사업 실시

3. 지역사회보건 간호사업 과정 (기출 20상)

※ 사정(자료 수집과 분석) → 진단(문제 확인) → 계획 → 수행(집행) → 평가 → 재계획

1) 사정(자료 수집과 분석)

① 지역 특성 파악 : 주민의 교육수준, 경제상태, 전통관습, 주민의 관심사 등

② 인구 특성 파악 : 성별, 연령별, 직업, 교육, 혼인 등

③ 질병의 종류 최우선 소사 : 사업의 계획을 세우는 구체적 자료를 제공함

④ 지역사회 자원 파악 기출

- 정치적 자원 : 지방자치단체, 사립단체, 봉사단체 등
- 사회적 자원 : 지역사회 조직(각종 위원회, 청년회의소, 노동조합), 지식, 기술, 가치관
- 보건의료 자원 : 인적자원(의사, 간호사 등) / 물적자원(보건소, 약국, 병의원, 기타 보건교육에 사용될 물품 및 기구, 예산) / 지적자원(의료기술 및 관리기술)

2) 진단(문제 확인)

① 수집된 자료를 통해 건강문제 진단
② 간호사업 기준 및 지침에 따라 우선순위 설정(순위가 높은 문제를 먼저 해결)
- 경제성 : 문제 해결에 소요되는 시간(경제성)
- 문제의 크기 : 문제 해결이 얼마나 많은 수의 주민에게 영향을 미치는 수준
- 수용성 : 건강문제 해결에 영향을 미치는 동기수준(수용성)
- 대상자의 취약성, 문제의 해결 가능성이 높은 문제일수록 우선순위가 높음
③ 지역사회에서 원하는 문제 포함

3) 계획 : 목표 설정 → 간호수행방법 및 수단 선택 → 수행계획 → 평가계획 수립

① 목표의 설정 : 관찰 가능, 구체적, 계량적 설정
② 간호방법과 수단 선택
③ 평가계획의 수립

4) 수행

① 계획된 활동 수행
② 각자의 역할 진행
③ 협력 및 감독 보고

5) 평가 및 재계획

① 목표 성취 측정 및 재사정
② 계획 수행 사항 개선
③ 평가 도구 : 신뢰성과 타당성
④ 평가 후 실패 시 피드백을 통한 재계획

4. 지역사회 주민의 건강에 영향을 주는 요인

① 개인의 행동요인
- 운동, 영양, 금연과 절주, 스트레스 대처, 휴식과 수면, 체중 조절 등

② 환경적 요인
- 가옥구조, 환경오염, 상·하수 시설, 쓰레기 처리, 교통수단, 대중매체 보급률

③ 사회경제적 요인
- 개인의 교육, 지식수준, 경제수준, 직업상태, 취업률, 실업률, 가족형태, 결혼상태, 인구 수, 총부양비 등이 건강행위에 영향을 줌
- 감염성 질환 등은 하류층에서 더 많이 발생할 수 있고 일반 질병의 유병률도 더 높은 경향이 있음

④ 문화적 요인
- 전통과 편견, 사회적 관습, 신념, 가치관 그 지역사회의 분위기, 종교, 휴식 및 오락 시설 등

⑤ 유전적 요인
- 유전력을 갖고 있는 가족의 건강상의 위험을 줄여주는 방안에 따라 건강유지가 달라짐

⑥ 정치적 요인
- 주민 건강과 관련된 정부기관, 지방 자치단체의 활동

⑦ 정치적 요인
- 보건의료인적자원, 의료기관, 각종 사회복지기관, 소방서나 경찰서 등의 안전시설

5. 보건소

1) 지역사회보건에서의 보건소
① 관할지역 보건수준 향상을 위한 중심기관
② 지역사회 주민의 요구와 지역 특성을 반영한 사업을 제공

2) 건강관리실 설치장소
① 교통이 편리한 곳에 설치
- 농촌 : 시장이나 학교 근처
- 도시 : 대중교통이 편리한 곳

② 건강관리실 특성을 고려하여 배치

③ 영유아 관리실 : 놀이터 근처

④ 산전관리실 : 아래층

3) 건강관리실

① 지역사회 대부분의 간호 사업이 전달되는 곳

② 건강관리실의 전문 시설과 물품을 이용, 외부의 산만성이 적다.

③ 같은 문제를 가진 대상자간의 경험을 나눌 기회가 있다.

④ 보건간호사 입장에서 시간과 비용이 절약된다.

4) 결핵관리실

① 영유아실과 멀고 채광과 조명이 잘 되는 곳

② 건강관리실 바닥은 청소하기 쉽고 딱딱한 것이어야 하며 벽은 벽지보다 페인트 사용

5) 지역사회 보건간호사의 역할

① 지역사회보건 조직자, 대변자, 촉진자, 평가자, 간호제공자, 교육자, 상담자, 관찰자, 정보수집자 및 보존자, 알선자

② 예방접종, 건강교육, 방문간호 등

6) 지역사회 간호조무사의 역할과 태도

① 의사나 보건간호사의 지시·감독 하에 업무를 수행하고 보조

② 치료와 상담이 필요한 대상자 발견 시에는 의사나 간호사에게 의뢰(의뢰자 역할)

③ 환자접수, 기록표 작성, 물품 준비, 환경 관리

④ 주민의 불평을 효과적으로 해결하기 위해선 치료적 의사소통 기술인 라포와 경청, 공감이 형성되어야 가능

⑤ 긍정적 자세를 가지고 대상자의 말, 감정변화, 행동양상까지 잘 들어주는 경청의 자세가 무엇보다 중요

6. 보건간호 내용 기록의 중요성

① 대상자의 계속적인 간호를 위해.

② 가족간호에 있어서 부수적인 조력여하를 결정하기 위함

③ 사업의 계획, 진행, 성과를 분석하고 재계획 시 중복을 피하기 위함

7. 범국민건강생활실천 내용

1) 1995년 국민건강증진법 제정
: 국민의 건강한 생활과 일차보건의 활성화를 위해 국민건강증진사업 시행

2) 보건소에 주민복지시설 등에 운동시설 설치 유도
① 운동프로그램
② 운동 프로그램 실시 전 사전검사, 시설설치 유도 등

3) 학교 및 직장 내 금연교육 프로그램 보급
① 금연프로그램
② 행동요법, 니코틴 대체요법, 금연교육프로그램 등

4) 청소년의 음주예방 교육 강화
① 절주프로그램
② 법규 제정 및 행정지도, 대중매체 활용 금주 홍보 등

5) 가공식품에 대한 영양 표지세 제도 도입
① 영양프로그램
② 식이지침, 지역사회 중심의 영양프로그램 실시 등

8. 학교보건

1) 학교보건의 중요성
① 대상이 이미 조직되어 있어서 효과적으로 교육할 수 있음
② 변화가 용이한 시기임
③ 학교 인구는 전체 인구의 1/3~1/4을 차지함
④ 학생을 통해 지역사회까지 영향을 파급할 수 있음
⑤ 학령기의 바른 건강습관과 지식습득은 평생건강에 영향을 미침

2) 보건교사의 업무

① 학교보건계획 수립

② 학생, 교직원 건강진단 실시 준비 및 실시에 관한 협조

③ 각종 질병의 예방처치 및 보건지도

④ 보건지도를 위한 학생의 가정방문

제2장 | 정신보건

1. 지역사회 정신보건사업의 개요

1) 정의

지역사회주민의 정신건강요구에 맞게 주민의 정신건강증진을 위해 행해지는 모든 정신건강관리 활동

2) 목적

① 정신질환자들의 삶의 질 향상을 위함

② 지역특성에 맞는 포괄적인 정신보건체계를 구축하기 위함

③ 정신질환자의 치료, 재활, 사회복귀를 도모하기 위함

④ 지역사회에서 일반 주민과 함께 질병을 관리 받고 정신건강증진을 통한 지역사회 공동체를 구축하기 위함

3) 필요성

① 정신질환자의 유병율 증가

② 정신질환에 대한 사회적, 경제적 부담 증가

③ 치료 가능한 의료기관의 수 보다 많은 정신질환자의 수

④ 정신건강의 예방과 증진의 필요성의 인식증가

2. 정신보건관리사업의 내용 (기출 19하)

1) 정신보건의 일차예방(건강증진과 질병예방)

① 유해한 사회·환경적 요인을 발견 및 교정해 정신질환에 걸릴 위험을 감소시키는 것

② 다양한 방법을 이용한 정신건강보건교육, 효율적인 인간관계 훈련, 안락한 생활공간 및 건강식이 교육, 부모교육 기출

2) 정신보건의 이차예방(조기발견과 조기치료)

① 정신질환의 조기발견 및 조기치료를 통한 만성화 예방

② 정신의료기관 설치 및 운영, 응급전화의 활성화, 입원치료

3) 정신보건의 삼차예방(재발방지와 재활)

① 정신질환으로 인한 기능적 손상의 예방과 이전으로의 회복, 만성의 경우 지역사회 내에서 더불어 살아갈 수 있도록 도와주는 훈련

② 꾸준한 약물치료 및 가족교육, 지역사회주민의 정신질환에 대한 인식 개선사업, 방문보건사업, 직업재활훈련, 사회생활적응훈련, 가족지지프로그램, 위탁가정운영

3. 정신보건관리사업의 추진방향

1) 지역사회 중심의 정신보건서비스 제공

① 정신질환자 조기발견, 치료, 재활, 상담과 사회복귀를 촉진하는 관리체계를 구축함

② 정신건강 전화 운영을 통해 정신건강 증진을 도모하고 자살을 예방함

③ 보건소에 정신보건센터를 확충하고 내실 있게 운영함

④ 정신질환자의 사회적응훈련, 작업훈련을 통하여 사회 복귀를 조기에 할 수 있도록 지도함

2) 정신질환에 대한 인식을 개선하고 권익을 증진

① 정신질환의 편견을 해소하고 가족, 지역사회주민을 대상으로 인식개선을 위한 교육을 실시함

② 정신질환자 자조집단을 활성화시킴

③ 정신질환의 인식개선을 위한 홍보활동을 지원함

3) 정신보건시설의 요양과 치료 환경을 개선

4) 청소년의 정신건강의 조기검진과 중재 제공

    ① 학교, 정신보건센터, 의료기관, 보건소 등과 상호연계 구축을 통한 조기검진을 실시함

    ② 정신질환자의 예방을 위한 지속적이고 포괄적인 서비스를 제공함

4. 정신건강시설 및 재활 서비스 (기출 21상)

    ① 정신건강복지센터 : 지역사회 중심의 통합적인 정신질환자 관리체계를 구축함으로써 정신질환의 예방, 정신질환의 조기발견·상담·치료·재활 및 사회복귀도모를 모색 [기출]

    ② 낮 병원 : 입원치료와 외래치료의 중간 단계로 정신질환자의 증상 호전 후 사회복귀를 위한 준비

    ③ 밤 병원 : 낮 동안 본인의 업무를 다한 후 입원하는 곳

    ④ 주간시설 프로그램 : 퇴원 후 가정으로 바로 복귀하지 않고 적응을 위해 거치는 곳 (정신과 의사 관여 없이)

    ⑤ 사회기술훈련 프로그램 : 사회에 독립적으로 적응할 수 있도록 지원하는 프로그램 [기출]

    ⑥ 자조집단 프로그램 : 비슷한 진단을 받은 사람들이 서로의 경험과 정보 공유, 유대를 갖는 프로그램

5. 정신질환 종류 (기출 19상) (기출 20하)

    ① 조현병 : 사고의 장애, 망상·환각, 현실과의 괴리감, 기이한 행동 등의 증상을 보이는 정신질환 [기출]

    ② 조증 : 기분장애 질환 중 기분이 비정상적으로 들떠 병적인 정도로 행복감에 심취해 있는 상태

    ③ 우울증 : 의욕저하와 우울감을 주요 증상으로 하여 다양한 인지 및 정신 신체적 증상을 일으켜 일상의 기능 저하를 가져오는 질환(자살의 가장 큰 원인 → 자살 징후를 사전 파악하여 예방에 주의) [기출]

④ 불안장애 : 다양한 형태의 비정상적, 병적인 불안과 공포로 인하여 일상생활에 장애를 일으키는 정신 질환

⑤ 외상후스트레스장애 : 생명을 위협할 정도의 극심한 스트레스를 경험하고 나서 발생하는 심리적 반응 기출

6. 정신 방어기전 (기출 20상) (기출 21하)

방어기재	정의	예
① 억압	불안에 대한 1차적 방어기제 의식에서 제외	어린시절 당했던 성폭행을 기억하지 못함
② 억제	기억을 의식적으로 지우려 함	혼자 산길을 가면서 무서움을 느낄 때 큰 소리로 노래 부름
③ 부정 기출	무의식적으로 거부	죽은 사람을 곁에 두고 생활
④ 투사	책임을 남의 탓으로 돌림	엄마 때문에 내가 넘어졌어
⑤ 해리 기출	본래 성격과는 다른 독립적인 성격으로 행동	다중인격
⑥ 전치	공격 대상을 보다 힘없는 대상으로 옮김	상사에게 혼나고 신입직원에게 질책
⑦ 대치	특정대상에게 향했던 태도나 행동을 다른 대상에게 옮김	배우에게 매력을 느낀 사람이 비슷한 외모의 사람과 사귀는 것
⑧ 반동	생각이나 행동이 반대되어 나타나는 것	좋아하는 이성친구를 괴롭히는 것
⑨ 합리화	정당화시키기 위해 핑계를 만듦	맛있게 먹으면 0칼로리
⑩ 동일화	부모의 행동을 그대로 닮는 것	부모의 가정폭력을 그대로 답습
⑪ 승화	긍정적 방어기제	어릴 적 체력이 약한 사람이 노력하여 운동선수로 성장

제3장 | 노인보건

1. 노인보건사업 (기출 19하) (기출 21상)

1) 목적

① 노화로 인한 불편감 최소화

② 독립적 일상생활을 영위하도록 질병예방과 건강증진 프로그램 제공

③ 의료시설의 조기 입원 예방

④ 만성질환의 조기발견, 합병증 예방

2) 현황

① 건강진단사업 : 시·군·구에 거주하는 65세 이상 의료급여 수급권자

② 노인실명예방사업 : 노인 안 검진 및 개안 수술사업 시행

③ 예방접종사업 : B형 간염, 폐렴 등 예방교육 실시

④ 일상생활기능 보조사업 : 재가 목욕 서비스, 도시락 배달사업

⑤ 고혈압, 당뇨병, 관절염 관리사업 : 수시 건강검진, 정기적 방문간호서비스

3) 보건소에서 실시하는 노인 건강증진사업

① 치매관리서비스

② 노인건강증진서비스 : 만성질환관리 [기출]

③ 노인건강진단서비스

2. 치매환자 관리사업

1) 내용

① 1997년 치매상담센터 설치 운영 : 치매노인 등록 및 관리

② 치매검진사업 : 전국 보건소에서 60세 이상 중·저소득층 노인 우선 치매조기검진 실시

2) 치매검진사업

① 치매확인절차 3단계 : 선별 검사(MMSE) → 진단 검사(전문의 진료, 신경인지검사)
→ 감별검사(혈액검사, 뇌영상촬영)

② 선별 검사(MMSE) : 인공지능의 손상을 밝혀 내고 측정하는 것(치매 의심이나 뇌
손상환자 대상 실시)

제4장 | 방문보건

1. 방문간호 (기출 19상) (기출 19하) (기출 21상) (기출 21하)

1) 개념

기초생활수급자, 장애인, 독거노인 등 건강 취약계층을 대상으로 보건소 소속된 간호사
가 가정을 방문하여 가족과 건강문제를 가진 가족원을 대상으로 건강을 사정하고, 질병
예방 및 관리, 건강증진을 위해 필요한 보건의료서비스를 무료로 직접 제공하거나 의뢰
하는 것 기출

2) 방문간호의 재가급여업무를 하는 장기요양요원의 자격

2년 이상의 간호업무 경력 간호사, 3년 이상의 간호보조업무 경력과 지정교육기관의
교육이수자, 치과위생사 기출

3) 방문간호의 목적

① 가족을 단위로 한 건강관리 → 스스로 문제를 해결할 수 있는 능력을 개발함
기출 기출

② 대상자의 건강에 영향을 미치는 요인을 확인하고 실정에 맞는 건강관리 서비스를
제공해야 함

③ 가족 상태파악, 환자의 가정간호, 환경위생개선지도, 보건교육이 주 임무

④ 실제적인 문제해결에 도움을 줄 수 있고, 지역사회 간호업무 중 포괄적이고 효과적
인 사업

4) 방문간호의 내용

① 건강행태 개선, 만성질환 및 합병증 예방, 산모와 신생아·영유아 관리

② 노인 허약 예방, 다문화 가족 및 탈북민 관리

③ 기초재활서비스 : 기능 증진을 위한 일상생활수행능력(ADL), 기본건강관리

5) 대상자 등록 및 관리

① 집중관리군 : 건강문제가 있고, 증상조절이 안 되는 경우 → 2~4개월 8회, 연3회 집중 관리

② 정기관리군 : 건강문제가 있고, 증상조절이 되는 경우 → 2~3개월 1회 이상 방문

③ 자가역량지원군 : 증상은 있으나 조절 가능한 경우 → 4~6개월 1회 이상 방문

2. 가정방문의 장·단점 (기출 19하)

1) 장점

① 가족 전체의 강점과 취약점을 확인할 수 있음 : 가족이 발견 못한 문제 발견 가능

② 실제 상황에 적절한 간호를 제공할 수 있음 : 포괄적인 간호제공이 가능

③ 실제 가정환경에서 자료를 수집할 수 있음 : 가족관계 및 주거 환경 관찰 가능, 정확한 진단(요구)을 내릴 수 있음 기출

④ 활용 가능한 가족 내 자원을 직접 파악할 수 있음 : 가족의 자원을 활용하여 시범을 보일 수 있어 효과적

2) 단점

① 같은 경험을 가진 다른 사람들과 경험을 나눌 기회가 없음.

② 시간이 많이 소요되고 많은 인력이 필요

③ 다른 의료인의 도움을 받을 수 없음.

④ 건강관리실의 물품이나 기구 사용이 불충분

3. 가정방문 전 준비사항 (기출 19상)

① 보건간호사의 판단에 따라 방문간격이나 횟수를 결정
② 개인, 가족, 지역사회에 대한 기록과 보고서 검토 : 방문 대상자 이해, 같은 기관 및 타 기관 동료와 토의하여 수집된 정보로 간호계획 세움
③ 예측되는 요구나 문제에 대처하여 필요한 물품, 기구, 서류양식, 의뢰서 준비 기출
④ 방문일시, 방문목적을 방문에 관련된 사람들에게 사전 약속

4. 가정방문의 우선 순위 (기출 20상) (기출 20하)

1) 가정방문의 우선순위 원칙

① 급성환자 〉 만성환자
② 집단 〉 개인
③ 비전염질환 〉 전염질환 기출
④ 미숙아 〉 신생아
⑤ 취약계층 〉 건강계층

2) 감염병 발생 시 전염을 고려한 우선순위

① 신생아, 미숙아 → 임산부 → 학령기 아동 → 성병 → 결핵 기출
② 방문 간호사가 전염의 매개체가 될 수 있으므로
③ 감염병 환자는 가정방문 시 제일 나중에 방문

CHAPTER
06
의료관계법규

제1장 | 의료법

1. 의료법의 목적(법 제1조)

① 모든 국민에게 수준 높은 의료 혜택 부여

② 국민의료에 필요한 사항 규정

③ 국민의 건강을 보호하고 증진시킴

※ 의료기사법 : 국민보건 및 의료향상

2. 의료인의 정의(법 제2조) (기출 21상)

① 의사 : 의료와 보건지도

② 치과의사 : 치과 의료 및 구강보건지도

③ 한의사 : 한방 의료와 한방보건지도

④ 조산사 : 조산과 임부, 해산부, 산욕부 및 신생아에 대한 보건과 양호지도 기출

⑤ 간호사 : 상병자 또는 해산부의 요양상의 간호 또는 진료의 보조 및 대통령령이 정하
는 보건활동에 종사함을 임무

3. 의료기관의 종류(법 제3조) (기출 20하)

1) **의원급** : ① 의원, ② 치과의원, ③ 한의원

2) **조산원** : 조산과 임산부 및 신생아를 대상으로 보건활동과 교육, 상담

3) **종합병원** : 100개 이상의 병상, 각 진료 과목 전속 해당 전문의의 진료가 행해지는 곳
   ① 100~300개 이하 병상의 종합병원 : 7개 이상의 진료과목 + 각 진료과목마다 전속하는 전문의 (기출)
   ② 300개 이상의 병상의 종합병원 : 9개 이상의 진료과목 + 각 진료과목마다 전속하는 전문의

4) **병원 & 한방병원** : 30병상 이상

5) **요양병원** : 30개 이상의 요양병상

6) **치과병원** : 병상 수와 무관함

7) **정신병원**

4. 의료기관의 단계별 분류

① 1차 진료단계 : 보건소, 보건지소, 의원급 의료기관 → 전체질병의 70~80%를 차지함, 외래 진료가 주로 이루어 짐
② 2차 진료단계 : 해당과 전문의가 있는 곳 → 병원급 이상의 입원 환자를 주로 진료하는 곳
③ 3차 진료단계 : 1·2차 진료 단계 다 아주 분화되고 전문화된 전문의의 의료 서비스를 주로 제공하는 진료 단계
④ 500병상 이상의 대학병원 또는 700병상 이상의 종합병원 중 시설을 갖춘 후 보건복지부가 지정하는 의료기관 → 진단과 치료, 연구 및 교육, 재활, 예방, 건강증진(보건복지부 장관 3년마다 평가 실시)
※ 의료기관이 아닌 곳 : 보건소(행정기관)

5. 진료기록부 등의 보존기간(규칙 제15조) _{기출 21하}

10년 기출	진료기록부, 수술기록부, 예방접종 기록부
5년	환자명부, 검사 소견기록, 방사선사진, 간호기록부, 조산기록부, 가정간호기록부
3년	진단서 등 부본, 보수교육기록
2년	처방전(마약 & 일반 약 포함)

6. 의료인의 결격사유(법 제8조)

① 정신질환자(다만 전문의가 의료인으로서 적합하다고 인정하는 사람은 예외)

② 마약·대마·항정신성의약품 중독자

③ 피성년후견인, 피한정후견인·한정치산자

④ 금고이상 형의 선고를 받고 형 집행이 종료 또는 집행을 받지 아니하기로 확정되지 아니한 자

7. 응시자격 제한 등(제10조) 2016.12.20. 개정

① 부정한 방법으로 국가시험 등에 응시한 자나 국가시험 등에 관하여 부정행위를 한 자 : 수험을 정지하거나 합격 무효

② 보건복지부장관은 수험 정지 또는 합격 무효가 된 사람 : 처분의 사유와 위반 정도 등을 고려하여 대통령령으로 정하는 바에 따라 그 다음에 치러지는 이 법에 따른 국가시험 등의 응시를 3회의 범위에서 제한

8. 보건의료법규상의 의무

① 진료의 거부 금지(의료법 제16조)

② 비밀누설 금지 의무(의료법 제19조)

③ 태아의 성감별 행위 등의 금지 의무(의료법 제19조의 2)

④ 요양방법 지도 의무(의료법 제22조)

⑤ 간호기록의 기재 및 보존 의무(의료법 제21조)

⑥ 취업 등 신고 의무(의료법 제23조) : 보건복지부장관에게 신고

⑦ 무면허의료행위 등 금지(의료법 제25조)

9. 의료기관 개설권자(법 제33조)

1) 의료인(간호사 제외) : 1인 1개 의료기관만 개설

① 의사 : 종합병원, 요양병원, 정신병원, 병원, 의원

② 치과의사 : 치과병원, 치과의원

③ 한의사 : 한방병원, 요양병원, 한의원

④ 조산사 : 조산원(조산원 개설시 지도의사 필요)

2) 국가 또는 지방자치단체

3) 의료업을 목적으로 설립된 법인

4) 민법 또는 특별법에 의하여 설립된 비영리법인

5) 정부투자기관, 지방공사 또는 한국보훈복지의료공단

10. 의료인의 면허취소 사유(법 제65조)

① 의료인 결격사유에 해당하게 된 경우

② 자격정지 처분 기간 중에 의료 행위를 하거나 3회 이상 자격정지 처분을 받은 경우

③ 면허증을 대여한 경우

④ 일회용 주사 재사용으로 위해 발생한 경우

11. 의료인의 자격정지 사유(법 제66조)

1) 품위손상 → 1년의 범위 내에서 그 면허 자격을 정지

① 학문적으로 인정되지 아니하는 간호실무, 비도덕적 진료행위

② 허위 또는 과다광고 행위, 불필요한 검사나 과잉진료 행위

③ 영리목적으로 다른 기관을 이용하려는 사람을 유인하는 행위

④ 약국 종사자와 담합하는 행위, 직무와 관련해 부당 금품 수수

⑤ 전공의의 선발 등 직무와 관련 보당하게 금품을 수수한 경우

⑥ 영리를 목적으로 자신의 의료기관에 환사를 유인하는 행위

2) 의료기관 개설자가 될 수 없는 자에게 고용되어 의료행위를 한 때

3) 일회용 주사의료용품 재사용금지 위반 시

4) 진단서·검안서 또는 증명서, 진료기록부 등을 거짓으로 작성하여 내주거나 고의로 사실과 다르게 추가 기재·수정한 때

5) 태아 성 감별 행위 등의 금지를 위반한 경우 : 2년 이하 징역 또는 2천만 원 이하 벌금

6) 의료인이 아닌 자로 하여금 의료행위를 하게 한 때 등

12. 간호조무사의 자격인정 및 업무한계(법 제80조) (기출 19상) (기출 19하)

1) 자격인정
   ① 보건복지부장관 기출
   ② 간호조무사는 최초로 자격을 받은 후부터 3년마다 그 실태와 취업상황 등을 보건복지부장관에게 신고하여야 함

2) 간호조무사의 업무한계 : 보건복지부령
   ① 진료 보조 업무 : 의사의 지시 하에 진료를 보조
   ② 간호 보조 업무 : 간호사의 지시 감독 하에 간호보조 및 요양 간호 기출

3) 간호조무사 보수교육 : 연간 8시간 이상 이수

13. 요양병원의 입원대상(규칙 제36조)

1) 입원 대상자
   ① 노인성질환자
   ② 만성질환자
   ③ 외과적 수술 후 또는 상해 후의 회복기간에 있는 자

2) 입원 불가능한 자

① 감염병의사환자 또는 병원체 보유자 등 감염병 환자

② 정신질환자(노인성치매환자 제외)

14. 간호·간병통합서비스 (기출 20상)

① 보호자(가족, 간병인) 없는 병원, 간호사와 간호조무사가 한 팀이 되어 환자를 돌봐 주는 서비스 기출

② 간호사 : 입원 병상의 전문 간호서비스를 24시간 전담

③ 간호조무사 : 간호사와 함께 보조 역할을 수행

④ 2016년부터 간호·간병통합서비스로 명칭 변경

15. 의료기관의 안전관리시설

① 화재 기타 긴급대책에 필요한 시설

② 채광·환기에 관한 시설

③ 전기·가스 등에 위해방지에 관한 시설

④ 방사선 위해방지에 관한 시설

⑤ 방충·방서·세균오염의 방지에 관한 시설

16. 의료기관 급식관리

① 환자 식사는 일반식과 치료식으로 구분

② 뚜껑이 있는 식기를 사용할 것

③ 전염병환자의 식기 : 일반 환자식기와 구분하여 멸균, 소독

④ 급식관련 종사자에게 위생교육을 실시

제2장 | 정신건강증진 및 정신질환자 복지서비스 지원에 관한 법률(정신건강복지법)

1. 정신건강복지법(2021년 개정) (기출 20하)

1) 목적(법 제1조)

① 정신질환의 예방과 치료

② 정신질환자의 재활·복지·권리보장

③ 국민의 정신건강증진 및 정신질환자의 인간다운 삶을 영위하는데 이바지

2) 기본이념(법 제2조)

① 모든 정신질환자는 인간으로서 존엄과 가치를 보장 받음

② 정신질환이 있다는 이유로 부당한 차별 대우를 받지 아니함

③ 최적의 치료와 보호를 받을 권리를 보장 받음

④ 입원 중 자유로운 환경보장 및 타인과 의견교환이 보장되어야 함

⑤ 미성년자가 정신질환자인 경우 특별히 치료, 보호, 교육 받을 권리가 보장

3) 정의(법 제3조)

① 정신질환자 : 망각, 환각, 사고나 기분장애 등으로 인하여 독립적으로 일상생활을 영위하는데 중대한 제약이 있는 사람

② 정신건강증진사업 : 정신건강에 영향을 미치는 교육, 상담, 주거, 근로 환경의 개선 등을 통해 국민의 정신건강증진을 시키는 사업

③ 정신건강복지센터 : 지역사회의 정신건강증진사업 및 정신질환자 복지서비스 지원 사업을 하는 기관 또는 단체

④ 정신건강증진시설 : 정신의료기관, 정신요양시설, 정신재활시설

4) 국가계획·시행계획의 수립 및 시행(법 제7, 8조)

① 보건복지부장관은 관계 행정기관의 장과 협의하여 5년마다 정신건강증진 및 정신질환자 복지서비스 지원에 관한 국가의 기본계획을 수립하여야 한다.

② 시·도지사는 지역계획에 따라 매년 시행계획을 수립·시행하여야 한다.

③ 시장·군수·구청장은 매년 관할 시·도의 지역계획에 따라 시행계획을 수립·시행하여야 한다.

5) 국민건강증진정책심의위원회(법 제9조)

복지부장관은 국가계획의 수립, 정신건강증진 및 정신질환자 복지서비스 지원체계와 제도 발전 등과 관련된 사항에 대해 국민건강증진 정책 심의 위원회의 심의를 받아야 함

6) 정신건강상 문제의 조기발견(법 제11조)

① 보건복지부장관, 시·도지사 및 시장·군수·구청장은 생애주기 및 성별 정신건강상 문제의 조기발견·치료를 위한 교육·상담 등의 정신건강증진사업을 시행한다.

② 국가와 지방자치단체는 조기치료가 필요한 정신건강상 문제가 있는 사람에 대하여 예산의 범위에서 치료비를 지원할 수 있다.

7) 정신건강의 날(법 제14조)

① 매년 10월 10일, 정신건강의 날이 포함된 주를 정신건강주간으로 지정

② 정신건강의 중요성 환기하고, 정신질환에 대한 편견을 해소하기 위해

8) 복지서비스의 제공(법 제33~38조)

① 복지서비스의 개발

② 고용 및 직업재활 지원

③ 평생교육지원

④ 문화, 예술, 여가, 체육활동 등의 지원

⑤ 지역사회 거주, 치료, 재활 등 통합지원

⑥ 가족에 대한 정보제공과 교육

9) 정신질환자의 보호의무자(법 제39조)

① 보호의무자가 없는 경우 : 관할 시장·군수·구청장이 보호의무자

② 보호의무자가 될 수 없는 경우 : 행방불명자, 미성년자, 금치산자, 한정치산자, 파산 선고를 받고 복권되지 아니한 자, 당해 정신질환자를 상대로 소송이 계속 중인 자 또는 소송한 사실이 있었던 자 기출

2. 정신질환자의 입원 (기출 19하) (기출 21상) (기출 21하)

1) 자의입원 등(법 41조)

① 정신질환자는 보건복지부령으로 정하는 입원신청서를 정신의료기관의 장에게 제출

② 정신의료기관의 장은 자의입원을 한 사람이 퇴원 등을 신청한 경우 : 지체 없이 퇴원

③ 정신의료기관의 장은 자의입원을 한 사람에 대하여 2개월마다 퇴원의사 확인 기출

2) 동의입원 등(법 42조)

① 보호의무자의 동의를 받아 입원

② 보호의무자 동의입원 정신질환자가 퇴원을 신청한 경우 지체 없이 퇴원

③ 다만, 정신의료기관장은 정신건강의학과전문의 진단 결과 환자의 치료와 보호 필요성이 있다고 인정되는 경우 : 72시간까지 퇴원 거부 가능

④ 정신의료기관의 장은 입원한 정신질환자에 대하여 2개월마다 퇴원 의사 확인

3) 보호의무자에 의한 입원(법 제43조)

① 정신질환자의 보호의무자 2명 이상(보호의무자가 1명만 있는 경우에는 1명)이 신청한 경우로서 정신건강의학과전문의가 입원이 필요하다고 진단한 경우에만 입원 기출

② 정신건강의학 전문의 진단결과 입원 필요로 진단한 경우 정확한 진단을 위해 2주의 범위기간을 정해 입원하게 할 수 있음

③ 최초 입원기간은 3개월 이내
   → 이후 1차 입원 기간 연장은 3개월 이내
   → 1차 기간 연장 이후 입원 시는 연장 시마다 6개월 이내

④ 첫 입원, 입원 연장 시 : 보호자 2명의 동의가 필요

⑤ 경찰관은 정신질환으로 자신의 건강 또는 타인에게 해를 끼칠 위험이 의심되는 사람 발견 시 진단과 보호 신청을 요청할 수 있음

4) 입원 적합성 심사위원회(법 제46조)

① 복지부장관이 국립정신병원 등의 기관에 임원들의 적합성 여부 심사를 위해 설치하는 위원회

② 위원장 포함 10명 이상의 30명 이내

③ 입원 심사 소위원회를 설치

5) 응급입원(법 제50조)

정신질환자로 추정되는 사람 발견 시(상황이 매우 급박 시에만) 의사와 경찰관의 동의를 받아 3일 이내의 기간 동안 응급입원을 시킬 수 있음 기출

6) 외래치료(법 제64조)

① 정신의료기관의 장은 입원 치료하기 전 1년의 범위에서 외래치료 명령을 청구할 수 있음

② 특별자치시장, 특별자치도지사, 시·군·구청장은 외래치료 명령에 따르지 아니 한 때 자신이나 타인에게 해를 끼칠 위험여부를 평가하기 위해 지정 의료기관에서 14일 이내 평가 명령을 내릴 수 있음

3. 정신질환자의 실태조사(법 제10조)

1) 보건복지부장관은 매 5년마다 정신질환자의 실태 조사를 실시

2) 정신질환자의 실태조사 내용

① 정신질환자의 취업, 직업훈련, 소득, 주거, 경제상태 및 복지서비스 정도의 관한 사항

② 정신질환의 발생원인, 유형 및 정도의 관한 사항

③ 정신질환자의 치료경력, 의료서비스 이용형태 및 치료비용의 관한 사항

④ 정신질환자의 성별, 연령, 학력, 결혼상태 및 가족사항의 관한 사항

⑤ 서비스요구도 기타 보건복지부장관이 필요하다고 인정하는 사항

4. 국가 트라우마센터의 설치(법 제15조)

1) 보건복지부장관은 국가트라우마센터의 업무를 지원하기 위하여 권역별 트라우마센터를 설치·지정 및 운영할 수 있다.

2) 대상

① 재난이나 그 밖의 사고로 정신적 피해를 입은 사람과 그 가족

② 재난이나 사고 상황에서 구조, 복구, 치료 등 현장대응업무에 참여한 사람으로서 정신적 피해를 입은 사람

5. 정신건강 전문요원(법 제17조)

① 정신건강 임상심리사 : 정신질환자에 대한 심리평가, 정신질환자와 그 가족에 대한 심리 상담
② 정신건강 간호사 : 정신질환자의 병력에 대한 자료 수집, 병세에 대한 판단 분류 및 그에 따른 환자관리 활동
③ 정신건강 사회복지사 : 정신질환자에 대한 개인력 조사 및 사회조사, 정신질환자와 그 가족에 대한 사회 사업지도 및 방문지도
④ 정신건강 작업치료사(2020년 신규 추가) : 정신질환자에 대한 신체적·정신적 기능장애의 회복

6. 정신건강증진시설의 종류

※ 시설 평가 : 보건복지부장관(3년마다)

① 정신의료기관(법 제19조)
 : 의료기관 중 정신질환자의 진료를 행할 목적으로 설치된 병원과 의원 및 병원급 이상의 의료기관에 설치된 정신과
② 정신요양시설(법 제22조)
 : 정신의료기관에서 의뢰된 정신질환자와 만성정신질환자를 입소시켜 요양과 사회복귀촉진을 위한 훈련을 행하는 시설
③ 정신재활시설(법 제27조)
 : 정신의료기관에 입원하거나 정신요양시설에 입소시키지 않고 사회복귀촉진을 위한 훈련을 행하는 시설

7. 정신의료기관 설치 기준(법 제19조)

1) 정신병원

① 입원실 : 50인 이상
② 입원환자 50인 이상인 정신의료기관은 입원실의 100분의 10 이상을 개방병동운영
③ 1실의 정원 : 10인 이하

2) 외래환자 3인 : 입원환자 1인으로 봄

① 정신과 전문의 : 입원환자 60인당 1인

② 간호사 : 입원환자 13인당 1인(간호사 정원 1/2 범위 안에서 조무사로 대신)

③ 전문요원(정신보건임상심리사, 정신보건사회복지사) : 입원환자 100인당 1인을 둠

8. 정신요양시설(법 제22조)

1) 정의

정신의료기관에서 의뢰된 정신질환자를 입소시켜 요양과 사회복귀촉진을 위한 훈련을 행하는 시설

2) 수용 인원

① 입소 정원 : 300명 이하

② 보건복지부장관의 고시 기준에 적합하며, 시장·군수·구청장이 인정한 경우 : 300명 초과 가능

3) 종사자의 수

① 정신건강의학과 전문의 또는 촉탁의사 : 1명 이상

② 간호사 : 40명당 1명, 간호사 정원의 1/2 범위에서 간호조무사 대체 가능

③ 생활지도원 또는 생활복지사 : 25명당 1명

④ 전문요원 : 1명 이상, 여성 입소자 있을 경우 여성전문요원 1명을 두어야 함

⑤ 작업지도원 : 1명 이상, 작업치료사, 사회복지사, 간호사 또는 간호조무사 자격 있어야 함

9. 정신재활시설의 종류(법 제27조)

1) 생활시설

가정에서 생활하기 어려운 정신질환자 등에게 주거, 생활지도, 교육, 직업재활훈련 등의 서비스를 제공하며, 가정의로의 복귀, 재활, 자립 및 사회적응을 지원하는 시설

2) 재활훈련시설

① 주간재활시설 : 정신질환자 등에게 작업·기술지도, 직업훈련, 사회적응훈련, 취업지원 등의 서비스를 제공하는 시설

② 공동생활가정 : 완전한 독립생활은 어려우나 어느 정도 자립능력을 갖춘 정신질환자 등이 공동으로 생활하며 독립생활을 위한 자립역량을 함양하는 시설

③ 지역사회전환시설 : 지역 내 정신질환자 등에게 일시 보호 서비스 또는 단기 보호 서비스를 제공하고, 퇴원했거나 퇴원계획이 있는 정신질환자 등의 안정적인 사회복귀를 위한 기능을 수행하며, 이를 위한 주거 제공, 생활훈련, 사회적응훈련 등의 서비스를 제공하는 시설

④ 직업재활시설 : 정신질환자 등이 특별히 준비된 작업환경에서 직업적응, 직무기능향상 등 직업재활훈련을 받거나 직업생활을 할 수 있도록 지원하며, 일정한 기간이 지난 후 직업능력을 갖추면 고용시장에 참여할 수 있도록 지원하는 시설

⑤ 아동·청소년 정신건강지원시설 : 정신질환 아동·청소년을 대상으로 한 상담, 교육 및 정보제공 등을 지원하는 시설

3) 중독자재활시설

알코올 중독, 약물 중독 또는 게임 중독 등으로 인한 정신질환자 등을 치유하거나 재활을 돕는 시설

4) 생산품판매시설

정신질환자 등이 생산한 생산품을 판매하거나 유통을 대행하고, 정신질환자 등이 생산한 생산품이나 서비스에 관한 상담, 홍보, 마케팅, 판로개척, 정보제공 등을 지원하는 시설

5) 종합시설

위 1) ~ 4)까지의 정신재활시설 중 2개 이상의 정신재활시설이 결합되어 정신질환자 등에게 생활지원, 주거지원, 재활훈련 등의 기능을 복합적·종합적으로 제공하는 시설

10. 정신질환자의 권익보호 (기출 20상)

1) 정신질환자 권익보호(법 제69조)

① 누구든지 정신질환자나 보호자의 동의 없이 정신질환자에 대해 녹음·녹화·촬영을 할 수 없음
② 정신질환자로 판명되면 교육 및 고용의 기회에서 불공평한 대우를 해서는 안 됨
③ 응급입원의 경우를 제외하고는 정신과 전문의의 진단 없이 정신의료기관에 입원시킬 수 없음(진단의 유효 기간 : 발급일부터 30일)
④ 정신질환자 및 그 보호의무자의 의료비에 대한 경제적 부담은 차별받지 아니 함
⑤ 국가 또는 지방자치단체는 정신질환에서 회복된 자의 직업 및 지도, 훈련과정에서 정상인과 차별을 두지 않음

2) 수용 및 가혹행위 금지(법 제72조)

① 정신질환자를 보호할 수 있는 시설 외의 장소에 정신질환자를 수용하여서는 안 됨

기출

② 정신건강증진시설에 입원 등을 하거나 시설을 이용하는 사람에게 폭행을 하거나 가혹행위를 해서는 안 됨

11. 벌칙(법 84~87조) (기출 19상)

1) 5년 이하의 징역 또는 5천만원 이하의 벌금(법 제84조)

① 정신질환자를 유기한 자
② 정신질환자를 퇴원을 시키지 아니한 자
③ 정신건강의학과전문의의 대면 진단에 의하지 아니하고 정신질환자를 입원을 시키거나 입원의 기간을 연장한 자
④ 정신질환자를 보호할 수 있는 시설 외의 장소에 수용한 자
⑤ 정신건강증진시설의 장 또는 그 종사자로서 정신건강증진시설에 입원을 하거나 시설을 이용하는 사람에게 폭행을 하거나 가혹행위를 한 사람
⑥ 협의체의 결정 없이 특수치료를 하거나 정신의료기관에 입원을 한 사람 또는 보호의무자의 동의 없이 특수치료를 한 자

2) 3년 이하의 징역 또는 3천만원 이하의 벌금(법 제85조)

① 사업의 정지명령 또는 시설의 폐쇄명령 및 교체명령을 위반한 자

② 정신질환 기록을 삭제하지 아니한 자

③ 입원을 하거나 정신건강증진시설을 이용하는 정신질환자에게 노동을 강요한 자

기출

④ 직무수행과 관련하여 알게 된 다른 사람의 비밀을 누설하거나 공표한 사람

⑤ 입원을 한 사람의 통신과 면회의 자유를 제한한 자

3) 1년 이하의 징역 또는 1천만원 이하의 벌금(법 제86조)

① 다른 사람에게 자기의 명의를 사용하여 정신건강전문요원의 업무를 수행하게 하거나 정신건강전문요원 자격증을 빌려준 사람 또는 알선한 사람

② 기록을 작성·보존하지 아니하거나 그 내용확인을 거부한 자

③ 퇴원을 할 의사가 있는지 여부를 확인하지 아니한 자

④ 입원 신청서나 보호의무자임을 확인할 수 있는 서류를 받지 아니한 자

⑤ 입원 기간 연장에 대한 심사 청구기간을 지나서 심사 청구를 하거나, 심사 청구를 하지 아니하고 입원 기간을 연장하여 입원을 시킨 자

⑥ 처우개선을 위하여 필요한 조치 명령을 따르지 아니한 자

⑦ 동의를 받지 아니하고 정신질환자에 대하여 녹음·녹화 또는 촬영을 한 자

⑧ 입원을 한 사람의 신청 또는 동의 없이 작업을 시키거나 정신건강의학과전문의나 정신건강전문요원이 지시한 방법과 다르게 작업을 시킨 자

4) 500만원 이하의 벌금(법 제87조)

정당한 사유 없이 시설 개방 요구에 따르지 아니한 자

제3장 | 결핵예방법

1. 결핵예방법의 목적(법 제1조)

1) 결핵예방법의 목적

① 결핵을 예방

② 결핵환자에 대한 적절한 의료실시

③ 결핵으로 생기는 피해방지

④ 국민의 건강증진에 이바지함

2) 대한결핵협회의 설치 목적(법 제21조)

결핵에 관한 조사, 연구, 예방, 퇴치 사업을 행하기 위함

2. 결핵예방법에서 사용하는 용어(법 제2조) (기출 19상)

① 결핵 : 결핵균으로 인하여 발생하는 질환

② 결핵환자 : 결핵균이 인체 내에 침입하여 임상적 특징이 나타나는 자로서 결핵균검 사에서 양성으로 확인된 자

③ 결핵의사(擬似)환자 : 임상적, 방사선학적 또는 조직학적 소견상 결핵에 해당하지만 결핵균검사에서 양성으로 확인되지 아니한 자 기출

④ 전염성결핵환자 : 결핵환자 중 객담(咯痰)의 결핵균검사에서 양성으로 확인되어 타 인에게 전염시킬 수 있는 환자

⑤ 잠복결핵감염자 : 결핵에 감염되어 결핵감염검사에서 양성으로 확인되었으나 결핵 에 해당하는 임상적, 방사선학적 또는 조직학적 소견이 없으며 결핵균검사에서 음성 으로 확인된 자

3. 결핵예방의 날(법 제4조)

① 매년 3월 24일

② 결핵예방 및 관리의 중요성을 알리고 결핵에 대한 경각심을 고취하기 위하여 지정

4. 결핵관리 종합계획(법 제5조)

1) 계획 수립 : 질병관리청장(5년마다)

2) 내용

① 결핵예방 및 관리를 위한 기본시책

② 결핵환자 등과 잠복결핵감염자의 치료 및 보호·관리

③ 결핵에 관한 홍보 및 교육

④ 결핵에 관한 조사·연구 및 개발

⑤ 다제내성 결핵의 예방 및 관리

⑥ 그 밖에 결핵관리에 필요한 사항

5. 결핵환자 발생 시 조치 (기출 21하)

1) 신고의무(법 제8조)

① 의사 및 의료기관 종사자 : 지체 없이 소속된 의료기관의 장에게 보고

   – 결핵환자를 진단 및 치료한 경우

   – 결핵환자가 사망하였거나 그 사체를 검안한 경우

② 의료기관의 장 : 관할 보건소장에게 신고(24시간 이내에) 기출

2) 관할 보건소장의 조치(법 제9조)

① 지방보건행정기관인 보건소가 결핵을 비롯한 감염의 관리 업무를 수행

② 보건소장은 신고된 결핵환자에 대하여 인적사항, 접촉자, 집단생활 여부 등 감염원을 조사하기 위하여 사례조사를 실시(보건복지부령)

③ 신고된 결핵환자 등에 대하여 결핵예방 및 의료상 필요하다고 인정되는 경우에는 해당 의료기관에 간호사를 배치하거나 방문하게 하여 환자관리 및 보건교육 등 의료에 관한 적절한 지도 실시

3) 시·도지사 또는 시장·군수·구청장, 질병관리청장의 조치(법 제10조)

 ① 결핵이 집단적으로 발생한 것이 의심되는 경우에는 역학조사를 실시

 ② 결핵예방법상 동거자 또는 제3자에게 결핵을 전염시킬 우려가 있다고 인정할 경우 질병관리청장이 지정한 의료기관에 입원할 것을 명할 수 있음

6. 결핵 검진 및 예방접종 (기출 19하)

1) 결핵검진 등의 주기 및 실시방법(법 제11조)

 ① 대상자 : 의료기관, 산후조리업자, 학교, 유치원, 어린이집, 아동복지시설 등 종사자 및 질병관리청장이 지정하는 기관 및 학교의 종사자

 ② 신규 채용된 사람은 채용한 날부터 1개월 이내 검진 받아야 함

 ③ 실시주기 : 매년 (다른 법령에 따라 건강진단을 받은 경우는 결핵검진을 받은 것으로 갈음) 기출

2) 결핵예방접종 의무 대상자

 ① 출생 후 1개월 미만의 신생아

 ② 시·도지사 또는 시장·군수·구청장은 관할 보건지소를 통해 예방접종 실시해야 함

7. 업무종사의 일시 제한(법 제13조) (기출 21상)

 ① 명령권자 : 시장·도지사 또는 시장·군수·구청장 기출

 ② 사람들과 접촉이 많은 업무에 종사하거나 집단생활시설에서 수행하는 업무에 종사하는 자

  – 식품접객업, 미용업, 의료인의 업무 및 보조

  – 원양구역을 항해구역으로 하는 객실승무원의 1일 8시간 이상 비행 근무 업무

  – 보육시설종사자, 공중과 직접 접촉하는 횟수가 잦은 자, 학교에서 근무하는 교직원과 그 보조 업무자

 ③ 전염성 소실(消失)의 판정을 받을 때까지 정지하거나 금지(보건복지부령)

8. 결핵예방 위반 벌칙(법 제31조) (기출 20상) (기출 20하)

1) 3년 이하의 징역 또는 3,000만원 이하의 벌금

① 환자의 비밀을 누설한 자 기출

② 업무상 알게 된 정보를 지원목적 외에 사용하거나 제공한 자

2) 2년 이하의 징역 또는 2,000만원 이하의 벌금

① 정당한 사유 없이 결핵환자의 입원을 거절한 자

② 사례조사 및 역학조사 거부 및 방해, 기피자

3) 1,000만원 이하의 벌금

① 집단생활시설의 결핵 전파방지 및 예방에 필요한 조치 명령을 이행하지 않은 경우

② 업무종사의 정지 또는 금지의무를 위한반 자

4) 500만원 이하의 벌금

① 보고 및 신고의무 위반 자

② 격리치료명령을 따르지 아니한 자 기출

제4장 | 구강보건법

1. 구강보건법(2020년 10월 개정) (기출 20하)

1) 목적(법 제1조)

① 구강보건에 관하여 필요한 사항 규정

② 구강보건사업의 효율적 추진

③ 구강질환 예방, 구강건강 증진

2) 정의(법 제2조)

① 구강보건사업 : 구강질환예방, 진단, 구강건강에 관한 교육·관리로 구강건강유지·증진사업

② 수돗물불소농도조정사업 : 치아우식증(충치)의 발생을 예방하기 위하여 상수도 정수장 또는 수돗물 저장소에서 불소화합물 첨가시설을 이용하여 수돗물의 불소농도를 적정수준으로 유지·조정하는 사업 기출

③ 구강관리용품 : 구강질환 예방, 구강건강의 증진 및 유지 등의 목적으로 제조된 용품. 보건복지부 장관이 정한 것

3) 국민의 의무(법 제4조)

① 구강건강증진을 위한 구강보건사업이 효율적으로 시행되도록 협력

② 스스로의 구강건강 증진을 위하여 노력

2. 구강보건사업계획(법 제5, 6조)

1) 계획 수립 및 시행

① 기본계획 수립 : 보건복지부장관 → 5년마다

② 세부계획 수립 및 시행 : 시·도지사 → 매년

③ 시행계획 수립 및 시행 : 시장·군수·구청장 → 매년

2) 사업 기본계획 내용

① 구강보건에 관한 조사·연구 및 교육사업

② 수돗물불소농도조정사업

③ 학교 구강보건사업

④ 사업장 구강보건사업

⑤ 노인·장애인 구강보건사업

⑥ 임산부·영유아 구강보건사업

⑦ 구강보건 관련 인력의 역량강화에 관한 사업

⑧ 그 밖에 대통령령으로 하는 사업

3. 구강건강실태조사(법 제9조) (기출 21하)

1) 시기와 방법
① 질병관리청장은 보건복지부장관과 협의하여 국민의 구강건강상태와 구강건강의식 등 구강건강실태를 3년마다 조사하고 그 결과를 공표 기출
② 방법
 − 구강건강상태조사 : 직접 구강검사 실시
 − 구강건강의식조사 : 면접설문조사 실시

2) 구강건강상태조사 내용
① 치아건강상태
② 치주조직건강상태
③ 의치보철상태
④ 그 밖에 치아반점도 등 구강건강상태에 관한 사항

3) 구강건강의식조사 내용
① 구강보건에 대한 지식
② 구강보건에 대한 태도
③ 구강보건에 대한 행동
④ 그 밖에 구강보건의식에 관한 사항

4. 수돗물불소농도조정사업(법 제10조)

1) 사업관리자: 시·도지사, 시·군·구청장, 한국수자원공사사장

2) 수행 : 상수도사업소장 또는 보건소장

3) 보건소장의 업무
① 수돗물불소화사업에 대한 교육 및 홍보
② 불소투입시설의 점검
③ 불소농도 측정 및 기록(주1회 이상 측정, 연 2회 현장 방문)

4) 수돗물불소농도 : 0.8 ppm (0.6~1.0 ppm)

5. 불소용액양치사업(법 제12조, 규칙 제10조) (기출 19하) (기출 21상)

1) 학교장이 실시하는 불소용액양치사업
① 매일 1회 하는 경우 불소용액 농도 : 0.05% 기출
② 주1회 하는 경우 불소용액 농도 : 0.2% 기출
③ 불소도포의 횟수 : 6개월에 1회

2) 불소투입 담당자의 안전관리
① 상수도 사업소장의 임무임
② 상수도사업소장은 매월 불소농도측정결과를 측정한 달의 다음달 10일까지 사업관리
자에게 통보 → 사업관리자는 통보받은 날부터 5일 이내에 보건복지부장관에게 통보

6. 임산부·영유아 구강보건사업(법 제16조) (기출 19상) (기출 20상)

1) 구강보건교육(매년 실시) 기출
① 대상 : 모자보건수첩을 발급받은 임산부와 영유아
② 시행자 : 특별자치시장·특별자치도지사 또는 시장·군수·구청장 기출
③ 내용 : 치아우식증, 치주질환, 그 밖의 구강질환의 예방 및 관리

2) 영유아의 건강진단 : 구강검진을 포함

3) 임산부 구강검진
① 치아우식증 상태
② 치주질환 상태
③ 치아마모증 상태
④ 구강질환 상태

4) 영유아 구강검진

    ① 치아우식증 상태

    ② 치아 및 구강발육 상태

    ③ 구강질환 상태

제5장 | 혈액관리법

1. 혈액관리법의 목적(법 제1조)

    ① 수혈자 및 헌혈자를 보호

    ② 혈액관리를 적정을 기해 국민보건향상에 기여함

2. 1인 1회 채혈량

    ① 전혈채혈 : 400 mL

    ② 다종성분 채혈 : 600 mL

    ③ 성분채혈 : 혈장성분채혈의 경우 500 mL

    (항응고제 및 검사용 혈액, 희귀혈액 채취, 헌혈자의 치료 목적시는 제외)

3. 혈액매매행위 금지와 벌칙(법 제3조) (기출 20하) (기출 21하)

1) 허용 : 자신의 헌혈증서를 타인에게 기부할 수 있음 [기출]

2) 5년 이하의 징역 및 5천만원 이하의 벌금 [기출]

    ① 헌혈증서 판매 : 자신의 혈액을 금전상 대가를 받고 제공하거나 약속

    ② 헌혈증서 구입 : 타인의 혈액을 금전상 대가를 받고 제공받거나 약속

    ③ 헌혈증서 판매방조 : 혈액매매행위 금지 위반되는 행위를 교사, 방조, 알선

④ 혈액매매행위 금지 규정에 위반되는 행위와 관련되는 혈액을 채혈하거나 수혈하여
서는 아니된다.

3) 2년 이하의 징역 및 2천만원 이하의 벌금

① 정하는 기준에 적합한 시설·장비를 갖추지 아니한 자
② 채혈 전에 헌혈자에 대하여 신원 확인 및 건강진단을 하지 아니한 자
③ 감염병 환자 또는 건강기준에 미달하는 사람으로부터 채혈을 한 자
④ 부적격혈액을 수혈받은 사람에게 이를 알리지 아니한 자
⑤ 건강진단·채혈·검사 등 업무상 알게 된 다른 사람의 비밀을 누설하거나 발표한 자

4) 1년 이하의 징역 및 1천만원 이하의 벌금

① 헌혈자에게 헌혈증서를 발급하지 아니하거나, 의료기관에 헌혈증서를 제출하면서
무상으로 혈액제제 수혈을 요구한 사람에 대하여 정당한 이유 없이 그 요구를 거절
한 자
② 거짓이나 그 밖의 부정한 방법으로 헌혈환급예치금을 내지 아니한 자

5) 500만원 이하의 벌금 : 개설허가의 취소 등 시정명령을 이행하지 아니한 자

6) 100만원 이하의 벌금 : 고시된 혈액제제의 수가를 위반하여 혈액제제를 공급한 자

4. 혈액관리업무를 할 수 있는 자(법 제6조)

1) 의료법에 의한 의료기관

① 대한적십자사
② 보건복지부령이 정하는 혈액제제 제조업자(채혈 업무는 제외)
③ 의약품제조업허가를 받은 자로 품목별로 허가를 받거나 신고 함

2) 혈액관리업무를 할 수 없는 기관 : 요양원

3) **혈액관리업무** : 수혈, 혈액제제의 제조에 필요한 채혈·검사·제조·보존·공급·품질 관리하는 업무를 말함

5. 채혈 전 헌혈자에게 실시하는 건강진단 (기출 19상) (기출 19하) (기출 21상)

1) 건강 진단(법 제7조)

   ① 문진, 시진, 촉진
   ② 체온, 맥박, 혈압, 체중 측정 [기출]
   ③ 빈혈검사 [기출]
   ④ 혈소판계수검사
   ⑤ 과거의 헌혈경력 및 혈액검사결과, 채혈금지대상자
   ⑥ 여부조회

2) 부적격 기준에 해당되는 혈액 또는 혈액 제제의 검사(영 제2조)

   ① B형간염검사 : 양성
   ② C형간염검사 : 양성
   ③ ALT검사 : 65 이상
   ④ 후천성면역결핍증검사 : 양성
   ⑤ 매독검사 : 양성이 해당됨

3) 채혈금지대상자(규칙 제2조, 제7조)

   ① 체중 : 남자 50 kg 미만 / 여자 45 kg 미만 [기출]
   ② 체온 : 37.5℃ 초과
   ③ 혈압 : 수축기 90 mm 미만 / 이완기 180 mm 이상
   ④ 맥박 : 1분 50회 미만 / 100회 초과
   ⑤ 수혈 후 1년이 경과하지 아니한 자

6. 혈액제제와 공급 및 안정성, 보전 (기출 20상)

1) 혈액제제

① 혈액을 원료로 하여 제조한 약사법 규정에 의한 의약품

② 전혈, 농축적혈구, 신선 동결혈장, 농축혈소판, 기타 보건복지부령이 정하는 혈액관련의약품

2) 혈액의 안정성 확보(법 제8조)

① 혈액의 적정여부 검사 및 확인 : 혈액원

② 부적격 혈액 : 보건복지부령에 따라 폐기처분 후 보건복지부장관에게 보고 기출

3) 공급 및 보존업무(법 제9조)

① 보존 온도를 유지하는 장치와 그 유지 온도를 기록하는 장치를 갖추어야 함

② 혈액제제의 부적격 여부를 주기적으로 점검

③ 혈액제제를 보존 중에 폐기하거나 변질시키지 말아야 함

④ 혈액제제 운송서를 혈액제제를 수령한 자에게 제출(3년간 보관)

4) 특정수혈부작용

① 사망, 장애, 입원치료를 요하는 부작용, 의료기관의 장이 사망 내지 바이러스 등에 의하여 감염되는 질병에 의한 부작용과 유사하다고 판단하는 부작용

② 신고 : 특정수혈부작용사실을 확인한 날부터 15일 이내에 보건소장에게 신고(단, 사망의 경우 즉시 신고)

제6장 | 감염병의 예방 및 관리에 관한 법률

1. 감염병 예방법 (기출 20상) (기출 21하)

1) 목적(법 제1조)
① 감염병의 발생과 유행을 방지
② 예방과 관리를 위하여 필요한 사항을 규정
③ 국민보건 향상을 증진

2) 정의(법 제2조)
① 감염병환자 : 감염병의 병원체가 인체에 침입하여 증상을 나타내는 사람
② 감염병의사환자 : 감염병병원체가 인체에 침입한 것으로 의심이 되나 감염병환자로 확인되기 전 단계에 있는 사람 기출👆
③ 병원체보유자 : 임상적인 증상은 없으나 감염병병원체를 보유하고 있는 사람
④ 감염병의심자 : 병원체 보유자와 접촉이 의심되거나, 검역관리지역을 체류 또는 경유하여 감염이 우려되는 사람
⑤ 감시 : 감염병 발생과 관련된 자료, 감염병병원체·매개체에 대한 자료를 체계적이고 지속적으로 수집, 분석 및 해석하고 그 결과를 제때에 필요한 사람에게 배포하여 감염병 예방 및 관리에 사용하도록 하는 일체의 과정
⑥ 역학조사 : 감염병환자가 발생한 경우 감염병의 차단과 확산 방지를 위하여 감염병환자의 발생 규모를 파악하고 감염원을 추적하는 등의 활동과 감염병 예방접종 후 이상반응 사례가 발생한 경우나 감염병 여부가 불분명하나 그 발병원인을 조사할 필요가 있는 사례가 발생한 경우 그 원인을 규명하기 위하여 하는 활동 기출👆

2. 감염병 예방 및 관리 계획의 수립(법 제7조)
① 질병관리청장은 보건복지부장관과 협의 하에 기본계획 수립·시행 → 매 5년마다
② 시·도지사 또는 시장·군수·구청장은 기본계획에 따라 시행계획 수립→ 매년마다

3. 법정 감염병의 분류(2020년 7월 기준) (기출 20하) (기출 21상)

① 질병관리청장이 보건복지부장관과 협의하여 정함

구분	특성	종류
제1급 감염병 (17종)	생물테러감염병 또는 치명률이 높거나 집단 발생 우려가 커서 발생 또는 유행 즉시 신고하고 음압격리가 필요한 감염병 기출	에볼라바이러스병, 마버그열, 라싸열, 크리미안콩고출혈열, 남아메리카출혈열, 리프트밸리열, 두창, 페스트, 탄저, 보툴리눔독소증, 야토병, 신종감염병증후군, 중증급성호흡기증후군(SARS), 중동호흡기증후군(MERS), 동물인플루엔자 인체감염증, 신종인플루엔자, 디프테리아
제2급 감염병 (21종)	전파가능성을 고려하여 발생 또는 유행시 24시간 이내에 신고하고 격리가 필요한 감염병	결핵, 수두, 홍역, 콜레라, 장티푸스, 파라티푸스, 세균성이질, 장출혈성대장균감염증, A형간염, 백일해, 유행성이하선염, 풍진, 폴리오, 수막구균 감염증, b형헤모필루스인플루엔자, 폐렴구균 감염증, 한센병, 성홍열, 반코마이신내성황색포도알균(VRSA) 감염증, 카바페넴내성장내세균속균종 (CRE) 감염증, E형간염
제3급 감염병 (26종)	발생 또는 유행 시 24시간 이내에 신고하고 발생을 계속 감시할 필요가 있는 감염병	파상풍, B형간염, 일본뇌염, C형간염, 말라리아, 레지오넬라증, 비브리오패혈증, 발진티푸스, 발진열, 쯔쯔가무시증, 렙토스피라증, 브루셀라증, 공수병, 신증후군출혈열, 후천성면역결핍증(AIDS), 크로이츠펠트-야콥병(CJD) 및 변종크로이츠펠트- 야콥병(vCJD), 황열, 뎅기열, 큐열, 웨스트나일열, 라임병, 진드기매개뇌염, 유비저, 치쿤구니야열, 중증열성혈소판감소증후군(SFTS), 지카바이러스 감염증 기출
제4급 감염병 (23종)	제1급~제3급 감염병 외에 유행 여부를 조사하기 위해 표본감시 활동이 필요한 감염병	인플루엔자, 매독, 회충증, 편충증, 요충증, 간흡충증, 폐흡충증, 장흡충증, 수족구병, 임질, 클라미디아감염증, 연성하감, 성기단순포진, 첨규콘딜롬, 반코마이신내성장알균(VRE) 감염증, 메티실린내성황색포도알균(MRSA) 감염증, 다제내성녹농균(MRPA) 감염증, 다제내성아시네토박터바우마니균(MRAB) 감염증, 장관감염증, 급성호흡기감염증, 해외유입기생충감염증, 엔테로바이러스감염증, 사람유두종바이러스 감염증

4. 보건복지부장관 고시 감염병 (기출 19상)

구분	특성	종류
기생충감염병	기생충에 감염되어 발생하는 감염병	회충증, 편충증, 요충증, 간흡충증, 폐흡충증, 장흡충증 등
세계보건기구 감시 감염병	세계보건기구(WHO)가 국제 공중보건의 비상사태에 대비해 감시 대상으로 정한 감염병	두창, 폴리오, 신종인플루엔자, 중증급성호흡기증후군(SARS), 콜레라, 폐렴형 페스트, 황열, 바이러스성 출혈열, 웨스트나일병, 코로나감염증(COVID-19) 등
생물테러감염병	고의 또는 테러 등을 목적으로 이용된 병원체에 의하여 발생된 감염병	탄저, 보툴리눔독소증, 페스트, 마버그열, 에볼라열, 라싸열, 두창, 야토병 등
성매개감염병	성 접촉을 통하여 전파되는 감염병	매독, 임질, 클라미디아, 연성하감, 성기단순포진, 첨규콘딜롬
인수공통감염병	동물과 사람 간에 서로 전파되는 병원체에 의하여 발생되는 감염병	장출혈성대장균감염증, 일본뇌염, 브루셀라증, 탄저, 공수병, 조류인플루엔자인체감염증, 중증급성호흡기증후군(SARS), 변종크로이츠펠트-야콥병(vCJD), 큐열, 결핵 등
의료관련감염병 기출	환자나 임산부 등이 의료행위를 적용받는 과정에서 발생한 감염병	반코마이신내성황색포도알균(VRSA) 감염증, 반코마이신내성장알균(VRE) 감염증, 메티실린내성황색포도알균 (MRSA) 감염증, 다제내성녹농균 (MRPA) 감염증, 다제내성아시네토 박터 바우마니균(MRAB) 감염증, 카바페넴내성장내세균속균종(CRE) 감염증 등
※ 입원 치료를 받아야 하는 감염병	전파 위험이 높아 제1급 감염병과 함께 감염병 관리기관에서 입원 치료를 받도록 정해진 감염병	결핵, 홍역, 콜레라, 장티푸스, 파라티푸스, 세균성이질, 장출혈성대장균감염증, A형간염, 폴리오, 수막구균 감염증, 성홍열 등

5. 필수예방접종 (기출 19하) (기출 21하)

① 숙주 면역력을 증강
② 관할 보건소 : DPT(디프테리아, 백일해, 파상풍), MMR(홍역, 유행성이하선염, 풍진), A·B형 간염, 수두, 폴리오, 일본뇌염, 결핵, b형 헤모필루스 인플루엔자, 폐렴구균, 인플루엔자, 인유두종바이러스 그 밖에 질병관리청장이 지정하는 감염병 기출
③ 의료법에 따른 의료기관에 위탁 가능

6. 감염병의 신고와 보고 의무(법 제11~13조)

1) (소속된) 의사, 치과의사 또는 한의사 → 소속 의료기관의 장에게 보고 → 질병관리청장 또는 관할 보건소장

① 감염병환자 등을 진단하거나 그 사체를 검안한 경우
② 예방접종 후 이상반응자를 진단하거나 그 사체를 검안한 경우
③ 감염병환자 등이 제1급 감염병부터 제3급 감염병까지에 해당하는 감염병으로 사망한 경우(제4급감염병으로 인한 경우는 제외)
④ 감염병환자로 의심되는 사람이 감염병병원체 검사를 거부하는 경우

2) (무소속의) 의사, 치과의사 또는 한의사 → 관할 보건소장에게 신고

3) 감염병 발견 자 또는 그 기관의 장 → 질병관리청장 또는 관할 보건소장에게 신고 및 보고

① 제1급 감염병 : 지체 없이
② 제2급, 제3급 감염병 : 24시간 이내
③ 제4급 감염병 : 7일 이내에

4) 보고 체계

보건소장 → 시장·군수·구청장에게 보고 → 질병관리청장 및 시·도지사에게 보고

7. 진단서, 검안서, 증명서의 교부

① 의사, 한의사, 치과의사
② 조산에 관한 출생, 사망, 사산의 증명서의 교부 : 의사, 한의사, 조산사

PART

04

기본간호 실기

파워 간호조무사 **국가시험 핵심요약집**

CHAPTER 01 활력징후

1. 3대 임상증상 : 질환이 있을 때 신체에 발생하는 증상

1) 타각 증상

① 관찰이나 신체검진에 의해 확인할 수 있는 객관적 증상

② 고열, 발진, 청색증, 활력징후 측정결과, 황달, 복수, 부종 등

2) 자각 증상

① 환자 자신이 인식하거나 호소하는 주관적 증상

② 동통, 배고픔, 걱정, 감정, 가치관, 믿음, 불안, 가려움 등

3) 활력징후(주요 징후)

체온, 맥박, 호흡, 혈압을 측정(반드시 1일 2회)

2. 활력징후의 정상범위(성인 기준) (기출 19하) (기출 21상)

① 체온(BT) : 36~37℃

② 맥박(P. PR) : 60~100회 / 신생아 120~160회 / 영아 80~160회 기출 기출

③ 호흡(R. RR) : 12~20회 / 신생아 30~60회(1분 측정−복식호흡)

④ 혈압(BP) : 120/80 mmHg (수축압 : 140~90 / 이완압 : 90~60)

3. 활력징후의 특징

    ① 혈압은 나이가 많을수록 증가

    ② 맥박수는 나이가 많을수록 거의 변화가 없거나 약간 감소

    ③ 호흡(18회)과 맥박(72회)의 비율은 1 : 4

    ④ 호흡수가 증가 시 맥박수도 증가함

    ⑤ 호흡수는 나이가 많을수록 별변화가 없음

제1장 | 체온

1. 체온(BT)의 특징

    ① 정의 : 인체에서 생산되는 열(생산열)과 외부환경으로 소실되는 열(상실열)의 차이

    ② 체온 조절중추 : 시상하부

    ③ 체온 상승요소 : 떨기, 흥분, 고온환경, 운동, 음식 섭취

    ④ 체온 저하요소 : 수면, 기아, 활동저하, 체온조절중추억압

    ⑤ 오전 4~6시(최저), 오후 2~4시(최고)

    ⑥ 여자>남자, 성인>노인

    ⑦ 체온에 이상이 있을 시 체온계의 이상 유무를 확인 → 의사나 간호사에게 보고

2. 체온측정부위

측정 부위	정상범위	측정시간 (수은체온계 기준)	측정 체온계	특징
액와체온(A)	36.0~37.0℃	약 5~10분	구강체온계	측정온도가 가장 낮다.
구강체온	36.5~37.5℃	약 3~5분	구강체온계	표준 체온
직장체온(R)	37.0~38.0℃	약 2~3분	직장체온계	측정온도가 가장 높다.
고막체온	37.0~38.0℃	약 2~5초(삽입 즉시)	고막체온계	가장 정확한 체온
액와, 구강, 직장		약 10~20초	전자체온계	

3. 액와체온의 측정('A'로 표기) (기출 19하)

① 가장 안전한 부위이나 가장 부정확
② 구강측정의 수은 중독, 직장체온의 직장 천공 예방 가능함
③ 겨드랑이의 땀을 수건으로 가볍게 두드려줌
④ 측정 전에 수은이 35℃ 이하로 내려가도록 체온계를 흔듦
⑤ 체온계의 수은구가 액와 중앙에 밀착되도록 함 기출
⑥ 무의식환자나 쇠약한 노인환자를 측정

4. 구강체온의 측정

① 음식섭취 후 : 10분 후 측정
② 뜨거운 것, 찬음식 섭취 후 : 30분후 측정
③ 구강체온 측정 제한 자 : 5세이하 소아, 정신병, 의식 없는 환자, 호흡곤란, 노인, 히스테리, 불안신경증, 기침, 산소흡입중, 구내염, 입 다물지 못하거나 구강수술환자

5. 직장체온의 측정('R'로 표기)

① 비교적 정확한 측정 가능
② 직장체온 측정 제한 자 : 직장이나 회음부 염증, 수술환자, 경련환자, 심근경색증 환자, 고혈압 환자, 장에 변이 차 있는 환자, 설사 환자

6. 고막체온의 측정 (기출 20상) (기출 21하)

① 심부체온 측정 시 가장 정확
② 삽입 즉시 측정
③ 측정 방법 : 귓바퀴를 소아는 후하방, 성인은 후상방으로 당긴 후 외이도에 삽입 기출 기출

7. 체온계의 특징

1) 수은 체온계

① 사용 전 35℃ (95℉) 이하 여부를 확인 – 눈높이로 들고 판독

② 수은 파손 시 간호사에게 보고 : 수은 접촉이 없도록 의료폐기물 절차에 따라 처리

2) 전자 체온계

① 액와, 구강, 직장 사용 가능

② 측정시간이 비교적 짧고, 사용이 간편

3) 고막 체온계

① 빠른 측정 가능

② 가장 적확한 측정

4) 측두동맥 체온계(이마 체온계)

① 가장 낮게 측정

② 땀의 영향을 받지 않음

8. 체온계의 소독

① 70% 알코올

② 감염병 환자 사용 : 0.1% 승홍수, 30분 소독

제2장 | 맥박

1. 맥박(P, PR)의 특징

① 정의 : 신체 각 부분으로 혈액이 순환될 때 동맥이 팽창 수축하는 것

② 맥박 증가요소 : 체온 상승, 서 있는 자세, 흥분, 운동, 스트레스, 출혈, 통증

③ 맥박 저하요소 : 미주신경자극, 디기탈리스(강심제), 수면, 저체온

④ 정상범위 : 60~100회/분, 여자＞남자, 소아＞성인

⑤ 이상맥박 : 반드시 보고

⑥ 빈맥(출혈) : 100회 이상

⑦ 서맥 : 60회 이하

⑧ 부정맥 : 간격과 리듬이 불규칙적인 맥박

2. 맥박측정방법

① 보통 1분간 측정

② 2, 3, 4번째 손가락을 대상자의 요골동맥 위에 놓고 가볍게 눌러 측정

③ 맥박수를 세면서 강도, 리듬, 혈관 벽의 탄력성을 사정

④ 충분히 안정을 취한 후 맥박 측정

3. 맥박의 측정부위 (기출 19상) (기출 20하) (기출 21하)

부위	위치 및 사정 근거
측두동맥	① 측두동맥, 머리 측두골 위(요골맥박 측정 불가 시 사용) ② 발의 순환상태 사정 시
경동맥	① 목의 측면, 기관과 흉쇄유돌근 사이 위치 ② 영아, 심장마비 시 뇌순환을 확인하기 위해 측정
심첨	① 심첨부 : 좌측중앙쇄골선과 5번째 늑골간이 만나는 지점 ② 요골맥박이 불규칙(부정맥) 시 심첨부에서 직접 청진기로 측정 [기출] [기출] ③ 반드시 1분간 측정 ④ 심장이상환자, 신생아, 2세 이하 소아
상완동맥	① 상완의 내측에 있는 이두박근과 삼두박근 사이 위치 ② 혈압 측정 시 또는 영아의 심장마비 시 측정
요골동맥	① 가장 보편적인 맥박 측정 동맥 ② 맥박수, 강도, 리듬, 규칙성 등을 측정 ③ 엄지손가락을 제외한 2.3.4번째 손가락을 요골동맥 위에 놓고 측정 ④ 손목 안쪽 엄지손가락을 연결하는 요골동맥에서 측정 ⑤ 안정 후 맥박을 측정 : 정확한 맥박 측정에 변화를 줄 수 있으므로 ⑥ 맥박이 불규칙한 경우 1분간 측정
대퇴동맥	① 서혜인대 하부 위치 ② 심장마비 혹은 쇼크 시, 다리의 순환상태 확인
슬와동맥	① 무릎 뒤 위치 ② 하지혈압 측정 시, 다리 아래쪽 순환상태 확인
후경골동맥	① 내측복사뼈의 후측 아래 위치 ② 발의 순환상태 확인
족배동맥 [기출]	① 엄지와 검지발가락의 신장선 사이로 발등을 따라서 위치 ② 발의 순환상태 확인
심첨-요골동맥	① 맥박이 매우 불규칙적일 때 ② 한 명은 심첨부에서, 한 명은 요골맥박에서 측정 후 양자의 차이(차질맥)를 측정 ③ 10 이상 차이 시 → 맥박결손을 의미함

제3장 | 호흡

1. 호흡의 특징 (기출 20상) (기출 21상)

① 정의 : 산소(O_2)와 이산화탄소(CO_2)와의 가스교환

② 조절 중추 : 연수

③ 호흡 증가요소 : 정신적 흥분, 출혈, 쇼크, 발열

④ 호흡 저하요소 : 금식, 저체온, 몰핀, 수면

⑤ 정상범위 : 15~20회/분, 여자＞남자, 유아＞성인

⑥ 맥박을 측정한 후 대상자가 의식하지 못하도록 대상자의 손목을 잡은 채로 가슴의 움직임으로 호흡을 측정 기출 기출

⑦ 맥박(72회) : 호흡(18회) ＝ 4 : 1

2. 호흡의 종류

호흡	특징
정상호흡	15~20회/분
빈호흡	25회/분 이상
서호흡	12회/분 이하
과도호흡	호흡수와 깊이의 증가 → 이산화탄소 부족 초래
과소호흡	호흡수와 깊이의 감소 → 이산화탄소 과잉 초래
체인-스톡호흡	(임종 시) 무호흡과 과도호흡이 교대
비오 호흡	① 뇌내압 상승, 뇌종양 ② 깊고 빠른 호흡에서 갑자기 무호흡으로 바뀌는 호흡
쿠스마울호흡	① (당뇨병 혼수 시, 대사성 케톤산증) 얕고 빠른 호흡 ② 발작적인 호흡곤란, 호흡 시 과일(아세톤)냄새
호흡항진	(운동 시) 호흡의 깊이가 증가되어 기량이 증가
무호흡	일시적, 영구적으로 호흡중단

※ 이상호흡 : 반드시 보고
※ 호흡곤란 : 어렵고 통증이 수반되는 위험한 증상
※ 기좌호흡(좌식호흡) : 호흡곤란으로 앉아 숨쉬기

3. 저산소증(이산화탄소 과다)의 증상 및 징후

① 혈압 상승

② 맥박 증가

③ 집중능력 및 의식수준의 감소

④ 안절부절, 근심, 불안

⑤ 호흡의 깊이와 수의 증가

제4장 | 혈압

1. 혈압의 특징

① 정의 : 혈액이 혈관벽을 지나가며 생기는 압력

② 혈압증가요인 : 방광팽만 후, 서서 측정, 운동 후, 흡연 후, 음식섭취 후, 나이가 증가할수록, 혈관벽 탄력성 감소 시, 스트레스 상황 시

③ 혈압저하요인 : 금식, 탈수, 출혈, 수면, 약물복용(이뇨제, 전신마취제, 진정제 등)

④ 수축기압 : 좌심실의 수축 시에 생기는 가장 높은 압력(최고혈압)

⑤ 이완기압 : 좌심실의 이완 시에 생기는 가장 낮은 압력(최저혈압)

⑥ 평균혈압 : 수축기압과 이완기압의 평균치 120/80 mmHg

⑦ 맥압 = 수축기압−이완기압 : 평균 40 mmHg

⑧ 고혈압 : 140/90 mmHg 이상

⑨ 저혈압 : 90/60 mmHg 이하

2. 혈압측정방법 (기출 19상) (기출 20하)

① 혈압 측정 시 사용하는 동맥

– 상완동맥(상박혈압) : 팔꿈치에

– 슬와동맥(대퇴혈압) : 팔에서 잴 수 없거나 팔과 비교 위해

– 슬와동맥 측정 시 : 상완보다 수축기압(첫번째 심박)은 10~40 mmHg 높고
이완기압은 팔과 동일

② 혈압계 커프의 폭은 12~14 cm (측정부위보다 20% 커야 함)

  – 커프 폭이 좁은 경우 : 높게

  – 넓은 경우 : 낮게 측정될 수 있음

③ 환자를 편하게 눕거나 앉도록 : 표준체위

④ 팔을 심장 높이로 지지(가장 주의) 기출

⑤ 팔꿈치(주전와)에서 2~5 cm 위로 커프를 감는다(바람을 뺀 상태).

⑥ 혈압계의 압력을 초당 2~3 mmHg씩 떨어뜨리고 측정

⑦ 압력계의 계기로부터 90 cm 거리에 혈압계를 놓음

⑧ 왼팔 수액요법 환자의 혈압 측정 : 오른쪽 팔꿈치 위 상박에

CHAPTER 02 영양과 배설

제1장 | 식사돕기

1. 환자의 식사 간호 (기출 19상) (기출 20상)

① 가능하면 스스로 식사할 수 있도록

② 편마비 환자는 한쪽이 약하므로 편한 쪽으로 식사하게 함

③ 연하곤란 환자는 식사 시 삼킨 음식물이 기도로 들어가지 않도록 머리를 앞쪽으로 약간 숙이고 턱을 당긴 채 90°로 똑바로 앉는 식습관 자세가 필요

④ 식사전후에 불유쾌한 치료나 드레싱은 피함

⑤ 식사시간에 방문객은 제한

⑥ 손씻기는 감염예방을 위해 필요

2. 위관(비위관)영양 (기출 19상) (기출 19하) (기출 20하) (기출 21상) (기출 21하)

1) **정의** : 구개반사가 불완전한 경우나 정상적인 방법으로 음식물을 섭취할 수 없는 경우 위관을 통해서 위내로 음식을 넣어주는 방법

2) 비위관(L-tube, 레빈튜브) 삽입

① 자세 : 좌위

② 삽관 길이 측정 : 코끝 – 귓불 – 검상돌기까지의 길이를 결정하고 삽입 길이를 표시하여 수용성 윤활제에 적셔둔다. 기출

③ 튜브가 비강을 통과한 후 삼키도록 유도 → 저항감 없이 삽입

④ 튜브를 통한 위액 흡인 : 위관의 위치 확인을 위해 위 내용물을 확인 후 다시 넣는다 (소화액이 분비된 영양물과 전해질 손실방지를 위해) 기출

⑤ 공기가 들어가지 않도록 잠근다.

3) 위관영양 방법

① 보통 1일 4~6회, 1회에 250~400 mL의 영양액을 한번에 20~30분에 걸쳐서 중력을 이용해 주입

② 자세 : 반좌위(30~45°) → 흡인 예방을 위해

③ 매 급식 전 : 소화되지 않은 잔류음식이 50~60 cc가 넘으면 간호사에게 보고 → 영양시간을 늦춤

④ 영양액 주입 전 15~30 cc의 미온수를 주입 → 공기가 들어가지 않도록 기출

⑤ 위관에 처방된 유동식을 주입할 영양백을 연결하거나 소량의 경우 100 mL 주사기를 연결하고 물 30~50 cc를 넣어준 후 영양액 주입

⑥ 영양액 온도는 체온보다 약간 높게 함(40℃) → 찬 음식은 불쾌감과 오한, 혈관을 수축시켜 소화액 분비 감소, 위경련 초래 가능

⑦ 영양액이 중력에 의해 들어가도록 영양백을 위에서 30~50 cm 높이에 위치시킨다.

⑧ 천천히 계속 주입 → 1분당 50 cc 이상 주입되지 않도록 조절기를 조정 기출

⑨ 음식물 주입 후 물을 30~60 cc 정도 주입해 위관을 씻어내주고 조절기를 잠근다.

⑩ 주입 후 30분간 좌위 또는 반좌위 유지 → 역류 방지 기출

3. 위관 제거

① 의사가 실시

② 좌위 또는 반좌위

③ 소량(20~30 mL)의 공기 주입 : 남은 물, 영양액 제거로 흡인 방지

④ 환자 천천히 심호흡 → 튜브 제거

⑤ 제거한 위관 : EO가스 소독

제2장 | 섭취량과 배설량 측정

1. 섭취량과 배설량 (기출 20상) (기출 20하) (기출 21하)

1) 섭취량(Intake) 측정

① 섭취량(Intake) : 경구, 비경구(수액)섭취량을 모두 포함(약복용+식사시 물 포함)

② 경구로 섭취한 수분, 비경구로 투여된 수액, 혈액, 혈액성분, 위관영양액, 비위관 또는 공장루 튜브로 주입된 수분, 복막 주입액 등 신체내로 들어오는 모든 수분이 포함 기출 기출

③ 신진대사에 의해 생긴 수분은 포함되지 않음

2) 배설량(Output) 측정

① 배설량 : 신체에서 배설되는 수분을 말함

② 구토, 소변, 설사 배액물(젖은 드레싱), 상처 배액, 흉관 배액, 출혈, 소변 기출

③ 정상대변, 호기시 수분(구강호흡), 발한은 측정이 불가능하므로 포함되지 않음

2. 측정 및 기록 (기출 19하) (기출 20상)

1) 측정

① 섭취량 〉 배설량 : 부종

② 섭취량 〈 배설량 : 탈수를 의미

③ 소변주머니의 양으로 배설량 측정, 영아는 기저귀의 무게로 기출

2) 기록

① 매 근무시간 끝에 합산하여 기록(8시간), 밤번간호사가 총 합산(24시간 단위)

② 계측기구로 계량하여 기록 기출

③ 간호행위가 이루어진 직후 기록

④ 과거시제와 현제시제로 기록

제3장 | 배변돕기

1. 관장의 종류 (기출 20상) (기출 20하)

1) 정결(청결, 배출)관장

① 관장액 온도 : 성인 40.5~43℃ / 소아 37℃

② 관장통 높이 : 성인 40~45 cm / 소아 30~40 cm, 10 cm

③ 삽입용액 : 성인 750~1000 cc

④ 자세 : 심스체위(좌측위) 기출 기출

⑤ 관장촉은 배꼽을 향해서 삽입

⑥ 복통호소 시 잠깐 중단 후 다시 주입

⑦ 심한 팽만감과 통증 호소시 약 30초 정도 용액주입 중단 후 다시 서서히 주입

⑧ 튜브를 삽입하는 동안 입을 벌리고 숨을 쉬게 함 → 복부근육을 이완, 용액을 잘 보유할 수 있도록 함

⑨ 관장통 용액이 약간 남아 있을 때 잠그고 뺀다. → 공기가 장내로 들어가는 것 막기위함

⑩ 10~15분 참도록 함

⑪ 최소 10분 후 배변 기출

2) 정체관장

① 용액이 장내에 장시간 머물게 하기 위함

② 투약 전에 청결관장을 하면 결장이 깨끗해져서 약물의 흡수가 잘 됨

3) 수렴관장 : 지혈목적

4) 윤활(활제＝글리세린)관장 : 오일주입으로 부드럽게 변 배출 도움

5) 구풍관장 : 가스 배출 도움

6) 구충관장 : 기생충 배출 도움

7) 투약관장 : 약물치료제를 사용하는 관장, 전해질 불균형을 교정, 내장점막의 진정 등

8) 용수관장 : 손가락 사용, 분변 매복이 있을 경우

2. 배변을 촉진시키기 위해 좌약을 사용할 경우

① 흡수를 위해 보통 15~20분 정도 참고 있도록 함
② 냉장 보관한 좌약은 1시간 정도 실온에 둔후 삽입
③ 좌약에 윤활제를 바른 후 삽입
④ 직장 벽에 닿도록 삽입
⑤ 삽입 후 엉덩이를 눌러줌

3. 설사환자의 간호

① 수분과 전해질 균형
② 주사요법 : 전해질 불균형 시 약물요법 및 수액요법 적용(심장, 폐 질환 유무 확인)
③ 지사제 투약
④ 피부 사정 : 기저귀 발진, 욕창 유무 확인

4. 변비환자의 간호

① 고섬유식이 및 수분 섭취
② 대변 연하제, 하제 투약(신부전 환자, 소아는 주의)
③ 규칙적인 운동 권장
④ 규칙적인 배변 시도

5. 부동환자의 배변 간호 (기출 19상) (기출 19하) (기출 21상)

1) 침상변기를 대줄 때 주의할 사항

① 환자가 엉덩이를 스스로 들어올릴 수 없는 경우 : 측위로 뉘었다가 변기를 대준 후 앙와위로 바꿔줌 기출 기출
② 환자가 엉덩이를 스스로 들어올릴 수 있는 경우 : 환자의 무릎을 구부리고 손을 엉덩이 밑에 받쳐 잠깐 들어올리는 동안 변기를 그 아래에 넣음

2) 기저귀 착용 시 주의 사항

① 부득이한 경우에만 기저귀 사용 → 수시로 교체

② 스스로 움직일 수 없는 경우 : 대상자를 옆으로 돌려 눕혀 교환 `기출`

③ 기저귀의 배설물이 안 보이도록 안으로 말아 넣는다.

④ 수분 섭취 : 2,500 cc (10컵) 정도 → 취침 두 시간 전에는 수분 섭취 피하도록

6. 인공항문(장루세척) 간호

1) 준비

① 생리식염수 : 38~40℃, 약 1 L, 약 30 cm

② 세척용액 및 온도 : 38~40℃ (미지근한 물), 체온과 같은 생리식염수

③ 1회 세척용액 : 750~1,000 mL

④ 세척통의 높이 : 30~45 cm

2) 간호 방법

① 영구적인 결장루를 가진 대상자는 스스로 세척할 수 있도록 격려함

② 가스를 형성하는 양배추, 마늘, 옥수수, 콩류와 배설물의 냄새를 증진시키는 치즈, 오이, 배추 종류, 양파 등을 피함

③ 감염예방을 위해 누 주변을 깨끗이 하고 건조시킴 : 발적, 자극, 누의 변색 관찰

④ 파슬리나 요구르트 등은 대변의 냄새를 감소시킴

⑤ 세척법으로 배변시간을 조절하고자 할 때에는 매일 같은 시간에 시행함

제4장 | 배뇨돕기

1. 요 배설장애 종류

① 배뇨곤란 : 배뇨가 어렵거나 배뇨 시에 통증이 수반되는 상태

② 다뇨증 : 1일 소변량이 증가(2,500 cc 이상)되는 것

③ 요실금 : 괄약근의 기능이 약하거나 배뇨조절을 상실한 상태

④ 긴박뇨 : 요의가 일어나면 참지 못하고 즉시 배뇨하고 싶은 상태

⑤ 핍뇨증 : 24시간 소변 배설량이 100~400 mL 정도로 감소한 상태

2. 자연배뇨 간호 (기출 20상) (기출 21하)

① 절대적인 개인분위기 조성(프라이버시 유지)

② 물 흐르는 소리를 들려주면서 자연배뇨 유도 기출 기출

③ 침상 위에서 소변보는 자세를 취함

④ 회음부위에 미지근한 물을 부어줌

⑤ 하복부에 더운물주머니를 대줌

⑥ 수분섭취 증가, 손과 발을 따뜻한 물에 담가줌

3. 인공배뇨 (기출 19하) (기출 20하) (기출 21하)

1) 단순도뇨

(1) 목적

① 소변이 정체될 때 방광의 팽만을 줄이기 위하여

② 내진 또는 하복부 검사 전 준비로 방광을 비우기 위하여

③ 수술 전 방광을 비워 수술 중 인접 장기의 손상을 막고 수술 시야를 확보하기 위하여

④ 검사 목적(배양검사)으로 무균적 소변 검체를 받고, 방광 기능에 이상이 있을 경우 잔뇨량을 측정하기 위하여

⑤ 무뇨와 폐뇨를 감별하기 위하여

(2) 방법

① 넬라톤 카테터

② 둔부에 방수포를 깔고 배횡와위 자세(남자 : 앙와위)

③ 엄지와 검지로 대음순을 벌려 요도 노출(감염 방지를 위해 도뇨관 삽입 시까지 손가락은 그대로 유지) 기출

④ 섭자를 이용해 소독솜으로 요도 → 항문으로, 대음순 → 소음순으로 한 방향으로 닦고, 닦을 때마다 새로운 솜으로 교체 사용함

⑤ 도뇨관을 잡고 끝의 5 cm 정도까지 수용성 멸균 윤활제를 골고루 발라줌

⑥ 요도구를 확인하고 여자는 5~6 cm, 남자는 18~20 cm 정도 소변이 흘러나올 때까지 삽입

⑦ 소변이 나오는지 확인 후 도뇨관을 2~4 cm 정도 더 삽입 기출

⑧ 도뇨관은 1회용 사용

2) 유치도뇨

(1) 목적

① 치료 목적으로 방광을 세척하거나 약물을 주입하기 위하여

② 회음부 수술 후 상처 부위가 소변으로 인해 오염되는 것을 막기 위하여

③ 오랜 기간 동안 자연적인 배뇨를 못하는 경우

④ 요정체 및 실금이 조절되지 않을 경우

⑤ 하복부 수술 시 방광의 팽창을 막고 배뇨를 돕기 위하여

⑥ 자주 소변량을 측정해야 하는 중환자에게 정확한 요배설량을 측정하기 위해(시간당 소변량 측정)

(2) 방법

① 폴리 카테터(유치도뇨관)

② 단순도뇨법과 동일하게 준비

③ 유치도뇨관 끝에 달린 풍선의 이상 유무를 확인하기 위해 주사기에 증류수나 공기를 넣어 부풀려 본 후 다시 물과 공기를 빼준다.

④ 유치도뇨관을 삽입하고, 소변이 나오는 것을 확인한 후 주사기에 담은 증류수와 생리식염수 또는 공기로 도뇨관 끝의 풍선을 부풀려서 도뇨관이 빠지는 것을 방지

⑤ 도뇨관을 살짝 잡아당겨 정확하고 안전하게 방광 안에 있는지 확인

⑥ 반창고로 도뇨관을 대퇴부에 고정

⑦ 도뇨관과 주머니는 방광보다 아래쪽에 위치하게 함(바닥에 닿지 않도록 주의) → 요로감염 예방 기출 기출

⑧ 소변 배액주머니를 침상 밑에 매달고 유치도뇨관 끝을 연결

⑨ 역류 감염 예방을 위해 소변 주머니를 주기적으로 비워줌

(3) 세균 배양을 위한 소변 채취 방법

① 소량의 검체가 필요한 경우 : 도뇨관을 소독솜으로 닦고 멸균주사기로 흡인 기출👆

② 일반 소변검사용 소변을 받는 경우 : 50 cc 정도 배뇨 후 소변 컵에 30~50 cc 받는다.

4. 도뇨관 제거

① 환자에게 설명

② 곡반으로 받치고, 주사기로 남은 용액 및 풍선 공기, 증류수 빼기

③ 멸균 장갑 착용하여 도뇨관을 엄지와 검지로 잡고 천천히 제거

④ 회음부 소독솜으로 간호

5. 방광 세척

① 방광 카테터를 사용 중인 환자를 대상으로 방광 내부 세적

② 의사의 지시 하에

③ 무균적 실시 : 멸균장갑

④ 환자의 바이탈, 복부 팽만감, 불쾌감, 방광 자극 증상 등을 확인

⑤ 생리식염수로 시행

6. 인공배뇨 시 회음부 간호 (기출 19상) (기출 21상)

① 자세 : 여자 – 배횡와위 / 남자 – 앙와위

② 멸균장갑 : 무균적으로 착용

③ 엄지와 검지로 음순을 벌려 요도 노출 → 도뇨관 삽입될 때까지 유지(오염 방지)

④ 대음순 → 소음순으로 소독(미생물 전파방지를 위해)

⑤ 요도에서 항문으로(원을 그리며 바깥 방향으로) 기출👆

⑥ 회음부를 최소한 노출

⑦ 생리 중 유치도뇨관 삽입환자는 솜이나 거즈를 사용

⑧ 닦을 때마다 새 솜으로 바꿔 사용할 것

⑨ 용액 : 붕산수, 생리식염수

CHAPTER
03 감염과 상처

제1장 | 소독과 멸균

1. 소독과 멸균에 관한 용어

① 소독 : 아포를 제외한 모든 미생물(병원성, 전염성) 균을 죽이는 것

② 멸균 : 아포를 포함한 모든 미생물(병원성＋비병원성)을 사멸

　　아포형성균 멸균법 : 고압증기멸균법, 건열멸균법, E/O gas멸균

③ 방부 : 유해한 미생물 성장, 번식, 전파를 억제

④ 살균 : 세균을 죽이는 것

⑤ 무균 : 감염되지 않은 상태(병원성 미생물이 없는 상태)

⑥ 정균 : 세균의 성장과 발육을 저지하는 것

2. 소독 물품의 분류와 선택 (기출 19상) (기출 20상)

1) 고위험 기구(높은 수준의 소독 요구)

① 점막이나 상처 접촉하는 기구

② 세균의 아포를 제외한 모든 미생물이 없는 상태

③ 호흡기구, 마취기구, 내시경 기구, 수술기구 등 기출

④ 강한 소독제나 습식 저온살균, 화학 멸균제 등 사용(ex : 2% glutaraldehyde)

⑤ 소독제 사용 후 멸균증류수로 헹구어 잔류약제로 인한 자극 방지

2) 준위험 기구(보통 수준의 소독 요구)

① 온도계, 대상자의 피부에 직접 닿지 않는 물 치료용 욕조 등

② 염소나 phenol 등을 사용

③ 대부분의 세균과 곰팡이를 불활성

3) 비위험 기구(낮은 수준의 소독 요구)

① 점막이나 상처 등에는 접촉하지 않고 손상이 없는 경우 피부에만 접촉되는 물품

② 청진기, 침대, 린넨, 대상자의 가구, 탁자, 식탁, 목발, 식기 등 기출👆

4) 멸균이 필요한 경우

① 조직이나 혈관에 직접 접촉하는 물품

② 어떤 종류의 미생물에 의한 오염도 허용해서는 안 됨

③ 수술기구, 심장 및 요도에 사용되는 카테터, 임플란트, 주사바늘 등

④ 멸균상태로 구매하거나 고압증기 멸균

⑤ 열에 약한 경우 : 에틸렌 옥사이드(ethylene oxide) 화학멸균제로 멸균

3. 소독의 분류

1) 물리적 소독

(1) 열소독

① 건열 : 건열멸균법, 소각법

② 습열 : 자비소독, 저온살균법, 고압증기멸균법

(2) 기계적 소독 : 여과멸균법

(3) 광선(일광, 햇볕) 소독

2) 화학적(약품)소독 : 약품소독, EO가스멸균법

4. 고압증기멸균법 (기출 20상)

1) 특징

① 고압증기멸균 : 120℃, 30분 15 Lbs (고온, 고습, 고압 이용)

② 아포사멸 : 스테인리스 곡반, 면직, 도뇨세트, 가운, 수술기구(금속성) 방포, 주사기 기출

③ 병원에서 가장 많이 사용, 가장 이상적 멸균법

④ 유효기간 : 14일간, 2주 지나면 다시 소독해서 사용

2) 고압증기멸균 물품준비 시 주의사항

① 두 겹 방포(소독물품을 종류별로 싼다)

② 품명과 날짜를 기입(유효기간(2주, 14일)이 있으므로)

③ 예리한 날이 있는 기구는 거즈에 싸서 소독

④ 나사 있는 기구 풀어서, 뚜껑 있는 기구는 열어서

⑤ 소독포는 끈으로 +(열십자로), 가로×세로 60 cm 넘지 않게

⑥ 물이 고일 수 있는 기구는 거꾸로

⑦ 차곡차곡 채우지 않고 무거운 것은 아래에 가벼운 것은 위에

⑧ 소독할 물품은 철저히 세척

⑨ 10~15분 건조 후 사용, 검은 사선 확인 : 화학적 멸균 확인

⑩ 소독기는 사용하지 않을 때 열어 둠 : 습기로 녹슬지 않게

5. 건열멸균법 (기출 21하)

① 140℃ / 3시간 또는 160℃ / 1~2시간으로 미생물을 사멸 기출

② 적용 : 바세린 거즈, 솜, 종이, 시험관, 연고, 파우더 등

6. EO가스멸균법 (기출 20하)

① 냉멸균, 38~55℃ / 105분 동안 노출

② 세밀한 수술기구, 내시경류 기구, 고무제품, 열에 민감한 플라스틱, 도뇨관 등 기출

③ 가스 유해성 논란, 유효기간 길다.

7. 저온살균법

① 섭씨 63℃ / 30분 동안 소독하여 세균을 사멸

② 우유(영양가 손실 방지 위해), 예방주사액 등

8. 자비소독 (기출 19상)

1) 특징(멸균기 없는 가정에서 사용하는 방법)

① 물이 완전히 끓기 시작했을 때부터 100℃, 10~20분 끓여 모든 병원균을 파괴하는 소독 방법 기출

② 단, 아포형성균(세균의 포자), 전염성 간염 Virus는 사멸되지 않음

③ 유리제품 : 처음부터(찬물)

④ 금속제품 : 끓은 후 넣음

⑤ 금기 : 고무, 가죽, 상아, 아교나 풀 이용물품

⑥ 적용 : 전염병환자식기(끓인 후 씻음), 우유병 소독

2) 자비소독 시 주의사항

① 뚜껑 완전밀폐(기포방지)

② 소독물품이 물에 완전히 잠기게

③ 기름류는 씻은 후 소독

④ 응급 시 예리한 기구는 거즈나 소독포에 싸서 소독

⑤ 소다 넣어 소독 → 기름때 제거, 무디어짐 방지

⑥ 소독 후 바로 꺼내 사용

9. 기타 멸균법

1) 소각법

① 전염병환자 배설물(종이에 싸서)결핵환자 객담

② 배설물 : 3~5% 크레졸, 석탄산수에 2시간 방치 후 버림

2) 여과멸균법 : 혈청, 시약, 증류수

3) 광선(일광, 햇볕)소독 : 오전 10시~오후 15시(침구, 서적, 가구)

4) 종말소독 : 전염병환자 퇴원 후 또는 사망 후 하는 소독

10. 약품소독 : 소독력을 갖는 약제 사용

① 적용 : 거울, 경(lens)

② 과망간산칼륨 : 살균, 소독, 감염치료

③ 페놀(석탄산수) : 3~5%, 감염병환자 배설물 소독

④ 과산화수소수 : 창상, 분비물이 많은 상처 소독

－ 2~3% 무색, 무취, 무미, 무자극성 수용액

－ 드레싱 시 가장 먼저 사용

－ 차광하여 기밀용기 보관(갈색병)

－ 혈괴(피떡, 피딱지) 제거 효과적

－ 발생기 산소 소독효과(산화성 살균제)

⑤ 알코올 : 기구, 체온계, 주사 시 피부 소독

－ 살균제, 방부제

－ 100%(무수 알코올)보다 70~75%가 살균력이 가장 강함

－ 알코올 목욕 : 30~50%(열 내리 위해 실시, 얼굴제외)

－ 등 마사지 : 20~50%(욕창 예방 위해)

－ 단점 : 피부건조(노인사용금지), 점막자극(개방창상금지)

■ 내과적 무균술

1. 마스크 착용 (기출 19하) (기출 21상)

1) 착용 순서

모자, 마스크 착용 → 손씻기 → 가운 착용 → 장갑 착용

2) 주의사항

① 마스크(N95 마스크)는 한번 쓰고 버림(1회용 사용)

② 겉쪽은 오염으로 간주, 젖으면 즉시 새것으로 교환

③ 마스크는 가장 먼저 쓰고 가장 나중에 벗는다.

④ 풀 때는 먼저 손 씻은 후 아래끈을 먼저 풀고 뒤끈을 푼다.

⑤ 착용하고 있는 얼굴은 비멸균으로 간주

3) 교환 시기

① 활동성 결핵환자와 가까이 접촉 [기출] [기출]

② 마스크를 쓴지 2시간이 경과

③ 얼굴에 대고 결핵환자가 기침

④ 발한으로 축축

⑤ 간호를 마친 후

2. 내과적 손씻기 (기출 19하) (기출 21하)

1) 미생물의 확산을 예방하기 위해 손에 일시적으로 묻은 먼지나 단기균을 제거하는 것

2) 방법

① 30초~1분 이상 흐르는 물이 팔에서 손가락 끝으로 흐르도록 손을 팔꿈치 아래로 향

하게 씻는다. [기출]

② 오염이 잘 되는 부분인 손톱 밑이나 손가락 사이 손바닥을 주의 깊게 씻는다.

③ 손가락 끝을 다른 손의 손바닥에 문질러 씻는다. 기출

3) 교차감염 예방 위해 모든 간호행위 전후로 실시

① 환자와 접촉 전과 후

② 치료적 행위(시술) 시행 전과 후

③ 환자의 주변 환경 접촉 후

④ 장갑을 벗은 후

⑤ 투약과 음식 준비 전

⑥ 한 환자의 오염된 신체 부위에서 다른 부위 접촉 전

⑦ 체액에 노출되었을 가능성이 있는 행위 후

3. 가운 착용

① 가운을 입을 때는 내면을 잡고 입는다.

② 벗을 때는 손을 씻을 때까지 안쪽이 닿지 않게 함

③ 등에서 가능한 많이 여민 후 허리끈을 맨다.

4. 장갑 착용 (기출 19상)

1) 주의사항

① 반드시 고무장갑을 착용. 손을 씻을 때는 특히 손톱 밑을 조심해서 씻는다.

② 간호하기 전후 1분 이상 흐르는 물에 손을 씻는다.

③ 손에 상처가 있을 때는 반드시 소독액을 바른 후 장갑을 끼고 간호

④ 허리 높이 이상의 깨끗하고 건조한 곳에서 포장된 멸균 장갑을 놓는다. → 허리 아래 부분은 오염된 것으로 간주한다.

2) 착용 방법

① 한 손으로 장갑의 접혀진 손목 부분 가장자리를 잡은 다음 다른 쪽 손가락을 장갑 안으로 밀어 넣는나.

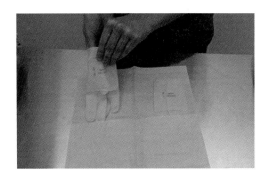

② 접혀진 손목부위를 잡은 채 장갑을 잡아당긴다.

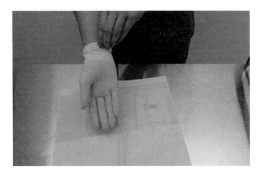

③ 장갑 낀 손가락을 다른 장갑의 접혀진 손목 밑으로(이때 엄지손가락은 바깥쪽을 보고 있어야 한다) 넣은 다음 위로 들어올린다. → 멸균된 부분끼리 접촉하도록 한다.

④ 장갑을 맞은 편 손위로 잡아당긴다. 기출

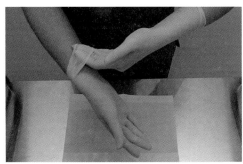

5. 격리병동 (기출 19하) (기출 21상) (기출 21하)

1) 교차감염 예방 지침

① 손을 씻은 후 수도꼭지를 소독타월로 싸서 잠금

② 손을 씻을 때는 손끝이 팔꿈치보다 낮게 함

③ 격리병실에서 사용하는 침요는 고무커버가 씌워진 것을 사용함

④ 격리병실에서 사용된 기구나 쓰레기는 이중포장법을 이용해 처리함 → 격리실 내의 격리 의료폐기물 박스에 처리 기출

⑤ 격리병실 안에(오염구역) 격리가운을 걸어두어야 할 때는 가운의 외면을(오염부위) 겉으로(밖) 나오게 함

⑥ 격리실 안에서 가운을 벗을 때는 깨끗한 면이 보이게 돌돌 말아서 버림 기출

2) 격리병동 근무 간호조무사가 교차 감염을 예방하기 위해서 유의할 점

① 분비물이나 드레싱 등을 위생적으로 처리 기출

② 환자의 질병의 특성을 이해하고 감염의 가능성에 대한 고려

6. 격리지침 (기출 20하)

① 표준주의(일반격리) : 질병의 종류나 감염 질환의 유무에 관계없이 환자의 가족 및 방문객, 의료진을 보호하기 위해 환자에게 적용 기출

② 접촉주의 : 접촉으로 인한 감염병의 전파 가능성이 높은 환자에게 적용되는 격리 방법

③ 비말주의 : 호흡기 비말, 콧물, 기침 대화 시 전파우려가 있는 질병으로 유행성이하선염, 풍진, 독감, 폐렴과 같은 질병이 해당

④ 공기주의 : 비말핵이 먼 거리를 이동하여 전파되는 질병으로 폐결핵, 수두, 홍역과 같은 질병이 해당

⑤ 보호주의(역격리) : 감염에 민감한 사람을 위해 주위 환경을 무균적으로 유지하는 것. 환자의 저항력이 낮아서 다른 환자나 병원 직원으로부터 감염되는 것을 막기 위해 적용되는 격리방법

※ 코호트격리 : 같은 질병 환자 격리(ex : 결핵요양원)

7. 역격리법(=보호격리법) (기출 21하)

① 정의 : 감염에 민감한 사람을 감염예방 위해 주위 환경을 무균적으로 유지

② 면역저하 환자에게 적용 : 신장 이식, 항암제, 방사선 투여 환자, 화상, 조산아, 백혈병 등 기출

③ 병원체의 수와 전파를 줄이는 모든 절차와 실행

④ 손씻기, 장갑착용 등

외과적 무균술

8. 외과적 무균술

① 분만실, 수술실, 신생아실 등에서는 외과적 무균술을 적용

② 주사시, 수술시, 요추천자시, 개방창상의 드레싱 교환 시, 도뇨관 삽입, 주사약 준비 과정, 멸균 물품을 다룰 때 → 침습적 행위 시 필요

③ 미생물이 전혀 없는 멸균상태 유지(수술시, 몸 밖 → 안으로 들어가는 모든 처치에 적용됨)

④ 수술가운 입은 사람끼리 지나갈 때 등과 등을 향하여 지나감 : 서로의 손과 가운의 앞면(가슴부분은 멸균영역) 오염되지 않도록 하기 위함

9. 수술실에서 멸균영역을 적용 (기출 21상)

① 소독가운 착용 시 가운 앞면 중 가슴부분은 멸균영역, 허리 아래는 오염으로 간주

② 멸균포의 안쪽만을 멸균영역으로 간주

③ 젖은 멸균품은 미생물에 오염된 것으로 간주

④ 멸균영역 이외의 시야 밖이나 허리수준 밑은 오염으로 간주

⑤ 멸균포의 가장자리(테두리) 2.5 cm 부위는 오염으로 간주

⑥ 마스크의 겉쪽은 오염된 것으로 간주

⑦ 피부는 비멸균된 것으로 간주

⑧ 멸균물품이 다른 멸균물품과 접촉한 경우 멸균상태를 유지하고 있다고 간주 기출

10. 외과적 손씻기 : 감염 예방에 중요 (기출 20하)

내과적 손위생(손씻기)	외과적 손위생(손씻기)
병실 - 교차감염 예방(소독)	수술실 - 미생물 사멸(멸균)
물+비누	소독제 사용
손톱 밑(단기균 제거)	손바닥, 손 등, 손가락(상주균 제거) 인공손톱, 반지, 시계, 장신구 제거 후 씻음
수직 방향	원형 동작
손의 모든 표면에 40~60초 이상 닦음	손끝에서 팔꿈치 방향으로, 팔꿈치 위까지 닦음, 2~5분 정도 기출
손끝을 팔꿈치보다 낮게(손끝이 아래로 가도록)	손끝을 팔꿈치보다 높게(손끝이 위로, 손 오염 방지)
수도꼭지—타올로 싸서 잠금	발, 무릎, 다리 이용
모든 간호 행위 전후	도뇨관, 개방 창상 드레싱, 수술, 천자, 주사 시, 멸균 물품 다룰 때

※ 외과적 손위생 시 : 솔을 이용한 손위생은 권고되지 않음 → 장시간(10분)의 손소독은 불필요함

11. 멸균물품의 사용 (기출 19상) (기출 19하) (기출 20상)

1) 소독 물품의 세척

① 혈액, 농과 같은 물질을 제거하기 위해 찬물로 먼저 씻고 더운 물로 철저히 헹군 후
건조시킬 것

② 장갑을 착용한 후 오염 물질을 제거할 물품은 물과 비누로 씻음

③ 홈이나 모서리가 있는 물품은 뻣뻣한 솔로 문질러 닦음

④ 더운 물로 철저히 헹군 후 건조할 것

2) 이동 섭자(포셉, 겸자)의 사용

① 섭자통에 섭자는 한 개씩 넣음(오염방지 위함)

② 섭자의 끝은 항상 아래로, 허리 밑으로 내려가지 않게 함

③ 겸자 끝의 양쪽 면을 맞물린 상태로 수직으로 꺼냄(일단 꺼낸 것은 다시 넣지 않음)

④ 소독솜을 주고 받을 때는 서로 닿지 않게, 24시간마다 멸균 기출

⑤ 방부액을 이동섭자의 2/3 이상 잠기게 할 것(꺼낼 때 물방울을 톡톡 털면 안됨)

⑥ 섭자의 가장자리(테두리) → 오염으로 간주(끝을 붙이고 꺼냄)

⑦ 소독포에 멸균물품을 놓을 때는 살짝 떨어뜨림

3) 소독물품을 담은 용기에서 일부를 덜어서 사용

① 물품을 꺼낼 때 반드시 이동겸자 사용

② 물품을 꺼낼 때 겸자가 용기의 입구 테두리(가장자리)에 닿지 않도록 함

③ 필요할 때만 열고 가능한 빨리 닫음

④ 꼭 필요한 양만 꺼내서 사용

⑤ 통에서 꺼낸 물건은 사용하지 않았더라도 다시 통에 넣지 않음 → 공기 중에 노출되어 오염으로 간주

4) 뚜껑이 있는 소독용기

① 들고 있을 때는 내면이 아래로 향하게

② 테이블에 놓을 때는 멸균된 내면이 위로 향하게 놓음

③ 뚜껑 테두리(가장자리)는 오염된 것으로 간주

④ 소독용액 따를 때 조금 따라 버리고, 입구 씻어 내고 사용 `기출` `기출`

5) 멸균 소독포

① 멸균상태 및 날짜확인 → 간호조무사 먼쪽 → 오른쪽 → 왼쪽 → 가까운쪽 순서 대로 푼다. `기출`

② 오염시키지 않고 무균영역을 준비 위함

③ 멸균포장 꾸러미가 축축한지(오염가능) 열려져 있는지

④ 멸균테이프와 유효기간 날짜를 확인

6) 거즈의 사용

① 소독포셉(섭자)으로 꺼냄

② 사용 직전에 푼다(미리 풀어 두면 안 됨) → 무균물품은 공기속의 미생물에 장기간 노출되면 오염으로 간주

③ 조명은 밝게 함

④ 재채기, 기침, 웃거나 말하지 않음 → 미생물은 공기 중에 비말로 전파될 수 있으므로

⑤ 거즈를 펴놓은 위로 손이 지나가지 않도록 함

⑥ 소독물품을 미리 풀어 놓아야 할 경우에는 멸균포로 덮어 둠

제3장 | 상처관리

1. 드레싱 목적과 주의사항 (기출 20상)

1) 목적

① 분비물 흡수, 상처 보호, 지지 압박주어 지혈(출혈 방지), 오염방지

② 국부적으로 약물사용, 안위도모

③ 가장 먼저 사용 소독수 : 과산화수소수(H_2O_2)

2) 주의사항

① 시술 전에 손을 깨끗이 씻고 마스크와 멸균장갑을 착용한다. 기출

② 드레싱 세트는 드레싱 30분 전에 열어 준비한다.

③ 드레싱 세트는 병실마다 따로 사용한다.

④ 환자의 통증이 심할 경우 드레싱 끝난 후 진통제를 투여한다.

⑤ 드레싱 시 세트가 젖어 있을 때 : 젖은 멸균품은 미생물에 의해 오염된 것으로 간주하므로 새것으로 교환하여 사용

2. 상처를 닦아 낼 때의 방향 (기출 21하)

① 오염이 가장 적은 곳부터 가장 심한 부위(감염예방)

② 위(질쪽, 치골쪽) → 아래(항문쪽)

③ 중앙(안) → 바깥쪽(밖) 기출

④ 왼쪽 → 오른쪽

⑤ 매번 스폰지를 바꾼다.

3. 붕대법의 종류

① 환행대 : 붕대법의 시작과 끝맺음에 사용(이마, 목, 발목)

② 나선대 : 굵기가 고른 신체부위에 사용(상박)

③ 나선절전대 : 굵기가 급변하는 신체부위에 사용[전박, 종아리(다리)]

④ 8자 붕대 : 관절부위에 사용

⑤ 회귀대 : 신체의 말단부위와 머리에 사용(손, 발끝)

⑥ 사행대 : 겹치지 않게 감는 방법(부목고정)

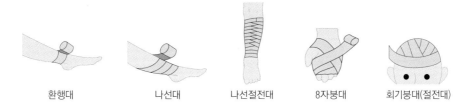

| 환행대 | 나선대 | 나선절전대 | 8자붕대 | 회기붕대(절전대) |

4. 붕대 적용 방법 (기출 19상) (기출 20하)

① 관절은 구부린 상태유지

② 말단부로부터 체간을 향해 감는다. 기출

③ 뼈 돌출부위는 솜을 대고 균일한 압박이 가해지도록 함 기출

④ 말단부위는(손가락, 발가락) 노출시킴 → 색깔, 감각, 온도, 부종 관찰을 위함

⑤ 붕대의 시작이나 매듭이 상처부위에 가지 않도록 함

⑥ 충분히 두껍게 감는다.

⑦ 젖은 드레싱이나 배액이 있는 상처부위는 느슨하게 감는다.

⑧ 붕대할 부위는 반드시 청결하고 건조해야 함

5. 석고붕대(회붕대)를 적용 방법

① 사지 끝을 노출시켜 혈액순환 관찰

② 뼈 돌출 부위를 솜이나 스펀지 감싸는 이유 → 환부압박 예방 위함

③ 건조시간 : 24~48시간

④ 석고건조기(열램프)는 한곳에 집중에서 쪼이지 말고 45㎝ 이상 거리유지, 자주 옮겨 놓음 → 금이 가거나 부러지지 않도록 함

⑤ 젖은 석고붕대 위에 담요로 덮지 말고 크래들(보온) 사용 → 담요는 압박의 원인이 되어 혈액순환 장애를 일으키므로

⑥ 건조되는 동안 젖은 석고붕대의 굴곡을 따라 베개로 잘 괴어 마르도록 함 → 처음의 자세를 유지하면서 마르도록 함

⑦ 부종감소 및 예방 : 석고붕대 부위를 심장보다 올려 줌

⑧ 즉시 보고를 요하는 증상 : 동통, 부종, 청색증, 무감각증, 냄새(감염 의심), 체간 석고붕대 시 복부팽만, 오심, 구토 : 석고붕대를 제거해야 함

CHAPTER

04 개인위생

제1장 | 목욕 돕기

1. 침상목욕 (기출 19상) (기출 19하) (기출 21상) (기출 21하)

1) 종류

① 완전 침상목욕 : 환자가 침대에 누워 있고 간호사를 도와 간호조무사가 환자의 전신을 씻어 주는 목욕법

② 자기보조 침상목욕 : 환자가 침대에 누워 스스로 목욕하면서 간호사를 도와 간호조무사가 환자의 등이나 발 등 스스로 할 수 없는 부위를 씻어 주는 목욕법

2) 준비

① 목적 : 피로를 풀고 환자 전신피부 관찰, 피부 청결로 상쾌함, 신진대사 촉진, 운동의 기회 제공

② 목욕물 온도 : 43~46℃

3) 목욕간호

① 하박 → 상박으로, 말초 → 중심으로 : 혈액순환 촉진 기출 기출

② 얼굴 → 목 → 양팔 → 가슴 → 복부 → 다리 → 등 → 음부(스스로)

③ 간호자의 먼 쪽부터 씻어서 깨끗해진 부분이 오염되는 것을 방지하기 위함 기출

④ 얼굴을 닦을 때 눈은 안쪽에서 바깥쪽으로 닦는다(비루관의 감염 예방).

⑤ 장운동을 활발하게 하여 배변에 도움이 될 수 있도록 배꼽을 중심으로 시계 방향에 따라 마사지하듯 씻는다. 기출

⑥ 중환자나 기동이 불가능한 환자는 의사 지시 하에 실시

2. 통목욕 (기출 20하)

1) 준비

① 사생활 침해받지 않고, 실내 온도 유지 위해 창문을 닫는다.

② 목욕통에 43℃ 정도의 물을 1/2~1/3 정도 담는다.

③ 낙상방지를 위해 바닥에 미끄럼 방지용 발판을 깔아 준다. 기출

2) 주의사항

① 20분 이상 물 속에 있지 않도록

② 문을 안에서 잠그지 않도록(가장 주의)

③ 젖은 손으로 전기를 만지지 않도록

④ 뜨거운 물을 더 받을 때는 일단 통 밖으로 나와 받도록 함

3) 어지러운 증상 발생 시

① 통 속의 물을 빼고 머리는 수평으로 유지하고 다리를 올려준다.

② 혼자서 일으키려 하지 않음

3. 미온수 스펀지 목욕 (기출 19하)

① 해열 목적, 가장 자극이 적고, 편안함을 제공할 수 있는 방법

② 30~33℃의 미온수로 20~30분간 : 얼굴 → 팔 → 다리 → 등 → 엉덩이 순으로 시행

③ 천천히 부드럽게 물수건으로 닦아줌

④ 복부는 닦지 않음 → 연동운동을 증진시켜 복통 초래

⑤ 큰 혈관이 지나가는 곳(서혜부, 겨드랑이, 경정맥 등)을 집중적으로 마사지 기출

⑥ 말초혈관인 손발은 따뜻하게 → 열을 떨어뜨리는 효과

4. 좌욕 (기출 19상) (기출 20하)

   ① 적응 : 회음부의 염증 및 울혈, 골반강 내의 충혈 및 염증, 자연 배뇨를 돕고 부위의 불편함, 방광경 검사 후의 동통, 치질로 인한 상처 기출

   ② 좌욕온도 : 40~43℃이므로 열적용

   ③ 상처치유촉진 : 혈액순환 촉진으로 상처치유가 촉진됨

   ④ 동통경감 : 신경전달 세포의 속도를 느리게 하여 통증 없앰

   ⑤ 부종경감 : 순환이 촉진되고 부종을 경감시킴

   ⑥ 좌욕 중 허약감과 피로감 발생할 수 있으므로 주의깊게 관찰 → 발생 시 바로 중단 기출

제2장 | 부위별 개인위생 돕기

1. 구강 간호 (기출 20상) (기출 20하) (기출 21하)

1) 대상자

   ① 구강 문제를 일으킬 위험성이 높은 대상자 : 탈수환자, 비위관 삽입환자, 기관내 삽입환자, 무의식환자, 입을 벌리고 있게 되는 경우, 호흡곤란 환자, 구개파열 등

   ② 특별 구강간호가 필요한 대상자 : 무의식환자, 산소요법 시행, 열이 높거나 장시간 금식, 구강으로 호흡하는 환자, 비위관 삽입환자, 탈수환자 등 기출

2) 구강간호 방법

   ① 치아, 잇몸 → 입천장, 혀, 볼 안쪽을 닦아낸다. 기출

   ② 구강점막이 마르지 않도록 글리세린, 바셀린 크림, 미네랄 오일 등을 발라준다.  기출

3) 구강간호 시 사용하는 용액

   ① 종류 : 생리식염수, 글리세린, 붕산수, 중조수, 과산화수소수(알코올 금지)

   ② 과산화수소수 : 마르고 백태가 낀 죽은 조직 제거에 효과적(분비물이 많은 상처 소독)

   ③ 적용 : 구취원인 제거 시(생리식염수 : 과산화수소 = 4 : 1로 희석)

   ④ 치아의 에나멜층을 손상시키므로 철저히 헹구어 냄

2 모발 간호(침상 세발) (기출 20상) (기출 21하)

① 목적 : 두피, 모발의 청결(2차 감염 예방)

② 두피 자극 : 모낭의 혈액순환 증진

③ 의사 지시 하에 실시

④ 눈과 귀에 비눗물 침범 주의 : 거즈나 수건 도포 기출

⑤ 가급적 빠른 시간 내에

⑥ 손 끝으로 마사지

⑦ 과산화수소수 : 모발의 응고혈액 제거

⑧ 수건을 목에 말아 대어준다(과신전 예방). 기출

3. 회음부 간호 (기출 19상) (기출 19하) (기출 20하) (기출 21하)

1) 준비

① 질경 준비, 질경 삽입시 이완을 도움(질경, 윤활제, 장갑, 설압자, 면봉, 슬라이드 준비)

② 쇄석위(절석위), 방광을 비움

③ 윤활제는 수용성을 사용함(자극이 없고 사용 편리, 세척용이, 감염가능성이 적으므로)

2) 절차

① 자가간호능력 정도 사정 : 스스로 할 수 있으면 방법만 알려주기

② 손 세정 : 감염 방지

③ 침상 주위 스크린 : 사생활 보호

④ 회음부 노출 후 방수포나 패드를 둔부 밑에 넓게 깐다.

3) 여성 회음부 간호

① 배횡와위를 취하게 한 후 목욕 담요 끝으로 다리를 감싸준다.

② 회음부를 직장방향으로 물과 비누로 닦는다.

③ 물수건의 각기 다른 면을 이용해 대음순에서 소음순 순서로 일방향으로만 닦는다.

④ 요도쪽에서 항문쪽으로 닦으며, 소독솜은 매번 한 번만 사용하고 곡반에 버린다.

 기출 기출

4) 남성의 회음부 간호

① 자세 : 앙와위

② 음경의 요도구에서 치골부위를 향해 나선형으로 닦아내고 말린다. 기출

③ 포경수술을 하지 않은 남성은 포피를 뒤집어 닦아 준다. 기출

④ 귀두, 음경, 치골, 항문의 순으로 닦는다.

5) 인공도뇨관 유지 시

① 요도 주위 관찰 : 카테터로 인한 요도 주위 손상 여부 확인

② 엉덩이 사이를 씻는다. 필요시 항문을 씻기 전에 휴지로 닦아주면 말린다.

4. 욕창 간호 (기출 20상) (기출 20하) (기출 21상) (기출 21하)

1) 욕창의 예방 간호

① 등 마사지(등마찰) 실시 : 자세 변경(2시간마다) 실시

② 피부건조, 청결, 구김방지, 충분한 영양, 수분공급

③ 공기, 전압, 물, 진동침대, 양모피 사용

④ 사용금지 : 고무환, 과도한 압력, 스폰지, 솜(습기 보유)

⑤ 침구에 구김이나 부스러기를 제거

⑥ 침상머리는 30° 이하로 유지(응전력을 막기 위함)

⑦ 도넛모양 기구 금지(혈액의 흐름을 차단하고 기구에 닿는 부분에 조직손상 올 수 있음)

2) 욕창발생 주요 원인

① 호발환자 : 무의식 환자, 마비환자, 몹시 마른 환자, 노인, 당뇨병 환자, 땀이 많은 환자 등 기출

② 지속적인 압박으로 인한 혈액순환의 장애로 발생(부동 자세)

③ 뼈 돌출된 피부 → 지속적인 압력 → 혈액순환장애 → 조직손상(발적, 피부 벗겨짐, 궤양 등)

④ 실금으로 오염된 침구 : 실금으로 생긴 습기는 피부 연화를 촉진하여 표피를 쉽게 손상시킴

⑤ 영양상태 불량 : 단백질, 탄수화물, 수분, 비타민C 가 부족하면 욕창발생 가능성이 커짐
⑥ 감각저하 : 감각소실로 인한 온냉감각을 잃어 욕창에 대처하지 못하므로 발생 가능성이 높음

3) 체위에 따른 욕창 호발부위

① 앙와위 : 후두부(머리), 견갑부(어깨), 팔꿈치, 천골부(엉덩이), 뒤발꿈치 <mark>기출</mark>
② 측위 : 귀, 어깨, 대전자, 대퇴, 무릎 내측, 무릎 측면, 내측과골, 외측과골
③ 복위 : 턱, 무릎, 경골전
④ 좌위 : 견갑골, 천골, 좌골, 무릎 뒷면, 발바닥

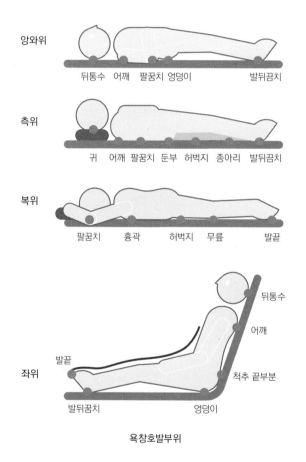

욕창호발부위

4) 진행 단계

① 1단계: 국소적 발적 단계(초기)

② 2단계: 진피층 손상 단계 [기출]

③ 3단계: 뼈, 건, 근육을 제외한 피부 전층 상실 단계

④ 4단계: 뼈, 건, 근육을 포함한 피부 전층 상실 단계

⑤ 분류할 수 없는 단계: 딱지와 가피로 상처부위가 가려져 있는 전층 피부상실 단계

5) 욕창 환자 간호

① 욕창부위에 마사지는 금함

② 측위로 체위변경 시에는 30°를 유지(2시간마다 체위변경)

③ 가능한 한 홍반이 있는 부위로 환자를 눕히지 말 것

④ 침상 밖으로의 움직임을 권장 함

⑤ 알코올과 과산화수소의 사용을 피함(조직에 독성을 미치기 때문)

⑥ 변합침요, 진동침요, 공기침요, 물침요 사용 : 피부 압력 완화 [기출]

⑦ 침상이 젖어 있지 않도록 자주 확인 [기출]

5. 요실금 환자 간호 (기출 20하) (기출 21상)

1) 정상 소변 배출량(시간당) : 50~60 cc

① 1일 소변배출량 : 1,000~2,000 cc (평균 1,500 cc)

② 400~500 cc↓/일, 30 cc↓/시간 : 의사에게 즉시 보고

2) 환자 간호

① 일정시간 간격으로 변기를 대줌

② 요실금이 심해지거나 욕창발생 시 : 정체도뇨관 삽입 → 배횡와위(Dorsal Recumbent Position)

③ 심리적인 간호와 케겔운동(골반근육 강화운동) 할 것 [기출]

④ 규칙적인 배뇨습관을 기르고 시간 조절

⑤ 적절한 수분섭취, 고무포 기저귀 착용(최후수단)

⑥ 카페인 등 자극적 음식 제한

CHAPTER
05　활동관리

제1장 | 운동

1. 운동의 종류 (기출 21상) (기출 21하)

1) 대상자의 움직임에 따른 분류

　① 능동적 운동 : 스스로 근육을 수축하여 운동하는 것

　② 수동적 운동 : 스스로 움직일 수 없을 때 보조자나 기계에 의해 수동적으로 움직이는
　　운동 – 정지상태 운동, 관절경직 예방

2) 근육수축 형태에 따른 분류

　① 등장성 운동(= 등압성 운동)

　　– 근육의 수축과 이완으로 근육의 힘과 강도를 증대시키고 관절운동도 돕는 운동

　　– 맨손체조, 아령운동, 팔굽혀펴기 등

　② 등척성 운동(= 근육강화 운동)

　　– 근육긴장은 변화하지만 근육의 길이와 관절운동은 일어나지 않음

　　– 벽밀기, 매달리기, 석고붕대 시 운동

　③ 등속성 운동(= 저항운동) : 저항과 함께 근육을 수축하는 운동

3) 운동가동 능력에 따른 분류

① 능동적 가동범위(ROM)운동 : 대상자 스스로가 시행하는 등장성 운동

② 수동적 가동범위(ROM)운동 : 다른 사람에 의해 관절을 움직이는 운동

③ 저항 운동 : 저항에 대항하여 대상자가 시행하는 등역학 운동

④ 능동적 보조적 가동범위(ROM) 운동 : 대상자가 능동적 운동을 할 수 있는 사지를 이용하여 팔, 다리를 지지하는 운동

2. 수동적 관절범위운동 (기출 20상) (기출 21상) (기출 21하)

① 의사나 치료사 등이 간접적으로 사지나 하지를 움직여서 다소 통증을 견디면서 관절운동을 하는 것

② 신체역학원리를 이용하여 관절 옆에 가까이 서서 운동 [기출]

③ 관절범위 이상으로 무리하게 움직이지 않음

④ 근육경련이 발생했을 경우 우선 중단하고 근육을 풀어주고 근육이 이완되면 다시 운동을 계속

⑤ 경축이나 강직이 나타나면 압력을 골고루 주면서 다시 천천히 운동을 시작

⑥ 부종이나 염증이 있을 경우 운동을 하지 않도록 함

⑦ 큰 근육에서 작은 근육들을 운동시킴

⑧ 운동은 천천히, 고르게, 조심스럽게 함

⑨ 고관절 운동요법 : 한쪽 무릎을 구부린 후 반대쪽 다리를 들어올린다. [기출]

⑩ 어깨운동요법 : (외전운동) 팔을 몸통으로부터 멀어지게 움직였다가 다시 몸통 옆에 놓는다. [기출]

3. 관절가동범위 운동 용어 (기출 19상) (기출 20하)

① 굴곡 : 굽히는 것 [기출]

② 신전 : 펴는 것

③ 과신전 : 과도하게 펴는 것

④ 순환 : 원을 그리며 돌리는 것

⑤ 외전 : 인체 정중선에서 멀어지는 것 [기출]

⑥ 내전 : 인체 정중선에 가까워지는 것

⑦ 회의 : 손바닥이 위로 앞으로 가게 하는 것

⑧ 회내 : 손바닥이 아래로 뒤로 가게 하는 것

⑨ 외번 : 발바닥이 바깥을 향하는 것

⑩ 내번 : 발바닥이 안쪽을 향하는 것

⑪ 족배굴곡 : 발가락을 발등으로 들어올림

⑫ 족저굴곡 : 발가락을 발바닥쪽으로 내림

⑬ 회전 : 관절 중심으로 돌리기

⑭ 외회전 : 정중선에서 멀어지게 돌리기

⑮ 내회전 : 정중선에서 가까워지게 돌리기

4. 견인환자의 간호 (기출 19하)

① 기형을 교정, 예방, 욕창, 요통의 예방을 위해 등 마사지, 상지운동 실시

② 관절을 움직이지 않고 특정 근육을 강화시키는 등장성 운동이 요구 : 근육의 수축과 이완 기출

③ 사지의 말단 부분을 노출시켜 혈액순환, 감각상태를 수시로 관찰

④ 골절의 경우 너무 당겨 결과적으로 뼈가 붙지 않음

⑤ 침대 밑으로 미끄러지는 것을 막기 위해서는 침대를 올림(20° 보다 높지 않게 함)

⑥ 추는 의사명령 시 제거(건드리거나 무게 줄이면 안 됨)

⑦ 24시간 관찰(청색증, 무감각, 냉감, 아림)

5. 경추손상으로 견인된 환자 간호

① 배뇨장애 시 상행성 감염에 대한 주의, 욕창예방을 위한 피부 간호

② 장의 연동 운동 촉진(섬유질, 수분섭취로 변비예방)

③ 근육위축을 막기 위해 등척성 운동 장려

④ 고개를 돌려서도 안 되며(목운동 금지) 전신부목에 전신을 고정시키고 절대 움직이지 말 것

⑤ 핀이 꽂힌 부위를 잘 관찰, 관리

제2장 | 이동과 보행

1. 신체역학 원리 (기출 19하) (기출 20상) (기출 21상)

① 중심이 낮을수록 안전
② 무릎과 발목을 굽히고 몸을 앞으로 숙임
③ 주로 허리보다는 다리와 엉덩이의 큰 근육 사용 기출 기출
④ 기저면이 넓을수록 안전 : 다리를 벌림
⑤ 기저면 중심에 가까울수록 안전 : 대상자를 움직이려는 방향으로 가서 가능한 침상 가까이 선다. 기출
⑥ 물건을 밀 때는 물체를 향하여 몸을 기울이고 잡아 끌 때는 끄는 방향으로 몸을 당김

2. 대상자 보행 시 보조

① 대상자를 이동시킬 때는 이동할 방향을 향하여 마주 보도록 하고 대상자의 중심에 가까이 감
② 대상자를 앞으로 밀거나 뒤로 끌어당길 때 체중을 이용
③ 이동시키려는 대상자를 자신의 몸 쪽으로 미끄러지게 당기면 힘이 덜 든다.
④ 대상자의 중심과 가까이에서 이동시 팔과 등같이 작은 근육의 긴장을 감소시킴

3. 지팡이 이동 시 보조 (기출 19하) (기출 20상)

1) 지팡이 없을 때 : 건강한 쪽에서 보조

2) 지팡이 있을 때 : 건강한 쪽 지팡이 / 마비된 쪽 보조

지팡이 없을 시 보조

지팡이 있을 시 보조

3) 지팡이 보행 시 계단 보조

① 계단 올라갈 때 : 지팡이 → 건강한 다리 → 불편한 다리 기출👆

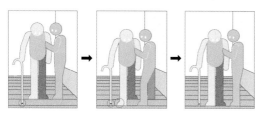

② 계단 내려갈 때 : 지팡이 → 불편한 다리 → 건강한 다리 기출👆

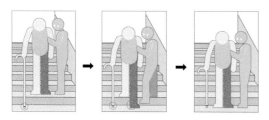

4. 목발 이동 시 보조 (기출 20하) (기출 21상)

1) 목발 보행 방법

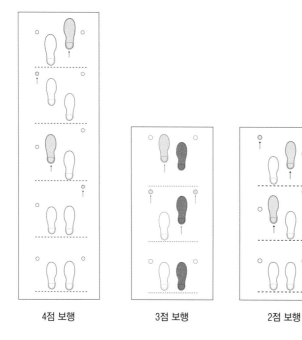

4점 보행   3점 보행   2점 보행

① 4점 보행(가장 안전) : 두 다리에 체중 지탱이 가능한 경우
- 오른 목발 → 왼발 → 왼 목발 → 오른발 순으로 나감

② 3점 보행(한 다리만 불완전) : 한 다리만 체중 지탱이 가능한 경우
- 양쪽 목발과 불편한 발 → 정상 발이 나감 [기출]

③ 2점 보행 : 두 다리에 체중 지탱이 가능한 경우, 4점 보행보다 빠름
- 오른 목발, 왼발(동시에 나가고) → 왼 목발, 오른발 동시에 나감

④ 그네보행 : 한 발만 체중 지탱이 가능한 경우
- 양쪽 발의 체중부하가 불가능 시 : 양쪽 목발 → 허약한 두 발

2) 목발 보행 시 계단 보조

① 계단 올라갈 때 : 건강한 다리 → 불편한 다리 + 목발

② 계단 내려갈 때 : 불편한 다리 + 목발 → 건강한 다리

3) 목발보행 시 주의사항

① 손목으로 체중 지탱 : 액와나 손바닥에 무리가 가하지 않도록

② 팔은 팔꿈치를 20~30도 정도 굽힌 상태에서 손잡이를 잡을 수 있도록 높이를 조절

③ 목발의 짚는 위치 : 각 발의 앞 15 cm, 바깥쪽 옆 15 cm [기출]

5. 휠체어 이동 시 보조 (기출 21하)

1) 휠체어로 옮기기

① 침대에서 휠체어로 : 휠체어를 건강한 쪽에 밀착(30~45° 비스듬이) [기출]

② 휠체어에서 침대로 : 건강한 쪽을 침대에 밀착(평행 또는 비스듬이)

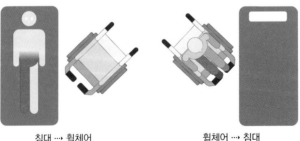

침대 ⋯ 휠체어   휠체어 ⋯ 침대

2) 이동 방법

① 간호조무사는 대상자의 머리쪽에 서야 한다.

② 바퀴를 고정하고 침상난간을 올린다(낙상 방지).

③ 내리막길에서는 발을 진행방향 앞으로 향하게 한다(머리가 낮아지지 않도록 항상 주의).

④ 오르막길에서는 머리를 진행방향 앞으로 향하게 한다(머리가 낮아져서 오는 불쾌감과 불안감을 제거하기 위함).

⑤ 환자를 옮길 때는 발을 진행방향으로 향하게 하는 것이 원칙임(환자의 시야가 넓게 확보되도록 하기 위함)

6. 침대에서 운반차로 옮길 때 보조 (기출 19상) (기출 20하)

① 침대 난간을 내리고 이동용 침상과 높이를 맞춘다(잠금장치 확인).

② 배횡와위 자세로 환자의 무릎을 굽이고 둔부 이동 후 어깨 이동한다.

③ 환자 스스로 이동이 어려우면 홑이불을 사용하여 이동한다(3인이 함께 협조).

④ 수액 등의 위치와 배액을 확인한다.

⑤ 정맥주사나 도뇨관 같은 의료기구는 일시적으로 잠근다(역류 방지). 기출

⑥ 옮긴 후 환자의 팔을 몸 양 옆에 붙인 후 난간을 올려 주도록 한다(낙상 방지). 기출

7. 체위성 저혈압 환자의 보조

① 보행 전에 잠시 침상에 앉아 있도록 함

② 누워 있는 사람이 갑자기 일어나면(위치상) 심장보다 위에 있는 머리 쪽에는 혈액의 흐름이 느려져 어지러운 체위성 저혈압이 생기므로 심장의 수축력, 혈관의 수축과 이완이 적응할 때까지 잠시 앉아 있도록 함

제3장 | 체위

1. 체위

1) 체위 제공 시 기본지침

① 해부학적 자세에 가깝도록 유지(서 있을 때, 앉아 있을 때, 누워 있을 때)

② 알맞은 신체선열을 유지하기 위해 지지대를 사용

③ 관절은 약간 구부린 상태를 유지(근육 긴장 예방)

④ 체위 변경은 적어도 2시간마다 실시

⑤ 금기인 경우를 제외하고 매일 운동이 필요

⑥ 필요 시 관절의 가능한 1일 3~4회 이상 최대 관절가동범위(ROM)운동 실시

2) 체위변경의 목적

① 폐와 순환기 합병증 예방,

② 정맥혈의 귀환,

③ 근육수축방지, 욕창예방, 호흡용이, 체위성 저혈압 예방 등

2. 체위의 종류 (기출 19상) (기출 19하) (기출 20하) (기출 21상) (기출 21하)

1) 앙와위(Supine Position) 또는 배위(Dorsal Position)

① 반듯이 누운 자세

② 모든 체위의 기초(배위), 남자 인공도뇨 시

③ 무의식환자의 기도유지, 요추천자 후 요통이나 두통과 뇌척수액 누출방지, 척수손상시 척추선열유지

2) 좌위(Sitting Position)

① 앉은 자세(상체를 90 ° 올린 체위)

② 호흡곤란 시(심장이나 폐수술 후), 식사 시, 위관영양

3) 반좌위 = 파울러씨 체위

① 상체를 45° 올린 체위

② 마취회복 후의 체위로서 수술 후 가장 많이 사용

③ 호흡곤란 환자, 흉곽수술 후, 심장수술 후 등 기출 기출

④ 반-반좌위(Semi-Fowler's Position) : 상체를 30° 올린 체위

4) 복(와)위(Prone Position)

① 엎드린 자세

② 구강의 분비물의 배액 촉진, 등 근육의 휴식

③ 주의 : 무의식 환자, 경추나 요추 장애환자는 금지

5) 측(와)위(Lateral Position)

① 옆으로 누운 체위

② 무의식환자 구강간호, 마비환자나 부동환자의 식사 기출

③ 천골부위 욕창 방지

6) 심스식 체위(Sim's Position)

① 좌측위(왼쪽으로 눕는 체위)

② 관장시, 무의식환자 구강내 분비물 배액촉진, 항문검사 시

7) 슬흉위(Knee Chest Position)

① 관절 부위 압력 감소, 골반 내 장기 이완

② 월경통 완화, 산후자궁후굴 예방, 태아위치교정, 직장경 검사 시

8) 절석위(Lithotomy Position) : 쇄석위

① 분만 등 부인과 진료

② 회음부, 질 등 생식기와 방광검사 기출

9) 배횡와위(Dorsal Recumbent Position)

① 똑바로 눕히고 무릎을 구부려 다리를 벌린 체위

② 여자의 인공도뇨시, 회음 열요법, 복부검사, 질검사

10) 트렌델렌버그 체위(Trendelenburg Position)

① 쇼크체위, 골반고위(다리를 45 °올린 체위) 기출

② 쇼크시 혈액을 머리로 가게하기 위해 취하는 자세

변형 트렌텔렌버그

11) 잭-나이프 체위(Jackknife Position)

① 복형(abdominal position) : 엎드린 후 머리와 다리를 낮추고 둔부를 높게 하는 체위 (항문수술)

② 배형(back position) : 머리와 어깨를 높게 하고 등을 대고 누운 자세(요도 소식자 삽입)

③ 측형(lateral position) : 가능한 턱을 향하여 무릎을 붙이고 등을 굴곡시킨 자세(요추천 차 시)

복부 잭 나이프 체위   등 잭 나이프 체위

1. 억제대(보호대)

1) 사용 목적

① 꼭 필요한 경우에만 적용함

② 특별한 치료시 환자 움직임 방지, 낙상방지, 혼돈 환자, 어린이 자해위험 감소

③ 기능장애 일어나지 않도록 억제

2) 사용시 주의점

① 대상자와 가족에게 적용 이유와 방법을 설명하여 흥분을 감소시킴

② 2시간마다 30분씩 풀어 줌: 피부상태 확인 및 혈액순환 방지를 위함

③ 가능한 움직임의 최대 정도 허용

④ 신체선열 유지함

⑤ 억제대는 침대틀에 고정해야 함(빨리 제거하기 위함) → 침대난간에 적용해서는 안 됨

⑥ 매듭을 당길 때 조여서는 안 되며, 응급상황에서도 쉽게 풀 수 있는 고리매듭, 정방형매듭, 클로브히치(감아매기매듭) 3가지를 권고

2. 억제대(법)의 종류 (기출 19상) (기출 20하) (기출 21상)

1) 전신 억제법(홑이불 보호대)

① 영아나 유아가 움직여 검사나 치료 시 방해될 때 (기출)

② 머리에 정맥주사를 하거나 목 부위 채혈 시에 적용

2) 8자 억제법

① 8자 매듭, 손목, 발목 억제대에 사용

② 침상에서 떨어질 우려가 있는 대상자나 의식이 없거나 분명치 않은 대상자 보호

3) 손목 억제대

① 정맥주사나 삽입된 튜브제거우려, 무의식환자 고정시

② 뼈 돌출 부위에는 패드를 댄 후 사용 함

4) 팔꿈치 억제대

① 영아의 정맥주사

② (수두, 습진환자 등) 상처부위를 긁지 못하게 팔꿈치를 구부리는 것을 방지 `기출`

5) 장갑(손) 억제대

① 정맥주사나 각종 튜브, 드레싱을 제거 방지

② 긁어서 피부손상 방지 `기출`

6) 자켓 억제대

① 침대나 휠체어에서의 낙상 방지를 위해

② 호흡을 곤란하게 하거나 질식되지 않도록 정확하게 적용함

③ 지남력 상실된 혼돈, 진정제 투여환자

7) 벨트 억제대

① 운반차나 휠체어로 환자를 이동시킬 때 사용

② 낙상방지

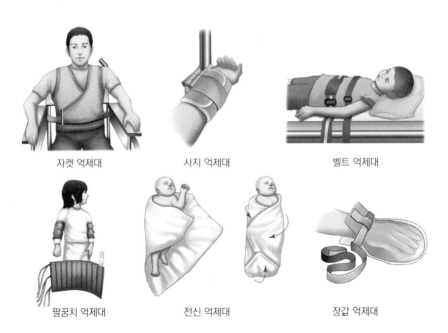

자켓 억제대   사지 억제대   벨트 억제대

팔꿈치 억제대   전신 억제대   장갑 억제대

CHAPTER
06 체온 유지

제1장 | 온요법

1. 온요법의 효과 (기출 21하)

① 혈관확장(화농촉진), 순환증진(대사과정증진)

② 혈액점도 감소, 근육긴장 완화, 울혈상태 감소 등

③ 부종, 통증 경감(냉·온요법)

④ 20분 이상 넘기지 말 것 → 30분 이상 넘기면 혈관 수축

2. 온습포 적용 방법 (기출 19상)

① 49℃의 물을 준비

② 대상자 사생활 보호를 위해 스크린을 쳐준다.

③ 물기 때문에 고무포를 깔아 준다.

④ 바셀린 엷게 도포(피부보호, 화상방지)

⑤ 더운 물에서 수건을 적셔 부위에 댄다(피부에 떼고 붙이고 반복).

⑥ 2~3분마다 갈아 주면서 15분 정도 적용한다(발적이 있을 시 중단). 기출

⑦ 찜질 종료 후 피부를 부드럽게 말려준다.

3. 더운물주머니를 사용하는 방법 (기출 20하)

① 적용 : 비급성질환, 만성관절염, 치질, 근육통 등

② 금기 : 충수돌기염, 이염, 치주염, 내출혈, 염좌, 개방성상처 → 염증 과정 증가로 화농을 촉진하므로

③ 물의 온도 : 46~52℃ (발치 2/3, 그 외 부위 1/2~1/3)

④ 물주머니가 새는지 확인하기 위해 거꾸로 들어 확인(가장 중요)

⑤ 물주머니를 편평한 곳에 살며시 눕혀 물이 주둥이까지 올라오게 하여 공기제거 후 사용(공기는 주머니의 유연성 감소와 열전도를 방해함)

⑥ 바셀린 바른 후(얇은 피부) 적용(피부보호 + 화상방지)

⑦ 물이 식으므로 2시간 간격으로 갈아 줌

⑧ 주머니는 커버나 타올 등으로 싸서 대줌(직접 대면 안 됨) → 화상방지 + 피부자극감소 + 물이 빨리 식는 것 방지

⑨ 적용시간 : 20~30분, 45분 이상 대면 안 됨(통증, 근 경련, 화상 위험)

⑩ 적용부위를 관찰(감각 및 순환상태, 5분마다)한 후 습기 제거 후 대줌(습기 - 화상위험 증가)

제2장 | 냉요법

1. 냉요법의 효과

① 통증완화, 체온하강, 염좌간호

② 부종 감소, 염증과 화농 억제, 대사감소

③ 혈액점도 증가(지혈, 혈관수축), 근육긴장 등

④ 20분 이상 넘기지 말 것 → 30분 이상 넘기면 혈관 확장

2. 얼음주머니 적용 시 주의사항 (기출 20상)

① 적용 : 염증부위(염좌), 출혈부위(지혈-혈관수축), 통증부위, 외상 후 첫 24시간 이내 기출

② 금기 : 빈혈, 혈액순환장애, 소아, 노인, 외상으로 조직이 파괴된 경우, 타박상

③ 공기 제거, 공기 넣으면 안 됨(얼음이 빨리 녹음)

④ 얼음주머니의 1/2~1/3 정도를 작은 얼음조각(호두알크기) 사용

⑤ 얼음주머니를 타올로 싼다(피부에 직접 닿지 않도록), 수시로 피부상태 및 체온 관찰

⑥ 30분 정도 적용, 1시간 쉼(너무 오랫동안 하면 혈액순환이 안 되므로 금지)

3. 편도선 수술 후 얼음칼라(얼음목도리, ice collar) (기출 21상)

① 출혈, 통증, 부종 감소 위해 사용 기출

② 찬유동식 줌.

③ 열감 음식(오렌지, 포도주스 등)은 피함

4. 발열환자의 간호

① 수분섭취 증가, 구강간호

② 휴식, 신체적 안위 증진

③ 균형 잡힌 식이섭취

④ 냉요법 적용, 해열제

CHAPTER
07   수술과 진단검사 돕기

제1장 | 수술

1. 수술 전 간호 (기출 20상) (기출 21상) (기출 21하)

1) 환자 교육

① 수술 후 호흡기 합병증 예방을 위해 심호흡과 기침에 대한 교육 실시 기출 기출

② 전신마취 수술환자의 금식 : 전날 10시 이후 수분 및 음식 섭취 금지(마취 중이나 수술 도중에 구토로 인해 위 내용물이 기도로 넘어가 폐합병증을 발생이나 질식 예방) 기출

2) 수술 당일 환자 준비

① 속옷은 벗기고 수술가운으로 갈아 입힘

② 손톱이나 발톱의 매니큐어를 제거(수술 중 출혈로 인한 청색증 관찰하기 위해) 기출

③ 의치를 제거(귀중품은 보호자 보관)

④ 머리핀을 빼고 긴 머리는 묶어 줌

⑤ 수술도중 대상자 사정을 위해 제거(콘택트렌즈, 속눈썹, 광택제, 화장, 의치 등)

3) 수술 부위 삭모

① 감염위험 예방 위해 대개 수술 전날 시행
② 피부민감성 확인 후 살균된 새 면도날 사용 기출✋
③ 털이 난 방향(따뜻한 물과 비누), 솜털까지 제거 : 30~45° 각도(상처로 인한 감염방지, 피부 자극을 감소시킴)
④ 수술할 부위보다 넓고 길게 삭모. 예) 복부수술 → 가슴선~음부까지 면도

4) 수술 전 투약

① 수술 30분전 실시, 낙상을 예방하기 위해 침상난간을 올린다.
② 아트로핀: 기관지분비물 억제, 기관지 근육이완
③ 모르핀(마약성 진통제) : 수술전 불안, 공포, 스트레스 제거(진정, 마취 유도)
④ 모르핀 부작용 시 : 모르핀을 대신하여 데메롤(마취 전 근육이완, 진통효과) 사용

2. 수술 후 간호

1) 합병증 예방 (기출 19하) (기출 21하)

① 가장 흔한 호흡기 합병증 : 무기폐, 폐렴
② 호흡기 합병증(무기폐, 폐렴), 발열, 상처감염, 혈전성정맥염, 심한 출혈로 인한 저혈량으로 심맥관허탈로 쇼크가 옴
③ 기침, 심호흡, 호흡운동 실시 기출✋ 기출✋

2) 수술 후 간호

① 의식 상태를 자주 확인
② 활력징후를 계속 측정
③ 금식 상태를 유지
④ 심호흡과 체위변경을 실시

3. 조기이상 (기출 19상)

① 정의 : 수술 후 24~48시간에 침상을 떠나 운동하는 것
② 목적 : 호흡기 순환기 합병증 예방, 기도 막힘 방지
③ 효과 : 복부팽만 예방, 빠른 회복(회복기 단축)촉진, 순환계 합병증(심부전 혈전증, 심맥관 허탈, 혈전성 정맥염), 호흡기 합병증(폐렴, 무기폐) 예방 기출
④ 조기이상 금기 환자 : 내출혈, 봉합이 불완전한 환자, 뇌수술, 눈수술, 척추, 골절환자 등

4. 수술 후 대상자별 간호 (기출 19상) (기출 20하)

1) 금식환자가 갈증 호소 시
① 거즈에 물을 적셔 입속에 물려주거나 작은 얼음조각을 입안에 넣어주면 갈증완화에 도움이 됨
② 수술환자는 장운동이 있고난 후에 음식을 먹을 수 있기 때문

2) 무의식 환자 기도유지
① 수술 후 환자에게 가장 중요 : 머리를 옆으로 돌려 누임
② 구토 시 분비물로 인한 기도 폐색을 예방 기출

3) 수술 후 환자의 위장간 삽입 및 제거 L—tube 제거 시기
① 삽입 : 가스로 생긴 압력을 완화, 부종, 위운동 저하로 위장통과 분비물 제거 위해 삽입
② 제거 : 장운동이 회복(가스배출)된 후에 제거

4) 수술 후 혈전정맥염 예방 간호
① 조기이상과 다리운동 격려
② 적정 체온 유지
③ 항혈전 탄력스타킹 착용 기출

제2장 | 진단검사

1. 검체에 따른 보관방법 (기출 20상)

① 냉장보관 : 인후도말, 눈분비물, 농, 대변, 소변, 퇴척수액 이외의 체액 등
② 실온보관 : 뇌척수액, 바이러스 배양 검사
③ 즉시운반 : 혈액, 항문, 도말, 바이러스 배양 검사, 혐기성 검사 기출

2. 신체검진 전 준비

① 대상자 준비 : 검사 전 설명(목적, 방법)
② 검진에 적합한 환경과 조명을 준비
③ 모든 기구는 사용 전에 성능을 확인
④ 검진에 사용되는 기구는 따뜻하게 준비
⑤ 대상자가 적합한 체위를 취할 수 있도록 도와줌

3. 검사 전 금식 여부 (기출 20하) (기출 21하)

1) 금식 요하지 않는 검사

① 심전도(ECG), 뇌파검사(EEG), 흉부 X-ray
② 혈액검사의 대부분

2) 금식 필요 검사

① 검사 6~8시간 전 금식
② 정맥신우촬영(IVP), 상부위장관촬영(UGI), 위내시경, 대장내시경, 기관지경, 간기능검사(LFT), 기초신진대사율(BMR) 측정 등 기출 기출

4. 소변검사 (기출 20상) (기출 21하)

1) 목적

백혈구 검사(요로감염 여부), 신염 진단, 당뇨병 진단, 세균 배양검사

2) 일반소변검사

① 첫소변(처음 50 cc를 배뇨)은 버리고 소변컵에 2/3(100~150 cc) 이상 중간뇨를 받는다.

② 생리 중인 여자는 검사물에 생리 중임을 표시

③ 검사물은 즉시 검사실로 보내고, 지연 시 냉장보관

3) 요배양검사

① 소변수집주머니의 검체 채취구을 소독솜으로 닦고 **기출**

② 멸균 주삿바늘을 도뇨관에 삽입하여 멸균주사기로 흡인

③ 무균적으로 소변을 채취 멸균시험관에 받음

④ 배양(culture) : 원인균 파악과 적절한 항균제 찾기 위해 실시

4) 24시간소변검사

① 첫 소변은 버리고 마지막 소변까지 담는다(수집) **기출**

② 특수용기 2 L(부패하지 않도록 첨가물)

③ '24시간소변' 표시판 → 소변을 버리지 않고 수집하도록

④ 요의가 없어도 배뇨토록

5. 대변검사 (기출 19하) (기출 20상)

1) 주의사항

① 채취 즉시 운반

② 뚜껑 있는 용기채취, 깨끗한 변기, 채취 시 소변 및 월경 오염 방지

2) 잠혈반응검사

① 대변 속에 혈액이 있는지 검사, 위장관 출혈여부 확인 → 양성 시 대장내시경 검사 실시 [기출 👆]

② 검사 전 3일 동안 생고기 가공육(붉은색 살코기), 간, 겨자, 일부 과일, 채소(붉은색 과일과 채소), 철분제제 복용 등 음식과 약물을 제한함 [기출 👆]

3) 출혈성 치질

① 치질이나 혈뇨가 있을 때는 검사를 연기함(위양성 우려)

② 검사 실시 전에는 먼저 소변을 봄

③ 정확한 진단을 위해 3번 이상 반복검사를 실시함

④ 생리가 끝난 3일 후까지 검사를 연기함

⑤ 금식하거나 음식의 형태는 바꿀 필요가 없음

6. 객담검사

① 채취 시기 : 이른 아침 첫 기침

② 밤에 분비물이 고였다가(병원체 보유) 아침에 나오므로 가장 정확

7. 혈액검사 : 전혈구검사(CBC) (기출 19상) (기출 20하)

① 혈액내 혈구수, 혈색소치, 헤마토크릿, 상대적인 백혈구 수를 파악하여 혈액질환, 감염성 질환을 보기 위한 검사

② 항응고제가 들어 있는 검체용기를 사용 [기출 👆]

③ EDTA 검사병(보라색 뚜껑)

④ 2 cc 채취 ; 응고되지 않는 혈액 → 검사실로 보냄

⑤ 검체용기의 병벽을 타고 흐르도록 채취 [기출 👆]

⑥ 흔들어준다(항응고제와 잘 섞이도록) : WBC(백혈구, 식균작용) 증가＝감염 의미

8. 동맥혈가스분석(ABGA) <small>(기출 21상)</small>

1) 개요

① 정의 : 동맥(요골, 상완, 대퇴)을 이용하여 채혈한 후 동맥 내의 가스(PH, PaO_2, $PaCO_2$, HCO_3, 산소포화도 등)을 분석하는 검사

② 헤파린으로 코팅처리한 주사기를 사용(혈액의 응고 차단) 기출

③ 채취 : 요골동맥(접근이 쉽고 잘 만져지므로)에서 2.5 mL 채혈하여 얼음상자에 넣어 검사실로 즉시 보냄 → 채취 후 실온에 두면 산소포화도가 낮아지기 때문

④ 동맥혈(전신에 산소 공급하는 혈액)이므로 산소 O_2↑, 이산화탄소 CO_2↓

2) 목적

① 폐와 신장 평가에 중요

② 저산소증 평가

3) 동맥혈 가스분석(ABGA) 결과 정상수치

① PH : 7.35~7.45(약 알카리성) → 7.35 이하(산혈증), 7.45 이상(알칼리혈증)

② PaO_2(산소분압) : 80~100 mmHg → 50 mmHg 이하(심각한 산소 부족)

③ $PaCO_2$(이산화탄소분압): 35~45 mmHg → 35 mmHg 이하(호흡성알칼리증), 45 mmHg 이상(호흡성산증)

④ HCO_3(중탄산) : 22~26 mEg/L → 22 이하(대사성산증), 26 이상(대사성알칼리증)

⑤ 산소포화도 : 95~100%

9. 상부위장관 촬영(UGI Series) <small>(기출 20상)</small>

① 방사선 불투과성 바륨(조영제) 투약 기출

② 식도, 위, 십이지장의 병변을 보기 위한 검사

10. 직장경 검사 : 슬흉위

① 검사전 관장 실시 : 시야 확보

② 암, 지질, 누공, 농양 발견

11. 자기공명영상(MRI) 촬영 (기출 19상) (기출 21상)

① 자석으로 구성된 장치에서 인체에 고주파를 쏘아 인체에서 신호가 발산되면 이를 되받아서 디지털 정보로 변환하여 영상화하는 것

② 금속물질, 자성물질 제거 후 검사 기출

③ 폐쇄공포증 환자는 수면검사 실시 기출

12. 파파니콜라우 도말검사

① 자궁경부암 진단 위한 자궁경부세포의 도말 검사

② 질경과 면봉을 준비, 쇄석위(절석위)취함, 방광을 비움

③ 검사받기 전 적어도 12시간 동안은 질세척 금지

④ 회음부를 물로 씻어 줌

13. 기타검사 (기출 20상)

① 매독 : VDRL(혈청검사)

② 정맥내 압력 측정 : CVP(우심방 기능검사)

③ 기초신진대사율 : BMR → 갑상선질환의 필수검사

④ 근전도 검사 : EMG(근육의 비정상 구별 검사)

⑤ 정맥신우촬영 : IVP(신장, 요도, 방광 질병유무 검사)

⑥ 담낭초음파촬영 : GBG(담낭 병변 검사)

⑦ 심전도 검사 : 피부에 전극을 부착하여 심장에서 나타나는 전기적 활성도를 감지하는 검사방법 기출

⑧ 직장암 진단 : 바리움관장(Barium Enema)

⑨ 간기능검사 : LFT

⑩ 일반소변검사 : U/A(Urinlysis)

14. 천자(술) (기출 19상) (기출 19하) (기출 20상) (기출 21상) (기출 21하)

1) 흉강(흉막＝늑막)천자

① 바늘을 늑막강 내로 삽입하여 액체나 공기를 제거하는 침투적 검사

② 천자할 부위의 상지를 머리 위로 올리게 하거나 의자 등받이 쪽을 안으며, 걸쳐 안게 한 뒤 베개를 받히고, 팔짱을 낀 채 몸을 앞쪽으로 기울인다. 기출

③ 검사도중에 바늘이 늑막을 찌르는 것을 방지하기 위해 대상자에게 기침을 하거나 움직여서는 안 됨 기출

④ 5~6늑간근 사이

⑤ V/S 관찰(활력징후)

2) 복막(복수)천자

① 복막내 이상 액체(복수) 제거

② 반좌위(파울러식) 기출

③ 호흡곤란 관찰

3) 요추천자

① 뇌질환진단, 치료 – 뇌척수액 검사 기출

② 측위(새우등이 되도록)

측위 (새우등이 되도록)

③ 제3~4요추 사이

④ 천자 후 자세 : 앙와위(머리와 다리 수평자세)

– 두통과 척수액의 누출을 방지하기 위함 기출

⑤ 요추천자 후 간호 : 수분보충(수액요법), 안정, 8~10시간 앙와위, 불안감 표현 등

⑥ 부작용

– 두통 호소 : 뇌척수액압이 갑자기 떨어지기 때문

– 뇌척수액의 누출 : 누출로 인한 감염 우려 기출

CHAPTER 08 응급상황 대처

제1장 | 심폐소생술

1. 심폐소생술의 단계 (기출 19상) (기출 19하) (기출 21하)

1) 심폐소생술의 순서(C → A → B)

Circulation(순환확보) → Airway(기도확보) → Breathing(인공호흡)

2) 환자 의식수준 확인 → 흉부압박 → 기도유지 및 개방 → 인공호흡

3) 심장마사지(심장압박)와 인공호흡의 비율

① 가슴 압박 위치 : 흉골 아래 1/2 지점(환자마다 다를 수 있음), 5 cm 깊이로 압박
기출 기출

② 성인 : (가슴압박 100~120회/분) 30회 : 2회(인공호흡) 시행

③ 8세 미만의 소아의 경우 구조자가 1인일 경우 : 가슴압박과 인공호흡의 비율 → 15 : 2

4) 심폐소생술(CPR)의 우선 순위

① C : 흉부압박(Chest compression)

② A : 기도개방(Airway)

③ B : 인공호흡(Breathing)

④ D : 약물치료(Drug)

⑤ E : 심전도(EKG)

⑥ F : 제세동기(Defibrillator treatment)

5) 인공호흡 : 기도를 막을 수 있는 모든 이물질을 제거

① 호흡이 없는 환자에게 실시하는 인공호흡은 구강 대 구강이 가장 많이 이용

② 입안에 이물질이 있거나 환자의 혀가 말려 기도를 막고 있을 경우 인공호흡의 효과를 기대할 수 없으므로 입안의 이물질 유무를 확인하고, 환자의 머리를 뒤로 젖혀서 혀가 말리는 것을 예방

2. 자동심장충격기(제세동기) 사용법 (기출 20하) (기출 21상) (기출 21하)

1) 정의

심장의 기능이 정지하거나 호흡이 멈추었을 때 흉벽으로 전기를 방출시켜 회복하기 위한 응급처치 기기 **기출**

2) 작동 순서

① 전원 켜기

② 전기패드 부착(피부에 직접 접촉, 물기 제거) **기출**

③ 심장리듬분석 : 손을 떼고 물러난다. **기출**

④ 제세동기가 심전도 분석 완료 사인이 나타나면 제세동 버튼을 눌러 제세동 실시

⑤ 다시 가슴압박을 시행

1. 응급처치의 정의

1) 정의

① 전문 의료서비스의 치료를 받기 전까지 질병이나 사고에 대한 즉각적이고 임시적인 처치

② 생명을 구하고, 상태의 악화 방지 및 통증 경감

2) 응급처치 우선순위

긴급환자(red tag)	위기 혹은 생명의 위험이 있어 즉각적인 치료를 받아야 생존이 가능한 상태	기도폐쇄, 심장마비, 심한 쇼크, 의식 불명, 연가양 흉곽, 다발성 외상 등
응급환자(yellow tag)	초기 응급 치료를 받은 후 후송을 기다릴 수 있는 상태	고열, 폐쇄성 골절, 40% 미만의 화상, 열상, 뇌졸중, 심한 통증 등
비응급환자(green tag)	구급처치 수준의 치료가 요구되는 경한 질환이나 손상	연조직 상해, 피부손상(순환장애가 없는), 염좌, 두드러기, 지속적 오심·구토 등 사지골절 등
사망(black tag)		

① 우선순위는 생명의 위급 정도에 따라 분류

② 1순위 : 대 출혈과 호흡 정지, 심정지 환자

③ 얼굴, 가슴, 목 부위의 부상은 호흡을 방해하므로 우선순위로 처치

3) 응급처치 4단계 : (의식 확인) 기도유지 → 지혈 → 쇼크예방 → 상처보호(감염예방)

2. 의식 확인

1) 환자의 의식 상태를 사정할 때 처음 사용방법 : 언어적 자극 및 어깨를 가볍게 흔들기

"여기가 어디에요?" "손들어보세요?" "이름이 뭐에요?" 라고 말을 해서 물어보는 언어적 자극

2) 의식(자신과 주변을 인식하는 것) 수준 분류

① 명료 : 깨어 있는 상태

② 졸린 상태 : 잠든 상태

③ 착란 : 지남력 장애

④ 혼미 : 큰소리 자극에만 반응

⑤ 반혼수 : 해로운 자극에 눈뜨거나 찡그린 간단한 반응

⑥ 혼수 : 무반응

3. 무의식환자의 응급처치 (기출 19하) (기출 20상) (기출 20하)

1) 순서

기도유지(A) → 호흡평가(B) → 순환평가(C) 순서로 시행

2) 기도유지

① 기도유지가 제일 중요 기출

② 토물의 기도 흡인 예방 : 기도 분비물 제거 위해 고개를 옆으로(왼쪽) 돌린다.

③ 기도폐색의 원인(음식, 물, 이물질, 혀, 기도분비물)을 제거 : 무의식으로 인해 식도로 삼키지 못하고 기도로 흡인되어 질식이 우려되기 때문

3) 호흡평가

① 호흡 확인 : 어깨를 흔들거나 언어적 자극을 통해 의식과 자발적 호흡 유무 확인 기출

② 평평한 바닥에 앙와위로 눕힌다. → 주변인을 정확히 지정하여 119 신고 요청 기출

4) 순환평가

① 맥박 확인 : 성인, 소아 – 경동맥, 영아 – 상완동맥

② 심폐소생술 시행 시 : 인공호흡과 흉부압박을 4회씩 실시 후 순환상태 확인

4. 운반법

① 처치 능력이 있는 리더가 환자의 머리(선두)쪽에 선다.

② 기도 확보를 먼저 하고, 환자 상처에 대한 기본 처치 후 운반

③ 평지, 계단, 오르막길에서는 환자의 머리가 먼저, 내리막길에서는 환자의 다리가 먼저 가도록 한다.

④ 사고 현상에서 척추 보호를 위해 목을 고정하고 척추가 일직선이 되도록 끌어당긴다.

⑤ 척추손상(골절)환자 – 머리가 흔들거나 고개 들기, 환자를 움직이게 하거나 앉히면 신경계 손상 정도가 증가하므로 경추고정과 전신부목으로 고정

5. 응급환자 발생 시 119 구조요청 시 고지 내용

① 환자의 위치와 상태

② 응급상황의 내용

③ 부상자의 수와 상태

④ 필요한 응급 처치 도구

⑤ 신고자의 신원과 연락처

6. 절단된 신체 부위 보관법

① 청결한 마른수건 등으로 절단 신체 부위를 싼 뒤 비닐주머니에 넣어 얼음을 채운 용기에 넣는다.

② 절단부가 얼음에 직접 닿게 해서는 안 되며, 드라이아이스는 사용 금지

제3장 | 상황별 응급처치

1. 골절환자의 응급처치 (기출 20하)

1) 골절 시 기본 원칙

① 움직이기 전에 부목을 대서 복합골절을 예방함(추가 손상 방지)

② 처치 : 안정, 고정, 냉찜질, 골절부위 상승

③ 출혈이 동반된 복합 골절 : 쇼크 예방, 지혈, 상처에 대한 처치를 먼저 시행

2) 골절의 유형

완전골절

끼임/감입골절

가로/횡골절

경사골절

나선형골절

단순/폐쇄골절

개방/합병골절

분쇄골절

압박골절

병적골절

굽힘/굴절골절

팽균/융기골절

생나무/불완전굴곡골절

3) 부위별 골절에 따른 처치

① 척추 골절 : 앙와위를 취하고 기도유지, 경추고정, 전신부목을 사용해 전체 척추를 일직선으로 유지, 체위 변경 시 통나무 구르기 법

② 상지 골절 : 반듯이 펴고자 시도하지 말고 팔걸이 등을 이용해 환자가 가장 편한 자세를 적용

③ 두개골 골절 : 머리 상승(뇌압상승예방), 금식

④ 쇄골 골절 : 쇄골 띠를 이용해 8자형 붕대법 적용

⑤ 대퇴 골절 : 견인장치로 고정과 견인을 동시에 실시 기출

⑥ 늑골 골절 : 폐 손상 유무 확인 후 삼각건을 이용

⑦ 하악골 골절 : 환자의 머리를 부목으로 이용

⑧ 골반 골절 : 앙와위로 눕힌 후 전신부목 사용

2. 경련환자의 응급처치 (기출 19상) (기출 21상)

① 기도흡인 예방하기 위해 환자의 몸과 고개를 옆으로 돌린다(기도확보). 기출 기출

② 조이는 옷을 느슨하게 해서 호흡을 편하게 도와준다.

③ 의식소실과 근육의 과도한 긴장으로 예기치 못하는 손상이 발생할 수 있으므로 주변의 위험한 물건은 치운다.

④ 발작이 시작된 경련 환자를 운반, 억제대 사용, Airway나 설압자의 삽입(치아와 구강 손상, 기도손상과 흡인 가능성, 근육의 긴장을 더욱 증가시키기 때문) 등의 처치는 금지

3. 교상(사교상)환자의 응급처치 (기출 19하) (기출 21상)

① 움직이지 않도록 함(물린 부위를 부목으로 고정) : 독이 빠르게 번지는 것을 막기 위해 기출

② 칼로 절개하지 말 것 : 동맥손상 가능성, 소독하지 않은 칼로 절개하는 것은 파상풍의 위험 증가시키기 때문

③ 정맥 혈관을 차단하는 지혈대를 사용하되 손가락 1개가 들어갈 수 있도록 함 : 괴사 방지

④ 입으로 빨지 않도록 할 것 : 구조자의 치주염, 충치 등 구강질환이나 빨아내는 동안 부주의로 독을 삼킬 수 있기 때문

⑤ 병원으로 이송해 항독 처치를 받도록 할 것 : 물린 위치가 머리나 몸통인 경우 호흡 마비, 쇼크, 혼수, 사망의 치명적 증상이 더 빨리 진행될 수 있기 때문에 빨리 의사에게 연락하여 항독처치를 함

⑥ 금식, 쇼크에 유의 : 독이 퍼지면서 쇼크 상태가 바로 오는데 물을 마시게 되면 의식을 잃으면서 기도흡인의 위험이 있기 때문

⑦ 물린 부위는 심장보다 아래로 향하게 함 : 혈액이 심장으로 귀환하는 시간을 최대한 늦춤 기출

⑧ 냉찜질 적용 : 통증 완화, 혈관수축 효과로 독이 퍼지는 시간이 지연

4. 기도폐쇄환자의 응급처치 (기출 20상)

1) 구강 내의 이물질 제거 : 환자의 혀, 음식물, 이물질, 기도분비물

2) 기도개방 방법

① 의식이 있을 때 : 기침을 하도록 하고 하임리히(heimlich)법 시행(환자의 뒤에서 양팔로 환자의 복부를 감싸 안아 누르며 위로 밀쳐 올려서 기도의 압력을 높여 이물질을 입 밖으로 나오게 하는 방법) 기출

② 무의식일 때 : 환자를 앙와위로 눕히고 환자의 복부에 처치자의 손을 올린 다음 환자의 복부를 빠르게 위로 밀어 올린다.

③ 목을 뒤로 젖히고 턱 올리기 : 척추손상이 없을 경우

④ 앙와위 자세에서 턱 밀어 올리기 : 경추손상이 의심되는 환자의 경우

⑤ 기도 분비물로 인한 기도폐색을 방지하기 위해 고개를 왼쪽으로 돌리고 금식 유지

⑥ 소아의 경우 : 기도 개방을 위해 머리를 약간만 뒤로 젖힌다(소아의 뼈는 아직 유연하기 때문에 과신전시 오히려 기도 폐쇄).

5. 내출혈환자의 응급처치

1) 초기 활력징후

① 출혈 초기 부족한 혈액량으로 전신 순환을 하기 위해 맥박과 호흡은 빠르고 약함

② 혈액양은 적기 때문에 저혈압, 체온은 정상이거나 조금 낮다.

2) 응급처치

① 앙와위로 눕히고 금식

② 구토 시 고개를 옆으로 돌리기

③ 호흡 곤란 시 반좌위

④ 의식이 없을 시 측위로 눕혀 기도 흡인 예방

6. 동상환자의 응급처치 (기출 20하)

① 동상 부위는 심장보다 상승시킴 : 부종과 통증을 최소화

② 동상 부위를 37~39℃ 정도의 따뜻한 물에 20~40분간 담그면 증상 완화 기출

③ 보온을 위해 가벼운 담요, 이피가(크래들) 설치 : 동상으로 감각과 지각이 거의 없기 때문에 추가 조직 손상이나 순환에 방해가 될 수 있기 때문에

④ 젖은 옷은 벗김 : 체온을 더욱 떨어지게 할 수 있으며, 젖은 무게의 압력으로 순환에 방해를 받아 더 심한 의학적 손상을 입을 수 있음

⑤ 동상부위의 마사지 금지 : 동상부위를 만지거나 마사지를 하면 얼음결정이 손상을 입은 조직에 열상을 입힐 수 있음

7. 비출혈(코피)환자의 응급처치 (기출 19상) (기출 20하)

① 고혈압, 심장 질환, 뇌손상 등의 환자의 질병을 확인

② 콧방울 윗부분을 10분 정도 누르고, 콧등이나 목덜미에 냉찜질 실시 : 혈관수축 효과

③ 앉은 자세로 고개를 숙이게 하고, 코를 풀거나 피딱지를 파지 않게 한다. 기출

④ 피가 목으로 넘어 오면 삼키지 말고 부드럽게 뱉도록 함 : 오심과 구토를 유발하므로

⑤ 입으로 숨을 쉬게 하며, 조이는 옷을 느슨하게 풀어주고 신선한 공기를 마시게 한다. 기출

8. 쇼크환자의 응급처치 (기출 19하) (기출 21상) (기출 21하)

1) 전신순환이 부적절하여 산소공급이 안 되어 나타나는 비정상적인 현상

2) 증상

　① 차고 축축한 피부, 저체온증

　② 요량감소, 갈증, 의식불안, 혈압 하강, 빠른 맥박 등

3) 간호

　① 하지 상승, 보온, 기도유지, 관찰 기출 👆

　② 절대안정, 산소공급, 정맥 수분공급

　③ 활력증상 체크, 옷을 느슨하게

　④ 저혈량 쇼크시 : 변형 트렌델렌버그 체위 기출 👆

　　– 상체를 편평하게 하고 엉덩이 부위와 발목을 45° 올려주는 자세

　　– 심장과 뇌로의 혈액 순환을 위함

　⑤ 두부손상, 흉부손상 환자의 경우

　　– 머리와 상체를 살짝 높이는 변형된 Shock Position(골반고위) 시행

　　– 원활한 호흡을 위해

4) 아나필락틱 쇼크(과민성 쇼크)

　① 과도한 전신성 혈관이완

　② 특정 약, 벌레, 음식 등에 대한 비정상적 면역 반응(알러지) 기출 👆

　③ 기도 폐쇄, 불편하고 절박함을 호소, 후두 부종과 쉰 목소리, 호흡곤란, 기침, 두드러기, 입술과 혀의 부종 등

　④ 교감신경흥분 혈관 확장제인 에피네프린을 투여

9. 염좌환자의 응급처치

　① 염좌 : 골절은 없으나, 정상범위 밖으로 나간 관절로 인해 인대가 지나치게 늘어나거나 파열된 상태, 무릎과 발목에서 잘 발생

　② 염좌 부위 상승과 냉찜질 적용(부종과 통증 완화), 염증부위 고정(운동 안 됨)

③ 체중을 부과하지 않음 : 목발 보행 적용

④ 소염연고 바르기, 마사지는 금지 : 인대의 손상이 증가

⑤ 안정을 위해 탄력붕대나 석고붕대를 적용

10. 열중증환자의 응급처치 (기출 19하) (기출 21상) (기출 21하)

1) 열사병

(1) 원인

고온다습한 환경에 노출될 때 체온조절중추의 기능장애로 체온조절의 부조화

(2) 증상

체온 상승(41℃~43℃), 두통, 현기증, 무력감, 구토, 의식혼미, 땀을 흘리지 않음(무한증) 기출

(3) 간호

① 체온을 빨리 내리는 것이 가장 중요

② Shock Position 시행(골반고위) → 머리를 약간 높이고 다리는 올려주는 자세

③ 시원하고 그늘진 곳에서 심장을 향해 마사지 기출

④ 냉수 욕조를 이용, 얼음주머니 또는 냉찜질, 찬 식염수 관장, 방광 세척 시행

⑤ 염분이 포함된 수분을 구강 또는 정맥으로 공급

⑥ 옷을 벗기거나 느슨하게 해줌

⑦ 호흡곤란 시 산소호흡기를 사용

2) 열경련

(1) 원인

고온 환경에서 심한 육체적 노동 시 지나친 발한에 의한 수분과 염분의 손실 기출

(2) 증상

현기증, 사지경련, 이명, 두통, 맥박상승, 구토

(3) 간호

① 바람이 잘 통하는 곳에서 휴식

② 0.1% 식염수 등의 염분 제공

③ 근육 이완을 위해 근육을 당기거나 지압, 마사지 시행

④ 심한 노동이나 활동 전 염분과 수분 보충

3) 열피로

(1) 원인

말초혈관 운동신경의 조절장애와 심박출량의 부족으로 인한 순환부전

(2) 증상

전신권태, 두통, 현기증, 의식상실

(3) 간호

포도당, 식염수 수액 주사, 휴식과 안정, 강심제, 수분 공급

4) 열쇠약

(1) 원인

고온작업시 비타민 B_1의 결핍으로 발생하는 만성적인 열소모

(2) 증상

전신권태, 식욕부진, 위장장애, 빈혈, 불면

(3) 간호

비타민 B_1의 투여, 충분한 휴식과 영양섭취

11. 음독환자의 응급처치 (기출 20상)

1) 위세척 적용 : 약물을 과량 복용한 경우 흡수를 억제하기 위한 응급처치법 기출

① 무의식환자 : 기도유지, 구토금지(내장손상 방지 위함) → 병원 이송 → 위세척 실시
② 의식이 있는 환자 : 구토유도(시럽, 물, 우유) → 위세척 실시

2) 위세척 금기

① 부식성 물질 섭취 시
② 강산, 알칼리성 물질 → 합병증(식도파열, 폐흡인) 위험 높으므로 금지

3) 위세척 시 체위(자세) : 왼옆누운자세(좌측 횡와위)

4) 응급처치

① 기도유지가 가장 중요
② 병원 이송 시 반드시 약병을 가지고 갈 것

③ 약병이 없을 경우 구토물이라도 가져갈 것 : 해독 방법 모색을 위해

④ 구토 금기 물질이나 금기 대상이 아니면 신속히 구토를 유발

12. 일산화탄소(CO) 중독환자의 응급처치 (기출 19상)

1) 원인

일산화탄소(CO) 산소를 운반하는 헤모글로빈과의 결합력이 강해 산소 결합 작용을 방해

2) 처치 : 환기와 인공호흡이 우선

① 공기가 맑은 곳으로 옮기거나, 창문을 열어 환기도모, 꽉 조이는 의복을 풀어 호흡을 편하고 자유롭게 해줌

② 고압산소탱크를 이용해 100% 산소를 공급, 혈압과 체온 유지 기출

③ 기관분비물 배출을 쉽게 하고, 기도흡인을 예방하기 위해 측위 : 산소결핍으로 오심, 구토, 의식소실, 호흡부전 등의 중추신경계손상 증상이 나타날 수 있으므로

④ 설압자 삽입 : 중추신경계 손상으로 인한 의식소실과 경련에 대비

13. 창상환자의 응급처치 (기출 20상)

1) 종류

① 자상 : 가늘고 뾰족한 물체에 찔린 상처 → 드레싱, 파상풍 주사 기출

② 열상 : 피부가 불규칙하게 찢어진 상처 → 소독된 거즈로 직접 압박법 실시, 봉합

③ 절상 : 베인 상처, 감염되지는 않지만 혈관 손상으로 많은 출혈이 문제됨 → 지혈, 세척, 드레싱

④ 기타 : 찰과상, 관통상, 결출, 좌상 등

2) 감염 가능성이 높은 상처

① 열상, 자상(피부가 찢어져 출혈이 생긴 개방성 창상)

② 2도 화상 환자 : 2도 이상, 체표면적의 10% 이상의 화상환자, 감염 가능성 매우 높음

③ 창상이 있는 골절 환자 : 개방성 복합 골절 환자

④ 사람에게 물렸을 때 : 사람, 개, 뱀 등의 대부분의 교상

14. 출혈환자의 응급처치

1) 출혈 시 응급처치

① 직접 압박 시행 : 손바닥으로 상처를 직접 압박하여 출혈을 막고자 하는 방법(감염 가능성보다 부상자 생명이 우선)

② 심장보다 올려줌 : 심장으로의 귀환 혈량을 증가

③ 지혈대는 최후에 사용 : 직접압박, 지압법을 사용해도 출혈이 멎지 않을 때 사용

④ 수액 공급 : 금식 상태 유지, 수액을 공급하여 혈량을 보충하고 수혈에 대비함

2) 지혈대 사용 방법

① 직접압박, 지압법을 사용해도 출혈이 멎지 않을 때 최후 사용

② 출혈되는 부위를 심장보다 높여주면 출혈의 속도를 늦추고, 심장으로 가는 혈액의 양을 모아서 쇼크를 조금이나마 예방하기 위함

③ 지혈대는 완전 지혈이 되도록 상처 가까이, 정확하게 맨다.

④ 지혈대 적용시간을 지혈대나 상처부위에 적어 둘 것

⑤ 지혈대를 오래 매고 있을 경우는 매 20분마다 풀어주고 2~3분 후에 다시 매줌 : 장시간 사용으로 인한 말단부위의 괴사 예방을 위해

15. 화상환자의 응급처치 (기출 19상)

1) 기본 처치

(1) 화상으로 인한 사망의 주원인은 쇼크와 감염

: 기도를 유지, 호흡과 순환상태를 자주 확인

① 신속하게 냉 요법을 적용(조직파괴와 화상의 심각도를 감소시켜 통증, 부종 최소화)

② 화상 부위 중 얼굴 → 손 → 발 → 생식기 순으로 중요

③ 연기나 화염의 흡인은 호흡기의 화상을 초래하므로 위험

④ 재빨리 불을 꺼야 하므로 담요나 융단으로 덮어 산소를 차단해 불을 끈다.

⑤ 전기 화상의 경우 마른 드레싱을 적용(저체온 유발 가능성이 있으므로)

(2) 산 또는 알칼리에 의한 화상

: 수압을 낮게 유지해 화상 부위를 물로 세척하는 것이 중요

(3) 수포나 괴사 조직은 제거하지 않도록 _{기출}

: 보호막 역할

(4) 반지, 시계 등은 신속히 제거

: 통증과 추가 손상의 위험예방

(5) 연고 사용 금지

: 상처의 열 발산을 막아 회복 속도를 느리게, 통증을 지속 시키는 원인이 되므로

(6) 화상의 상처는 깨끗한 마른 수건이나 드레싱으로 덮어줌

: 상처를 깨끗이 유지해 감염을 예방, 화상 부위에 공기가 직접 닿아 통증이 유발을 줄이고, 수분 증발을 막기 위함

2) 화상의 분류

분류	1도 화상	2도 화상	3도 화상
증상	표피 손상, 발적, 통증	진피 손상, 수포, 심한 통증	광범위 피부 손상, 괴사
응급 처치	① 차갑게 젖은 천으로 감싸기 - 통증 감소, 화상 부위 손상 줄이기 위해 ② 보습제 - 피부수분 유지	① 습윤 드레싱 금지 - 저체온 ② 수포, 파편 제거 금지	① 멸균 드레싱, 멸균 포로 상처 감싸기 ② 화상 부위에 옷이 붙은 경우 억지로 제거하지 말 것 ③ 쇼크 방지 - 다리 높이고, 보온 유지

3) 화상의 범위

① 화상을 입은 체표 면적을 평가하는 방식(9의 법칙을 적용)

② 9의 법칙 : 두부 9%, 양팔 각각 9%, 양쪽다리 각각 18%, 체간앞면 18%, 체간뒷면 18%, 회음부 1%

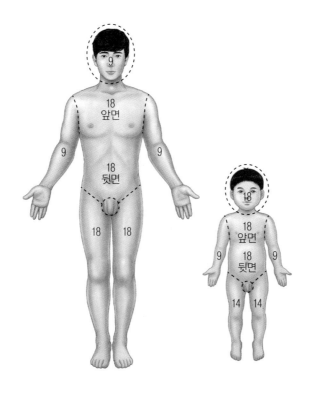

제4장 | 산소요법

1. 산소요법 환자 간호 (기출 19하)

① 금연 : 화재예방(가장 중요), 모, 합성 섬유 대신 면침구 사용

② 가습기와 함께 사용 → 호흡기 점막 건조예방을 위해 70~80% 고습도 유지 필요

③ 가스 기구를 사용하지 않도록 주의, 성냥, 라이터, 전열기 사용 금지

④ 산소호흡 카테터가 환자 얼굴에 잘 부착되어 있는지 살핌

⑤ 습윤병에 기포 발생 유무 확인 : 멸균증류수 채움

⑥ 산소요법 적용 : 혈압저하, 맥박증가, 호흡증가, 청색증, 혼미, 안절부절 못함, 산소 분압 저하 등

2. 산소마스크의 종류와 산소 투여 농도 (기출 20상) (기출 21상) (기출 21하)

1) 벤츄리 마스크 : 24~40% 산소농도(가장 낮은 산소농도)

2) 비강 캐뉼라 : 25~45% 산소농도

　① 가장 흔히 사용, 적용 쉬움, 대상자가 말하고 먹을 수 있어 편안 기출

　② 저산소증을 치료하기 위함

　③ 비교적 낮은 농도의 산소(25~45%)를 주입하기 위함

3) 단순안면 마스크 : 40~60% 산소농도

　① 비강캐뉼라보다 고농도의 산소와 습도를 제공(가장 효과적)

　② 2시간마다 마스크를 떼어 얼굴 닦아줌(오래 착용 못함), 마스크에 습기가 차면 닦아 줌

　③ 귀 뒤나 뼈 돌출 부위에 거즈나 패드를 대어 줌(피부자극 방지) 기출

　④ 반좌위(호흡곤란 예방)

　⑤ 단점 : 의사소통 제한, 식사, 물, 약물복용 시 벗어야 함, 질식할 것 같은 느낌

4) 비강 카텍터 : 44~67% 산소농도

5) 부분 재호흡 마스크 : 50~60% 산소농도

6) 비-재호흡 마스크 : 60~100% 산소농도(가장 높은 산소 농도 공급) 기출

3. 가습요법(증기흡입)

　① 상기도 염증 시 점액을 묽게 하여 배출 용이, 기도 자극 증상 완화, 기도 건조 및 점막자극 방지, 기도 유지 증진 위함

　② 적용 시 주의점

　　– 수증기 방향(코방향), 이불과 환의가 젖지 않도록 방수포를 깔아줌

　　– 증류수 ⅔, 찬물 사용, 매일 청소 : 세균오염방지

　③ 효과적인 객담배출에 도움이 되는 것 : 기침, 가습, 수분섭취 증가, 체위배액

4. 흡인요법

① 용액 : 멸균식염수(수돗물이나 증류수 사용 금지)

② 흡인기의 압력 : 성인 100~120 mmHg, 아동 50~75 mmHg

③ 흡인과 흡인 사이에 환자에게 기침과 심호흡을 시킴

④ 흡인 시 10~12.5 cm 저항감이 느껴지면 무리하게 삽입하지 않음

⑤ 흡인시간을 10초 내로 함

⑥ 삽입된 카테터를 부드럽게 회전시키면서 흡인

⑦ 한번 총 흡인시간은 5분을 넘지 않도록 함 → 산소부족으로 저산소증 예방 위해

⑧ 흡인 대상자가 무의식 상태일 때는 측위를 유지한 후 흡인

⑨ 좌위 : 기침과 호흡을 쉽게 함

⑩ 측위 : 기도폐색을 예방하고 분비물의 배액 촉진

5. 기관절개 간호

① 절개 부위 감염 예방을 위해 매일 드레싱 교환

② 기관 내의 분비물 제거는 무균적으로 시행

③ 의식이 있는 환자에게는 의사소통을 위해 침대 옆에 종이와 펜 준비

④ 청색증, 호흡곤란 증상이 있는지 자주 관찰

⑤ 기관 절개관의 입구를 생리식염수로 적신 거즈로 덮어줌 → 가습(습도)과 먼지 흡착의 역할을 할 수 있고, 기관내 점막의 건조를 예방하기 위함

⑥ 내관을 제거, 물과 과산화수소(H_2O_2) 혼합한 물에 솔로 깨끗이 닦고 멸균할 것

CHAPTER 09 환자와 보호자 관리

제1장 | 입원, 퇴원, 전동

1. 환자의 입원 (기출 19하) (기출 21상) (기출 21하)

① 환자 본인 확인 : 입원, 전동, 진료, 투약 시 환자 재확인 필수

① 환자 방(병실)이 준비되어 있는지 확인 후 병실로 안내

② 입원환자 절차 : 지정된 병실 안내 → 시설 및 규칙 안내 → 환의 → 활력징후 → 보고

기출 기출

③ 외과 입원환자 재활계획 수립 시기 : 입원과 동시에 계획을 세워 기형 발생을 예방

2. 수액을 맞고 있는 환자의 환복 (기출 19하)

① 수액세트를 분리하지 않고 대상자 환복 순서는 상의를 벗을 때는 수액이 연결되지 않은 팔부터 벗고 기출

② 상의를 입을 때는 수액이 연결된 팔부터 입는다.

3. 빈 침상 만들기 (기출 19하) (기출 20하)

1) 순서 : 사용할 순서대로 준비

밑홑이불(솔기 밑으로) → 고무포 → 반홑이불 → 윗홑이불(솔기 위로) → 담요(침상상부20 cm) → 침상보 → 베개와 베갯잇(터진 곳이 출입구 반대편으로 가게)

2) 침상정리 시 주의사항

① 밑홑이불의 솔기는 밑으로, 위홑이불의 솔기는 위로 가게
② 고무포 : 어깨~무릎 사이에 위치
   → 홑이불에 분비물이 젖는 것을 방지
   → 분만 후의 산모, 요실금 환자, 관장하는 환자, 수술 후 분비물이 많은 환자에게 사용
③ 베게잇의 터진 쪽을 출입구 반대쪽으로 향하게
④ 담요는 위홑이불 보다 15~20 cm 아래에 나란히 놓음

3) 침대 발치의 위홑이불과 담요의 주름을 넉넉히 만드는 이유

① 수족(foot drop)을 예방하기 위함
② 발받침(foot board)대줌

4) 대상자별 침상

① 일반 환자 : 개방 침상
② 무의식, 마비 환자 : 사용중 침상 – 누워 있는 채로 침구 교환 기출
③ 화상환자 : 크래들(반홑이불과 윗홑이불사이 위치) 침상
④ 골절환자 : 척추나 근육 반듯 유지→ 머리 목 고정, 신경손상 예방, 널빤지를 침요 밑에 기출

4. 침상에서 사용하는 보조기구 (기출 19상) (기출 19하)

① 크래들 : 화상환자, 개방성 상처환자, 쇠약환자 등 침구의 무게를 덜어주기 위해 기출
② 침상판 : 허리지지 유지
③ 손두루마리 : 손가락의 굴곡상태 유지
④ 침상난간 : 이동시 낙상방지
⑤ 발 지지대 : 족저굴곡을 예방 기출

5. 전동 (기출 19상) (기출 20상) (기출 20하)

① 물품 정리 : 기록지, 검사물, 특수 기구, 사용 중 약물, 개인물품을 확인하여 이동할 병동으로 보낸다. 기출 기출

② 환자의 정보를 공유하여 간호의 연속성을 유지하기 위해 환자에 대한 설명이 필요

③ 환자에게 새로운 병동의 시설 및 규칙 안내 기출

6. 퇴원 간호 (기출 19상) (기출 20상) (기출 21하)

1) 퇴원 간호 내용

① 퇴원 시 환자 교육 : 투약, 식이, 목욕, 활동제한, 이상 증세 기출

② 추후방문에 대한 교육 : 병원 방문일자와 장소 고지 기출 기출

③ 귀중품은 보호자에게 돌려주고 퇴원 약을 확인함

2) 퇴원 후 병실 소독방법

① 병실안의 물 컵은 다시 소독하여 다음 환자가 사용할 수 있게 함

② 입원환자 마다 새로운 홑이불을 사용

③ 병실안의 모든 물품은 다시 소독하거나 소독수로 닦음

④ 감염병환자 사망 시에는(종말소독) 소독 실시

⑤ 12시간 후에 새로운 환자를 받음

⑥ 빈 침상 : 퇴원 후 병실정돈 위함(질병 감염 예방)

제2장 | 의사소통

1. 치료적·비치료적 의사소통 방법 (기출 19상) (기출 19하) (기출 20상) (기출 20하) (기출 21상) (기출 21하)

1) 치료적 의사소통 방법

먼저 다가감, 적극적 경청, 침묵, 공감, 재진술, 중립적 태도 취하기, 수용, 변화에 대한 인식 표현, 폭넓은 주제 제공, 사건의 시간과 관계를 정렬, 인식한 바를 설명하도록 격

려, 반영, 초점 맞추기, 탐색하기, 정보제공하기, 명료화하기, 현실제시하기, 의심을 표현하기, 협력 제안하기, 요약하기, 역할극 제공하기, 피드백 하기, 평가 격려하기, 강화하기 등

치료적 기술	의미	예시
1) 먼저 다가감	먼저 환자에게 관심과 이야기 나누려는 의지를 보여줌	"저는 당신과 함께 있을 겁니다."
2) 경청	감정 및 행동에 친밀한 관심을 보임	환자와 대면하여 눈을 마주치고, 개방적이고 집중하는 태도로 적절한 반응을 보여줌
3) 침묵 기출	환자에게 생각하고 말할 기회를 제공하기 위해 의도적으로 잠시 말을 중단함	눈을 계속 마주치며 얼굴 표정을 흥미와 관심을 전함
4) 공감	환자의 감정을 인식하고 인정함	"당신이 이것에 대해 이야기하는 것이 얼마나 고통스러운지 알고 있습니다."
5) 재진술 기출 기출	환자가 무슨 말을 했는지 상기시켜주고, 환자가 어떻게 이해하고 있는지 확인하기 위하여 환자가 한 말을 반복함	"당신은 곧 집에 간다고 말하셨지요." "당신의 어머니는 당신 보는 것을 행복해하지 않으신다고요"
6) 바꾸어 말하기	정말 전달하고자 하는 말을 강조하기 위하여 환자의 말을 재구성함	환자: "집에서 할 일이 없습니다." 간호사: "집에 있는 것이 마치 지루했다는 말처럼 들립니다."
7) 반영 기출 기출	대상자의 입장에 서서 그의 느낌, 생각 등을 다시 표현해 줌	"당신은 불안해 보입니다." "지금 당신은 무엇에 대해 결정하는 것이 어렵다는 말씀이군요."
8) 명료화	대상자의 말에서 명확하게 표현하지 못한 생각을 확인 또는 언어화	"제가 이해를 못했는데, 다시 말해주시겠어요?"
9) 초점 맞추기	대상자가 이야기를 산만하게 하여 대화 주제가 모호할 때	"여러가지 말씀을 하셨는데 어떤 점이 가장 주요한 문제라고 생각하시나요?"
10) 개방적 질문 기출	대상자의 생각과 반응을 이끌어 낼 수 있음	"무슨 생각을 하고 계신가요?"
11) 정보 제공	대상자가 필요하는 사실을 활용할 수 있도록 정보를 제공	"저희 병원을 방문하신 목적이 정신적 치료를 받으시려는 거죠?"
12) 유머	대상자의 긴장해소, 친밀감을 증가시킴	

2) 비치료적 의사소통 방법

과다한 질문하기, 칭찬 또는 비난, 충고하기, 일시적 안심시키기, 왜라는 질문하기, 반박하기, 감정적인 말로 표현하기, 주제 바꾸기, 이중구속하기 등 [기출]

2. 시각장애 환자와의 의사소통

① 병실에 들어왔음을 알리고 자기소개
② 효율적인 소통을 위해 가능한 구체적으로 설명
③ 환자 몸에 손을 대기 전에 그 이유를 알림
④ 주변에 소리와 병실내 가구의 배치 등에 대해서 설명
⑤ 차분한 저음이 효과적이고, 말은 분명히 천천히 하고
⑥ 큰소리로 말하지 말 것

3. 난청환자와의 의사소통 (기출 19하) (기출 20상) (기출 21상)

① 밝은 방에서
② 입모양을 볼 수 있도록 환자의 눈을 보며 정면에서 간단히 이야기
③ 눈짓, 몸짓, 얼굴표정 등으로 이야기 전달 [기출] [기출]
④ 중저음으로 입을 크게 벌리며 정확히 말한다.
⑤ 간단하고 쉬운 용어를 사용해서 천천히 말한다. [기출]

CHAPTER 10 투약, 수혈, 임종간호

제1장 | 투약

1. 투약 관리

1) 경구 투약의 기본 5가지 원칙

① 정확한 시간, ② 방법, ③ 환자(대상자), ④ 용량(분량), ⑤ 약

2) 약물 투여방법 중 약효가 빠른 순서

정맥(효과, 부작용 빠름) → 근육 → 피하 → 경구

3) 투약 시 주의점

① 간호사의 지시감독하에 투약

② 투약과오 시 즉시 담당간호사에게 보고

③ 한 병에서 다른 병으로 약을 옮기지 않도록 함 → 약병들은 그 자체 코드번호를 가짐
(부작용시 약들이 섞이면 원인 찾기 어려움)

④ 약을 너무 많이 따랐을 경우에는 약병에 다시 붓지 않고 버림(한번 공기 중에 노출된
약은 다시 붓게 되면 오염될 수 있으므로)

⑤ 투약하지 못한 경우 간호사에게 보고하고 기록

⑥ 물약이 뿌옇게 흐리거나 색깔이 변했으면 약국에 반납

⑦ 철분제제는 흡수율을 높이려면 시간에 투여하는 것이 좋음

⑧ 응급 시엔 구두처방이 가능하나 24시간 이내에 서면처방을 받음

⑨ 수술 후에는 모든 투약 처방이 중지되고 다시 처방하여야 함

2. 처방의 종류

① 즉시처방(stat) : 처방이 내려진 즉시 1회 투여하는 처방. 예) 아나필락틱쇼크 및 반응 후 에피네프린과 항히스타민 투여

② 정규처방 : 약물투여를 중단하라는 처방이 내려질 때까지 계속 수행되는 처방

③ 필요 시 처방 : 간호사가 필요하다고 판단되는 경우 투약할 수 있는 처방

④ 구두처방 : 응급상황에서 내는 처방으로 법적효력이 없으므로 24시간 내에 서면(기록)처방을 받음

⑤ 일회처방 : 의사가 지시한 특별한 시간에 한 번만 투여

3. 관리를 요하는 약물

① 헤파린(항혈액응고제) : 주사부위 출혈예방을 위해 주사부위를 바꾸고 주사후 마사지를 피해야 함

② 인슐린 : 계속적인 피하주사로 지방조직의 위축과 비후가 일어나므로 손상된부위를 피하고 팔, 대퇴부, 복부 등을 돌려가면서 주사함

③ 강심제 : 디기털리스(심근수축력 증가) 서맥(60회/분)을 나타내므로 반드시 맥박 측정

④ 철분제 : 위자극을 막기 위해 식후에 복용함(치아에 착색되므로 빨대로 먹거나 복용 후 물로 잘 헹구어냄)

⑤ 모르핀 : 호흡중추 억제로 호흡마비 일으킴(투여전 반드시 호흡을 측정함)

4. 경구 투약의 장단점

1) 장점

가장 편리, 경제적, 안전한 방법

2) 단점

① 정확한 흡수량의 측정이 어려움

② 위장관에 자극으로 오심, 구토 등이 나타남

③ 위액으로 인해 약물작용에 영향을 줌

④ 철분제제 약물은 치아에 손상을 줌

5. 경구 투약이 불가능한 환자

① 경구투약은 소화와 관련이 있고 삼킬 줄 알고 음식이 소화기계로 넘어가야 함

② 무의식환자 : 구개반사가 없으므로 불가능

③ 금식환자 : 입으로 아무것도 들어가면 안됨

④ 구토환자 : 금식해야 함

⑤ 연하곤란 환자 : 삼킬 수 없음

6. 눈 세척

① 37℃ 생리식염수, 붕산수

② 내안각 → 외안각으로 흐르게 하여 감염을 방지

③ 환측부위로 머리를 돌림(세척액이 곡반으로 흘러 건강한 눈 오염방지 위함)

④ 점적기가 눈에 닿지 않게 함

⑤ 눈에서 1~2 cm 떨어지게

⑥ 물약 : 하부 결막낭 중앙에 떨어뜨림

⑦ 환자 위를 쳐다보게 함

⑧ 점적 후 내안각을 약 30초 정도 눈물샘을 눌러줌 → 약물이 누관으로 흐르지 않도록 하기 위함

7. 안연고 투여

① 눈알을 만지거나 접촉하지 않도록

② 눈동자를 굴리도록 함 → 골고루 약이 퍼지도록

③ 연고 : 하안검 외측에서 내측으로 바름

④ 1~2 cm 정도 바르고 튜브방향으로 살짝 돌려서 약을 끊음

⑤ 안약 투여후 왼쪽 시지로 눈의 내각을 가볍게 눌러줌

⑥ 약물이 비루관을 통해 흘러 나가는 것을 막기 위해 안쪽 내안각 위를 30초간 눌러줌

8. 코 약물 투여

① 투약 후 흡수를 위해 5~10분간 그대로 누워있게 함
② 사골동 치료 시에는 똑바로 누운 자세에서 침대 끝에 머리를 늘어뜨림
③ 투약 전에 코를 풀게 함
④ 입으로 숨을 쉬게 함
⑤ 상악동 치료 시 어깨 밑에 베개를 넣고 머리를 치료방향으로 돌림

9. 귀 약물 투여

1) 투여 방법

① 소아 : 후하방
② 성인 : 후상방으로 잡아 당겨 투약
③ 아픈 쪽 귀를 위쪽으로
④ 약 주입 후 5분 동안 체위 유지

2) 귀 점적 투여의 목적

① 귀의 통증을 완화시키기 위함
② 외이도 이물질을 제거하기 위함
③ 외이도의 분비물을 제거하기 위함
④ 귀지를 부드럽게 하기 위함

10. 질 약물 투여

1) 방법

① 약물 투여 후 둔부 올린상태로 5~10분 동안 누워있게 함
② 약물투여 전 먼저 소변을 보게 함
③ 측위를 취하도록 하고 패드를 깔아줌
④ 회음부만 노출시킴
⑤ 좌약끝 윤활제 바름, 질 후벽따라 8~10cm 삽입

2) 질세척 금기증

분만 직후, 월경증, 임신 후반기

11. 투약과 관련된 약어

ac – 식전	pc – 식후	hs – 취침 시
bid – 하루 2회	tid – 하루 3회	qid – 하루 4회
pm – 필요 시마다	stat – 즉시	npo – 금식
OD – 우측 눈	OS – 좌측 눈	OU – 양쪽 눈
po – 경구로	IV – 정맥 내	IM – 근육 내
hrs – 매시간	supp – 좌약	SOS – 위급 시

12. 비경구 투약

1) 비경구투약의 장점

① 비협조적인환자의 경우에도 투여할 수 있음

② 약물의 용량이 완전히 흡수되므로 투약효과가 빠르게 나타남

③ 흡수된 약물의 용량을 비교적 정확히 측정할 수 있으므로 응급 시에 사용할 수 있음

④ 구강으로 투여할 수 없는 약물을 투여할 수 있음

⑤ 위장관 상태에 영향을 받지 않음

2) 주사약 준비(바이알)

① 주사량과 같은 양의 공기를 바이알 속에 넣음

② 인슐린 바이알 준비 방법 : 바이알에서 인슐인을 꺼내기 전에 간호사가 두 손바닥 사이에 바이알을 놓고 부드럽게 돌려서 사용해야 함(흔들어서 거품이 일면 정확한 용량을 잴 수 없으므로)

3) 색전증 예방

① 수액 투여 시 수액세트 속에 있는 공기방울 모두 배출

② 공기방울로 인한 색전증 예방

13. 비경구 투약 종류(주사) (기출 19하) (기출 21하)

1) 피내주사 : 15°

　① 질병의 진단 및 과민반응(피부반응) 검사 기출

　② 튜베르클린반응검사(BCG 결핵진단)시 사용 기출

2) 피하주사 : 45°

　① 인슐린, 헤파린, 예방백신, 마약

　② 헤파린 주사시에는 문지르지 않음(주사부위 출혈예방 위함)

　③ 피하주사 부위 : 견갑골, 상박 외측, 복부, 대퇴의 앞쪽

3) 근육주사 : 90°

　(1) 주사 부위

　　① 대퇴직근 부위 : 대퇴앞쪽 부위(성인과 어린이에게 사용)

　　② 둔부의 복면부위 : 중둔근과 소둔근, 큰신경이나 혈관 없고 뼈조직과 먼 부위

　　③ 둔부의 배면부위 : 중둔근과 대둔근

　　④ 외측광근부위 : 대퇴앞쪽 중간과 옆쪽 중간(영아와 어린이 사용)

　(2) 둔부의 근육 주사 시 손상 가장 많은 것

　　① 근육주사 시 합병증 : 말초신경손상(좌골신경), 국소압통, 농양형성

　　② 혈관손상, 근 단축, 수축, 조직의 괴사

　　③ 근육주사 시 주의해야 할 부위 : 좌골신경, 힘줄, 뼈, 혈관

　(3) 피하조직에 자극성 있는 약물을 근육주사 시 자극을 최소화 하는 방법

　　① 약물 주입 후 마지막에 0.2 mL의 공기를 주입함

　　② 10초를 기다렸다가 주사침을 뽑음

　　③ 주사 후 마사지하지 않음

　　④ 근육 깊숙이 주사함 → 흡수를 도움

4) 정맥주사의 목적(30°)

　① 수분과 전해질 균형조절

　② 신체에 영양, 수분공급

　③ 약의 빠른 효과

　④ 약물을 희석시켜 독소해독

제2장 | 수혈

1. 수혈

1) 목적

① 정맥 내로 혈액 성분제재(혈소판, 적혈구, 혈장)나 전혈을 주입하는 것

② 산소운반 능력을 증가, 혈액의 결핍성 보완, 순환 혈액을 보충시키기 위함

③ 영양제 투입은 아님(정맥주사의 목적)

2) 혈액종류

① 혈장 : 급성 탈수와 화상으로 혈장부족 시

② 혈소판 : 혈소판 수가 낮은 사람에게 사용

③ 알부민 : 혈량 확장제

④ 전혈 : 출혈 후의 혈액보충

⑤ 농축적혈구 : 혈량은 정상이나 적혈구 수가 부족할 때

3) 수혈 가능한 혈액형

① O형은 누구에게나 줄 수 있는 만능 공혈자

② AB형은 누구에게나 받을 수 있는 만능 수혈자

4) 수혈 전 검사

① 혈액 교차시험검사 : 수여자와 공여자의 혈액형이 일치하는지 반드시 확인

② 혈액형 검사(ABO식과 Rh식)

② 용혈반응(부작용)을 피하기 위해

2. 수혈 시 주의사항 (기출 21상)

① 수혈의 이상반응 : 오한, 두드러기, 오심, 구토, 호흡곤란 → 즉시 중단 후 의사에게 보고 기출

② 공혈자와 수혈자의 혈액형을 확인

③ 수혈 시작 후 첫 15분 동안 대상자 곁에 있어야 함 → 수혈반응이 첫 15분에 발생할 가능성이 높기 때문

④ 수혈 시 18~20 G 바늘 사용 : 혈액의 점성 때문 : 게이지가 작을수록 바늘구멍이 굵음(보통 주사바늘 : 21~23 G)

⑤ 전혈 : 냉장 보관, 수혈시 체온만큼 높여 수혈

⑥ 쇼크와 체온을 사정하기 위해 15분마다 활력징후를 측정

제3장 | 임종(호스피스 간호)

1. 임종(호스피스) 간호 (기출 20상) (기출 20하)

1) 목적

① 임종환자와 가족의 사회적, 정서적, 신체적, 영적인 안위를 제공(다양한 장소에서 이루어짐)

② 증상과 통증을 조절하는 것

③ 대상자의 의지를 존중하며 가능한 편안한 죽음을 맞이하도록 하는 것

④ 대상자의 가족이 대상자와의 사별에 대처할 수 있도록 가족을 심리적으로 지지(위로) 기출

2) 임종 간호

① 환자의 말에 관심을 보이며 잘 경청 기출

② 임종단계 : 부정(받아들이지 않고)단계 → 분노(폭언과 적개심)단계 → 협상(후회, 죄의 대가, 연장 원함)단계 → 우울(죽음의 불가피 인식, 깊은 슬픔)단계 → 수용(죽음을 인정, 기다리는)의 단계

③ 가장 먼저 사라지는 감각 : 시각(방을 밝게 함)

④ 마지막까지 남아있는 감각 : 청각(임종 시 말조심 할 것)

2. 임종 시 나타나는 증상

① 근육 긴장도 감소로 위장관의 기능 감소(계속되는 오심, 가스축적, 복부팽만 등)
② 맥박 : 약해지고 감소, 혈압하강
③ 호흡 : 빠르고 불규칙, 체인스톡호흡(임종호흡)
④ 시야가 흐려지고 동공산대, 미각과 후각 상실
⑤ 얼굴 근육의 이완, 연하곤란, 반사 소실, 실금, 신체 움직임 감소(동작불능) 등
⑥ 사지의 반점과 청색증, 발부터 시작하여 점차 피부가 차가워짐 등

3. 사후 처치

1) 목적

① 사망한 대상자의 외모를 단정히 하고 편안하게 보존
② 법적으로 필요한 조치를 취함
③ 유족에게 신체적·정신적 지지를 제공
④ 사망한 대상자를 존중
⑤ 사망한 대상자를 옮기는데 편하게 하기 위함

2) 사후처치 간호 내용 : 의사 사망선언 후 실시

① 가장 먼저 할 일 → 사후강직이 오기 전에 사체를 자연스럽고 편안하게 보이도록 반듯이 눕힘
② 사후강직이 오기 전에 자연스런 얼굴모습을 위해 제거했던 의치를 끼움 : 보통 사후 1~2시간 경부터 신체가 경직되므로
③ 항문, 코, 입, 귀, 질 등을 솜으로 막음
④ 베개를 넣어 머리와 어깨를 올림 → 얼굴색이 검게 변하는 것(시반) 예방
⑤ 괄약근의 이완으로 대·소변이 배출될 수 있음 → 둔부 밑에 패드를 대줌
⑥ 개인 소지품 : 보호자에게 내주고 서명 받음

3) 기록내용

사망 전 대상자 상태, 사망시간, 담당의사, 처치해 준 내용, 사체운반 시간 등

참고문헌

가혁 외. 『노인요양병원 진료지침서 (제4판)』. 군자출판사, 2021

강경아 외. 『아동청소년간호학 (제2판)』. 군자출판사, 2019

강지연 외. 『간호사를 위한 건강사정 (제2판)』. 군자출판사, 2019

공성숙 외. 『정신건강간호학 (제7판)』. 군자출판사, 2021

김계숙 외. 『여성건강간호와 비판적사고 (제2판)』. 군자출판사, 2015

김선옥. 『2019 간호조무사 실전 모의고사』. 군자출판사, 2018

김선옥. 『2019 간호조무사 핵심요약집』. 군자출판사, 2018

대한노인응급연구회. 『노인응급의학』. 군자출판사, 2019

대한산부인과학회. 『산부인과학 지침과 개요 (제5판)』. 군자출판사, 2021

대한약학회. 『병태생리학 (제5판)』. 군자출판사, 2013

대한재활의학회. 『재활의학』. 군자출판사, 2019

대한중풍순환신경학회. 『한의표준임상진료지침』. 군자출판사, 2021

박경희. 『그림으로 보는 상처관리 (제2판)』. 군자출판사, 2019

서울대병원 약제부. 『병원약학실무실습서 (제2판)』. 군자출판사, 2017

스마트에듀K 아카데미. 『2021 치과위생사 국가시험 핵심요약집』. 군자출판사, 2021

심정은 외. 『간호사 국가시험 파워 파이널 완성』. 군자출판사, 2021

연세대원주의과대학. 『응급구조와 응급처치 (제8판)』. 군자출판사, 2017

유봉규. 『약물치료 핸드북 (제2판)』. 군자출판사, 2020

이명숙 외. 『최신 핵심간호용어 (제5판)』. 군자출판사, 2010

이주열. 『공중보건학 (제3판))』. 군자출판사, 2016

장성옥 외. 『기본간호학 실습지침서 (제5판)』. 군자출판사, 2018

장성옥 외. 『기본간호학 이론서 (제5판)』. 군자출판사, 2018

정구보 외. 『백상호의 사람해부학』. 군자출판사, 2017

정연준 외. 『간호미생물과 감염관리』. 엘스비어코리아, 2017

최승훈. 『한의학 원론』. 군자출판사, 2020

한수인 외. 『2019 간호사 국가고시 핵심요약집』 시리즈 총9권. 군자출판사, 2017

한수인 외. 『POWER 2019 간호사 국가고시 보건의약관계법규』. 군자출판사, 2017

황성오 외. 『심폐소생술과 전문심장소생술 (제6판)』. 군자출판사, 2021